ELISABETH ELLIOT

MOLDADA POR DEUS

ELLEN VAUGHN

ELISABETH ELLIOT

MOLDADA POR DEUS

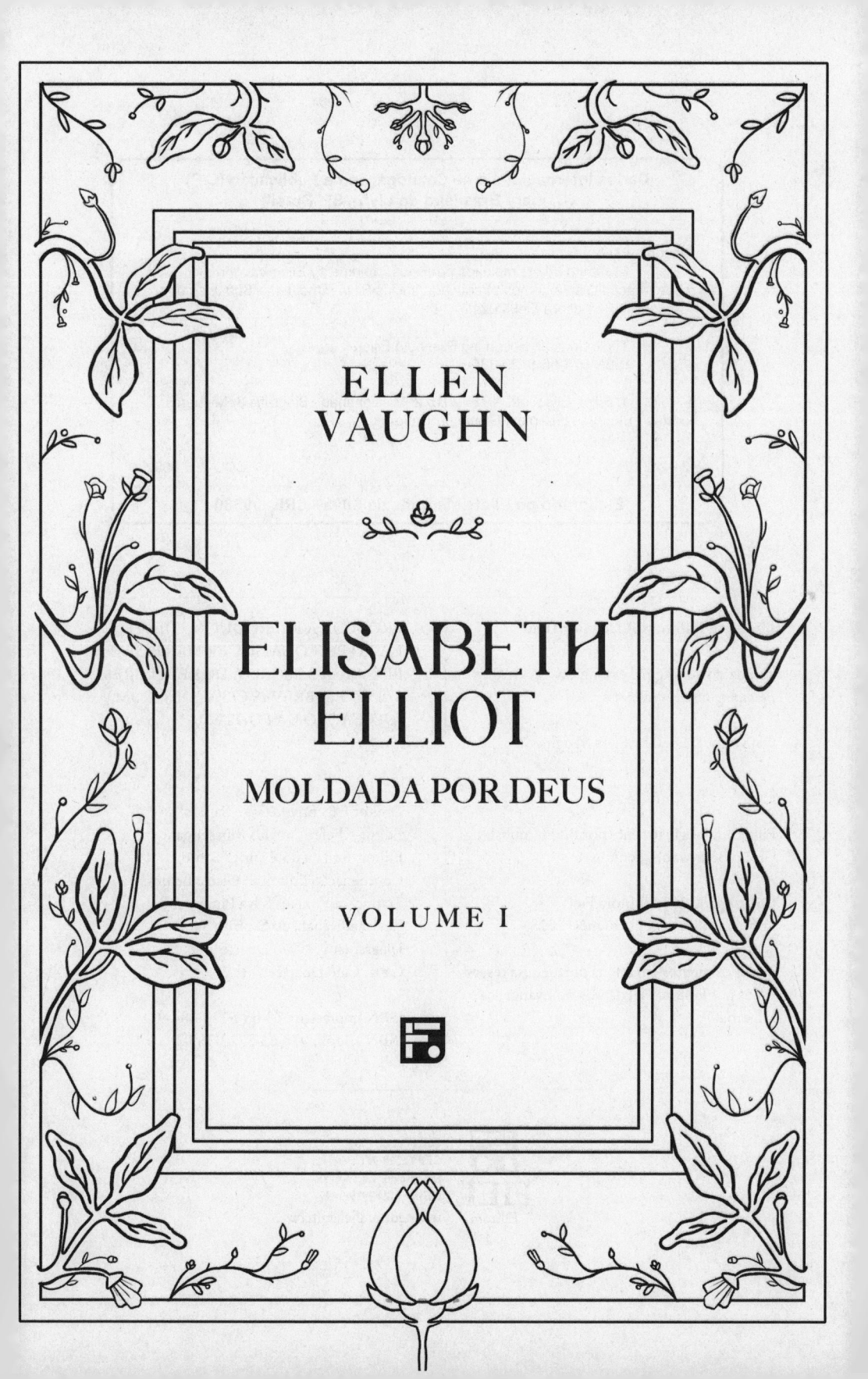

VOLUME I

Dados Internacionais de Catalogação na Publicação (CIP)
(Câmara Brasileira do Livro, SP, Brasil)

Vaughn, Ellen
    Elisabeth Elliot : moldada por Deus : volume 1 / Ellen Vaughn ; coordenação Gisele Lemes ; tradução Vinícius Silva Pimentel. -- São José dos Campos, SP : Editora Fiel, 2024.

    Título original: Becoming Elisabeth Elliot.
    ISBN 978-65-5723-385-6

    1. Elliot, Elisabeth, 1926-2015 2. Missionárias - Biografia 3. Mulheres cristãs - Biografia I. Lemes, Gisele. II. Título.

24-242198   CDD-266.0092

Elaborado po Eliete Marques da Silva - CRB-8/9380

Elisabeth Elliot: Moldada por Deus

Traduzido do original em inglês:
Becoming Elisabeth Elliot

Copyright © 2020 by Ellen Vaughn

•

Publicado originalmente por B&H Publishing Group Brentwood, Tennessee

Copyright © 2023 Editora Fiel
Primeira edição em português: 2025

Todos os direitos em língua portuguesa reservados por Editora Fiel da Missão Evangélica Literária

PROIBIDA A REPRODUÇÃO DESTE LIVRO POR QUAISQUER MEIOS SEM A PERMISSÃO ESCRITA DOS EDITORES, SALVO EM BREVES CITAÇÕES, COM INDICAÇÃO DA FONTE.

•

Diretor Executivo: Tiago Santos
Editor-Chefe: Vinicius Musselman
Editor: Renata do Espírito Santo
Coordenação Editorial: Gisele Lemes
Tradução: Vinicius Silva Pimentel
Revisão: Renata do Espírito Santo
Diagramação: Caio Duarte
Capa: Caio Duarte

ISBN impresso: 978-65-5723-384-9
ISBN eBook: 978-65-5723-383-2

Caixa Postal, 1601
CEP 12230-971
São José dos Campos-SP
PABX.: (12) 3919-9999
www.editorafiel.com.br

"Viu, pois, Moisés toda a obra, e eis que a tinham feito segundo o SENHOR havia ordenado; assim a fizeram."
(Êx 39.43)

Em homenagem a Mincaye,
cuja memória me faz sorrir,
cuja vida representa a realidade do poder transformador de Cristo
e a esperança de que o amor e o perdão de Deus
fluirão para cada grupo populacional não alcançado no planeta,

soli Deo Gloria

Mincaye com Ellen Vaughn,
selva amazônica, julho de 2019

SUMÁRIO

Prefácio 11

PARTE I - O COMEÇO DA HISTÓRIA
Capítulo 1. Morte ao entardecer 17
Capítulo 2. Descobrindo a história 23

PARTE II - MOLDADA POR DEUS
Capítulo 3. B. T. M. 37
Capítulo 4. A qualquer custo 47
Capítulo 5. Cortando diamantes 51
Capítulo 6. Um sapo muito pequeno 65
Capítulo 7. "Que não fumegue e se apague" 73
Capítulo 8. Uma rosa gelada 79
Capítulo 9. Eunuco para Cristo 89
Capítulo 10. Paciência em Alberta 97
Capítulo 11. "Uma impressão universalmente horrível" 103
Capítulo 12. Sentada e calada 113
Capítulo 13. "Não me sinto muito como uma missionária" 119
Capítulo 14. "Às vezes me pergunto se é certo ser tão feliz" ... 127
Capítulo 15. Os coloridos colorados 137
Capítulo 16. A primeira morte de Elisabeth Elliot 141
Capítulo 17. Finalmente! 155
Capítulo 18. Na Companhia dos Saints 171

Capítulo 19. O que poderia ter sido 175
Capítulo 20. Elenco de personagens.. 181
Capítulo 21. Contagem regressiva para o contato......................... 191
Capítulo 22. A segunda morte 203
Capítulo 23. Cristo, o princípio; Cristo, o fim 211
Capítulo 24. Através dos portais 219
Capítulo 25. Uma parede em branco 231
Capítulo 26. "Os olhos do mundo estão sobre aquela tribo"............. 239
Capítulo 27. "Se me matassem, melhor ainda" 249
Capítulo 28. Uma bruxa missionária 255
Capítulo 29. "Para o inferno com meu zelo!"............................... 263
Capítulo 30. Uma criança entre os algozes de seu pai 275
Capítulo 31. "Loucura, pura loucura" 287
Capítulo 32. Em casa, mas não em casa..................................... 295
Capítulo 33. No poço 303
Capítulo 34. Duas mulheres no fim do mundo 311
Capítulo 35. Pontes em chamas... 319

PARTE III - CAPACITADA POR DEUS

Capítulo 36. O que aconteceu depois 331
Capítulo 37. A questão irrelevante 333
Capítulo 38. A questão relevante.. 337
Capítulo 39. A poeira e as cinzas 341
Capítulo 40. A próxima coisa 345
Capítulo 41. O problema da dor 349

Epílogo - Uma nota da autora... 357
Com gratidão 359
Créditos das imagens 363

PREFÁCIO

Eu estava deitada em uma cama de hotel, tarde da noite, paralisada com lençóis amassados parcialmente cobrindo meus membros inúteis. Parecia estranho receber minha heroína da fé naquele quarto. À medida que ela se aproximava da minha cama, com a sua Bíblia pressionada contra o peito, a postura imponente de Elisabeth Elliot se suavizava com seu sorriso. Eu tinha vinte e seis anos e havia sido experimentada por uma década de tetraplegia, mas ainda assim, estava boquiaberta.

Ambas éramos preletoras na mesma conferência e, depois da minha palestra, Elisabeth pediu para se encontrar comigo. Ela queria ouvir mais. Ela havia dito: "É tão extraordinário assim para as outras pessoas verem a 'marca de Cristo' em sua vida? Se sentimos que é assim, o que diremos que isso revela sobre o estado da cristandade?"

"Não sou tão extraordinária assim", pensei enquanto Elisabeth desamarrotava a saia e se sentava na cama em frente a mim. Mas o comentário dela ia direto ao cerne das coisas... e era isso que eu admirava nela. Eu amava sua maneira "sem rodeios" de viver, que consistia em morrer diariamente por Cristo. Era uma maneira de ver as coisas sem qualquer despropósito. Apenas se levante, pela graça de Deus, ponha sua cruz sobre o ombro e siga seu Salvador pelo rastro de sangue que marca o caminho até o Calvário. E não reclame de nada.

Conheci Elisabeth Elliot pela primeira vez em 1965, quando, no ensino médio, li seu livro *Através dos portais do esplendor*. Fiquei hipnotizada com a foto inquietante daquela missionária de vinte e nove anos, na selva, segurando seu bebê e olhando por uma janela através de uma nuvem de tristeza. Seu marido, com quem estava casada há menos de três anos, acabara de ser cruelmente morto pelas próprias pessoas que ele tentara alcançar para Cristo. O que a fez permanecer no campo missionário e, então, levar o evangelho ao mesmo povo que havia assassinado Jim e seus colegas? Jesus era tão digno assim?

Tive a oportunidade de me fazer a mesma pergunta logo após terminar o ensino médio, quando um pescoço quebrado me derrubou naqueles vales escuros sobre os quais Elisabeth escreveu. Sentada em minha cadeira de rodas e virando as páginas com a ponta de borracha de um lápis, adentrei pelo seu segundo livro, *Shadow of the Almighty* ["Sombra do Onipotente"]. Eu sabia que daquela mulher obteria a verdade nua e crua sobre Deus e o sofrimento. Eu queria saber se Jesus valia a pena. Como era de se esperar, seus escritos não patinavam em terreno escorregadio. Descobri que ela acreditava firmemente que seu Salvador era um êxtase incomparável. Então, depois de ler mais de seus livros, ouvi o Espírito de Jesus sussurrar em meu coração: "Seja como ela".

Sendo assim, ter um encontro particular com minha grande referência era um tesouro incrível. Naquele quarto de hotel, conversamos sobre muitas coisas, mas nos detivemos na satisfação compartilhada de que nenhuma de nós se sentia tão extraordinária assim. Éramos simplesmente seguidoras de Cristo que haviam penetrado as profundezas de sua alegria ao provarmos de suas aflições. Essas aflições haviam aberto cortes profundos em nossos corações, dentro dos quais a graça e a alegria haviam se derramado, alargando e enchendo nossas almas com uma abundância de nosso Senhor. Naquela noite, saboreamos a amabilidade de Jesus, convencidas de que ele mais do que "valia a pena".

A hora passou rápido. Elisabeth tinha de palestrar na conferência na manhã seguinte; então, ela se levantou e juntou suas coisas. Mas, antes de sair, ela se virou e disse com o queixo erguido: "O sofrimento nunca é em vão, Joni".

Vivemos hoje em uma era diferente. Muitos jovens que conheço não reconhecem o nome de Elisabeth Elliot. Eles vivem em uma cultura igualitária, na qual a história de todo mundo é extraordinária, quer tenha a marca de Cristo, quer não. Os líderes que eles admiram carecem de qualidades heroicas. Coragem é algo raro. Bom caráter, mais raro ainda. A pureza moral parece arcana. O sofrimento deve ser mitigado a todo custo. E se não puder ser evitado, lidamos com ele com drogas, divórcio, escapismo ou orações triunfalistas.

A ocasião deste livro não poderia ser melhor. Podemos não o saber, mas, em uma era de anti-heróis, nossa alma anseia por um testemunho autêntico. Desejamos ver um seguidor de Cristo enfrentando o pecado e permanecendo firme contra os ventos da adversidade; alguém cujo caráter encouraçado não possa ser desmantelado. Queremos ver alguém em quem viver para Cristo e morrer por ele sejam coisas indistinguíveis. Estamos famintos por uma história visceral que tenha conteúdo. Uma história que se eleva acima da média. Que nos inspire e nos faça voar.

Moldada por Deus é essa história. E ninguém pode dizer isso melhor do que minha velha amiga Ellen Vaughn. Ela é uma excelente biógrafa — suas meticulosas

PREFÁCIO

habilidades de pesquisa se combinam com uma capacidade de escrita que é totalmente incomparável. Na primeira vez que li o livro que você agora tem em mãos, ele me arrancou do chão, um pouco como aquela casa que voou quando os cientistas testaram a bomba atômica pela primeira vez. Fiquei admirada com seu jeito primoroso com as palavras, seu intelecto; eis ali uma mulher — embora muito diferente da minha heroína em personalidade — que escrevia e pensava como Elisabeth Elliot.

Nas páginas seguintes, você conhecerá a mulher cristã mais notável do século passado — o que moldou suas convicções, forjou sua fé e imprimiu nela uma paixão inflexível por ganhar almas para Cristo. Para aqueles que a conheciam bem, ela era Betty. Para o mundo, ela era Elisabeth, uma capitã (e não uma soldada rasa) do exército de Deus; uma combatente em meio a uma galeria de heróis, todos eles contentes em deixar sua casa e seu país para gastar sua vida em selvas e cavernas com o fim de ganhar almas para o reino celestial.

Esse era o material cascudo do qual Elisabeth Elliot era feita. Este livro é a história de como ela se tornou assim; o segundo volume de Ellen continuará com o resto de sua história. Mas o que você lerá aqui mostra claramente o que Elisabeth tinha de *ordinário*, como ela estava sujeita às mesmas tentações e distrações que atormentam a todas nós, e aquilo que ela abraçou, por meio de Cristo, para se tornar *extraordinária*.

Quarenta e cinco anos se passaram desde o meu encontro com Elisabeth naquele quarto de hotel. Depois de viver muito tempo com paralisia, dor crônica e câncer, ainda orbito em seu exemplo. À noite, muitas vezes recalibro o foco da minha fé relendo suas obras clássicas. De fato, hoje à noite mesmo, minha cuidadora se sentará de pernas cruzadas na cama oposta e lerá em voz alta *Shadow of the Almighty* ["Sombra do Onipotente"]. Quando o livro for fechado e eu me virar na cama para dormir, com as luzes apagadas, as palavras dela vão brilhar no meu coração.

Ao ler o relato de Ellen sobre os primeiros anos de Elisabeth, espero que você respire um novo senso da graça e da realidade absoluta de Deus em um mundo frágil e distraído. Espero que você se convença de que a mesma graça que sustentou a jovem Betty Elliot, até ela se tornar capitã no exército de Deus, de fato sussurrará à sua alma: "Seja como ela".

Joni Eareckson Tada

PARTE I

O COMEÇO DA HISTÓRIA

CAPÍTULO 1
MORTE AO ENTARDECER

Era 11 de abril de 1948, em Wheaton, Illinois, cinquenta quilômetros a oeste de Chicago. Jim Elliot era um calouro no Wheaton College: um lutador estrelado, estudante de grego, poeta e contador de piadas. Ele e três amigos — outro Jim, Walt e Hobey — riam e brincavam um com o outro enquanto entravam no Nash de 1946 de Hobey, um clássico carro americano de meados do século XX, com grandes para-choques arredondados e uma transmissão manual de três velocidades. Eles se dirigiam a um hospital local para visitar enfermos e falar com qualquer um que se importasse em ouvir sobre Cristo.

O Nash chegou ao cruzamento entre o trilho ferroviário e a President Street, perto do campus de Wheaton. A Chicago and North Western Railway ["Ferrovia Chicago e Noroeste"] atendia aos passageiros da área, além de transportar toneladas de produtos agrícolas do Oeste até Chicago, a porta de entrada para o leste.

As luzes do sinal piscaram; os rapazes podiam ver que o pesado trem de carga estava a pelo menos um quarteirão e meio de distância. Como quaisquer jovens de vinte anos, eles aceleraram. O vigilante da ferrovia correu para fora de sua guarita no cruzamento e desceu para os trilhos, gritando e acenando para eles. Hobey freou bruscamente e parou no meio dos trilhos para evitar acertá-lo. Tentando sair dos trilhos, Hobey entrou em pânico e enguiçou o Nash.

Ele não conseguia fazer a embreagem engatar. Jim, Walt e Jim abriram as portas, saltaram e rolaram para a margem de segurança, gritando para que o amigo os seguisse. Hobey tentou ligar o carro novamente.

Enquanto o vigia e os meninos gritavam, havia o rangido adicional de metal sobre metal enquanto, desesperadamente, o engenheiro do trem de carga tentava frear. No último segundo antes do impacto, Hobey abriu a porta do carro e pulou fora.

O enorme trem de carga atingiu o Nash no para-lama traseiro direito, girando o carro robusto tão rápido que bateu novamente no para-lama dianteiro esquerdo, esmagando-o como uma lata de refrigerante. Em vez de morte súbita em um domingo à tarde, com seu sangue manchando os trilhos da ferrovia, os rapazes ficaram apenas "torcidos e cheios de sobriedade", como Jim Elliot escreveu a seus pais algum tempo depois.

Foi uma "fuga por um triz", disse ele. "Os detalhes dos jornais são bastante precisos, mas os jornalistas não sabem nada sobre os espíritos ministradores enviados pelo Criador do universo" para proteger o seu povo.

"Fiquei consideravelmente sóbrio ao pensar em como o Senhor me protegeu de dano nesse episódio", Jim concluiu. *Certamente, ele tem uma obra para mim e me quer em algum lugar.*"[1]

5 DE JANEIRO DE 1956

O missionário Jim Elliot, agora com vinte e oito anos, está de pé no Rio Curaray, com a água à altura do tornozelo, em algum lugar na misteriosa e verde floresta tropical do leste do Equador. Ele encontrou o trabalho para o qual Deus salvara sua vida naqueles trilhos de trem de Wheaton, oito anos antes.

Usando apenas a roupa de baixo por causa do calor, com o guia de conversação em uma mão, ele segue gritando expressões de amizade e bom ânimo, o equivalente a: "Viemos em paz". Os quatro missionários com ele — Nate, Ed, Pete e Roger — riem enquanto Jim berra a plenos pulmões para a selva silenciosa, ao mesmo tempo que mata um milhão de mosquitos com as palmas das mãos.

Esta viagem de acampamento extrema é o culminar de anos de orações, esperanças e planejamento. Cada um desses missionários, já trabalhando com outras tribos indígenas, desenvolveu uma atração improvável por um povo não alcançado conhecido como os aucas, ou *selvagens nus*, que viviam há gerações em um estado primitivo de isolamento, matando todos os forasteiros que tentavam entrar em seu território.

---

1 Jim Elliot, carta aos pais, conforme citado em *Shadow of the Almighty*, p. 55.

MORTE AO ENTARDECER

Jim pregando para a selva, janeiro de 1956

A tribo seria mais tarde conhecida por seu nome real, os waorani,[2] ou *o povo*. Entende-se hoje que o termo "aucas", usado por muitos anos no Equador, é um termo ofensivo.[3]

Esses cinco jovens missionários acreditam que a violenta história dos waorani pode mudar. Durante anos, eles têm sonhado em apresentar o amor de Jesus àquela tribo. Ao longo das últimas treze semanas, eles vêm tornando conhecidas as suas intenções benignas, usando um engenhoso sistema de lançamento de balde para enviar presentes de um avião de baixa altitude, pilotado por Nate Saint, para um pequeno assentamento waorani nas profundezas da selva. Os waorani

---

2 O nome também pode ser escrito "waodani".
3 Escolhi chamar a tribo de "waorani" ao longo deste livro, tanto na minha própria escrita quanto nas minhas citações das palavras de outrem escritas no período em que esse insulto era rotineiramente — e inocentemente — empregado. Se eu fosse uma historiadora, antropóloga ou linguista, talvez não tivesse chegado à mesma decisão. Missionários, jornalistas, leigos e todos os demais usavam "auca" rotineiramente nas décadas de 1950 e 1960. Por exemplo, a iniciativa evangelística de alcançar aquela tribo, em 1956, ficou historicamente conhecida como "Operação Auca". Chamá-la de "Operação Waorani" seria um anacronismo. Porém, com uma mentalidade do século XXI, é difícil ler um insulto racial, étnico, capacitista ou de qualquer outro tipo e não recuar com negatividade em relação àqueles que o proferiram. Se os missionários ou jornalistas que citei neste livro, os quais muito tempo atrás empregavam o termo "auca", quisessem dizer isso como um insulto, de fato eu teria mantido o uso da expressão, a fim de ser fiel à sua *intenção* original. Mas eles a usavam sem preconceito e, na maioria das vezes, no caso dos missionários, com muito amor.

logo responderam com entusiasmo, enviando seus próprios presentes — rabo de macaco defumado, cerâmicas, um papagaio — de volta para o avião, por meio do balde.

Agora, com suas propostas de amizade estabelecidas e correspondidas, os missionários acreditam que chegou a hora de se encontrarem pessoalmente.

Eles estabeleceram um acampamento perto do assentamento waorani e o batizaram de "Palm Beach". Construíram uma casa na árvore para que possam dormir em segurança. Por rádio, eles se comunicam com suas esposas que estão nas bases missionárias (usando código, já que o canal é compartilhado por outros missionários na área). Devido à reputação estrondosa da violenta tribo, sua missão aos waorani é ultrassecreta. Ao menos por enquanto.

"*Biti miti punimupa!*", grita Jim alegremente, com os ombros e as costas largas virados para os amigos e o rosto voltado para a selva. *Eu gosto de você; quero ser seu amigo.* "*Biti winki pungi amupa!*" *Queremos ver vocês!*

O que Jim não sabe é que os waorani são uma sociedade baseada em relações de parentesco e que, em sua linguagem peculiar, não tem palavra correspondente para "amigo". As frases que ele usa estão corrompidas, pois lhe foram ensinadas por um falante nativo de waorani que fugira da tribo anos antes. Vivendo entre o povo quíchua, ela se esquecera de grande parte de sua língua materna e, sem querer, misturou com ela uma fonética que não seria inteligível para os waorani.

Por isso, nenhuma resposta vem da selva. Mas Jim e os outros rapazes têm a sensação de que estão sendo observados pelos waorani — que são mestres da ocultação.

Mais de sessenta quilômetros a noroeste das sinceras orações de Jim Elliot, sua jovem esposa está sentada à sua escrivaninha de madeira em Shandia, a base missionária onde ela e Jim trabalham com uma comunidade de índios quíchua. Elisabeth Elliot é alta, esbelta e de olhos azuis, com cabelos castanhos claros, covinhas na bochecha e um distinto espaço entre os dentes da frente. Seu semblante é cheio de inteligência e curiosidade. Ela está no lugar certo, pois há muitas coisas curiosas na selva.

Elisabeth tem aproveitado o cochilo de sua filha de dez meses para escrever em seu pequeno diário preto. Ela usa uma caneta-tinteiro, sua prosa fluida deslizando em brilhante tinta azul esverdeado nas suaves páginas brancas.

"Jim foi para os waorani agora", escreve ela. "Meu coração espera e anseia por ele. No mês passado, senti um grande abismo entre nós e desejei superá-lo de alguma forma [...]. Mal posso me conter de derramar meu amor por ele, dizendo-lhe como eu o amo e vivo por ele."[4] Porém, ela está animada com o projeto waorani, compartilhando o mesmo desejo que seu marido e colegas missionários de que aquele grupo populacional tenha a chance de ouvir o evangelho. Ela havia sustentado que ela mesma e a bebê Valerie deveriam ir com Jim, argumentando que a tribo seria muito menos propensa a atacar uma unidade familiar do que um grupo de cinco homens.

Estranhamente, aquela foi uma discussão que ela perdeu.

Então, agora ela espera, uma mulher em casa.

SEXTA-FEIRA, 6 DE JANEIRO DE 1956

De volta a Palm Beach, Jim e companhia estavam se preparando para mais um longo dia de comunhão com insetos e pregação para as árvores quando duas mulheres silenciosamente saíram do meio da selva, do lado oposto do rio em relação ao acampamento. Elas estavam nuas, com os lóbulos das orelhas esticados e os cordões na cintura que distinguiam os waorani.

Jim Elliot mergulhou no rio, pegou-as pelas mãos e as conduziu até o outro lado. Nate, Ed, Roger e Pete lhes deram as boas-vindas com muitos acenos de cabeça, sorrisos e pantomimas alegres e vigorosas. Vendo que a recepção era acolhedora, também um homem waorani emergiu da folhagem.

O resto do dia se passou com um amigável choque de culturas. Os membros da tribo não tinham ideia do que os norte-americanos estavam dizendo, e vice-versa. Mas os visitantes olharam as câmeras, as revistas, o avião e os equipamentos dos homens; experimentaram um pouco de repelente de insetos, comeram um hambúrguer e beberam um pouco de limonada. O homem até deu uma volta com Nate em seu avião; e, enquanto deslizavam sobre a aldeia waorani, ele se inclinou para fora, gritando e acenando para os espantados membros de sua tribo lá embaixo.

No final da tarde, a moça mais jovem se levantou e se dirigiu abruptamente para a selva. O homem a seguiu. A mulher mais velha ficou com os missionários,

---

4 Se eu fosse indicar a referência a cada um dos registros do diário de Elisabeth ao longo deste livro, as centenas de notas de rodapé iriam atrapalhar a experiência do leitor. Por esse motivo, optei por não referenciar nenhum registro de diário em notas ao longo da obra. Além disso, para constar, sempre que Elisabeth usa "+" em suas dezenas de diários, eu o substituí por "e" para uma leitura mais fluida.

jogando conversa fora. Ela dormiu ao lado da fogueira naquela noite, quando os missionários subiram até a sua casa na árvore, a dez metros do chão.

Fervilhando de empolgação, os missionários mal conseguiam dormir. Aquele fora o primeiro contato amigável com essa tribo intocada e violenta. Eles oraram para que fosse o início de uma grande nova fronteira para o evangelho.

DOMINGO, 8 DE JANEIRO DE 1956

Em sua casa em Shandia, Elisabeth Elliot deu banho na pequena Valerie e arrumou tudo. Ela orou por Jim, Nate, Ed, Pete e Roger.

De volta a Palm Beach, o longo e quente dia anterior havia passado sem uma nova visita dos waorani. Mas nesta manhã de domingo, 8 de janeiro, quando Nate Saint voava sobre o dossel da selva, ele avistou um grupo de pessoas nuas atravessando o rio, movendo-se na direção de Palm Beach.

Ele zumbiu de volta ao acampamento. "É agora", gritou para Jim, Pete, Ed e Roger enquanto pousava. "Eles estão a caminho!"

Nate falou com sua esposa pelo rádio, para atualizá-la, às 12h30. Ele lhe contou sobre como avistara o grupo de waorani. "Ore por nós", disse ele. "Hoje é o dia! Farei novo contato com você às 16h30."

O evento que galvanizou o movimento missionário cristão por toda a segunda metade do século XX, segundo alguns, durou menos de quinze minutos. Dias depois, o grupo de busca e resgate encontrou a carnificina. Quando pescaram o corpo ensanguentado de Nate no rio Curaray, seu relógio estava parado marcando 15h12.

CAPÍTULO 2
DESCOBRINDO A HISTÓRIA

Quando Jim Elliot e seus companheiros missionários deram seu último suspiro naquele dia de janeiro, tanto tempo atrás, ninguém sabia que eles se foram, exceto as pessoas que os mataram. Elisabeth Elliot e as outras esposas continuaram seus deveres habituais, dando aulas, manejando a rádio, cuidando de crianças pequenas. Elas oravam fervorosamente por seus maridos, sem saber que eles já haviam passado do domínio em que orações são necessárias. Foi somente cinco dias após o ataque que as esposas souberam com certeza que os maridos todos estavam mortos. O resto do mundo ficou sabendo logo depois delas. Mesmo naquela época, muito antes da internet, manchetes e reportagens de rádio sobre os americanos desaparecidos já apareciam por todo o mundo, com milhares orando para que os homens fossem encontrados seguros.

Naquela época, missionários não eram apenas uma esquisitice anacrônica tolerada à margem da cultura. A revista *Life*, um dos principais veículos de comunicação da época, enviou seu melhor fotojornalista ao Equador para cobrir a história. Ele participou do grupo de resgate, junto com tropas do exército dos EUA e do Equador, missionários e índios quíchuas que percorreram a selva, de armas engatilhadas, a procurar os homens desaparecidos. As equipes de busca — e as esposas que aguardavam na base missionária — esperavam contra a esperança que alguns dos homens tivessem sobrevivido. Contudo, um a um, os corpos dos missionários foram encontrados no rio, as lanças que os mataram ainda fincadas no que restava de sua carne. Eles eram identificáveis apenas por suas alianças de casamento, relógios e roupas esfarrapadas.

"Ide por todo o mundo", noticiava a revista *Life*, citando a Bíblia na tradução King James. "Cinco obedecem e morrem."[1]

---

1 "'Go Ye and Preach the Gospel': Five Do and Die," revista *Life* (30 jan. 1956), vol. 40, n. 5, p. 10.

Alguns meses depois, a Harper & Brothers, principal editora de Nova York, comissionou a recém-viúva Elisabeth Elliot a escrever um relato da história dos homens. De modo improvável, ela o fez em cerca de seis semanas, em um quarto de hotel em Manhattan. Com editores ansiosos monitorando de perto o seu trabalho, ela habilmente uniu os diários dos missionários e outros escritos deles e os teceu sobre o pano de fundo de sua crescente convicção de que Deus queria que eles tivessem contato com aquela tribo conhecida por sua história de matar todos os forasteiros. A história dos planos dos homens e suas famílias, assim como o ritmo acelerado da jornada em direção ao desfecho que os leitores já conheciam — os corpos traspassados flutuando no rio — eram a receita para uma leitura dramática e inesquecível. Repleto de poderosas fotos em preto e branco, *Através dos portais do esplendor* chegou ao topo das listas de mais vendidos e ainda é conhecido como um dos livros cristãos seminais do século XX.

Elisabeth Elliot podia ser uma missionária, linguista, esposa e mãe, mas *Através dos portais do esplendor* revelou que ela também era algo mais: uma escritora poderosa. Sua prosa era habilidosa, sem sentimentalismo, pungente. Suas observações soavam verdadeiras. E seu retrato lúcido de um conjunto de indivíduos absolutamente resolvidos a obedecerem a Deus, não importa o quê, capturou a imaginação de uma geração.

Elisabeth ainda escreveria dezenas de livros ao longo de sua vida. Ela falava em conferências, retiros e seminários em todo o mundo — 300 dias por ano — ao mesmo tempo que apresentava um longevo programa de rádio. O *New York Times* a chamou de uma "missionária obstinada em face da tragédia". Ela desafiou, enfureceu, despertou e encorajou leitores e ouvintes por décadas.

Tudo isso começou na década de 1950, uma época em que as mulheres usavam vestidos engomados, grampos de cabelo e pérolas. Missionárias na selva não eram exceção.

Após as mortes, Elisabeth, alta e arrumada em seu vestido de alfaiataria, voltou a trabalhar entre os índios quíchua, entre os quais ela e seu marido Jim haviam plantado uma igreja. Elisabeth dava aulas, fazia trabalhos médicos e auxiliava na tradução da Bíblia feita pelos crentes locais, agora liderados por um pastor nativo que Jim havia discipulado. Sua filha Valerie, com dez meses de idade quando seu pai fora assassinado, já não era um bebê. Enquanto trabalhava com os quíchuas, Elisabeth fez algumas orações improváveis. Uma delas foi mais ou menos assim: "Senhor, se queres que eu faça algo — qualquer coisa — com relação aos waorani, estou disponível".

DESCOBRINDO A HISTÓRIA

Em um dia ensolarado de 1957, duas mulheres waorani deixaram as terras de sua tribo e entraram em uma remota aldeia quíchua. Vários homens quíchuas foram até onde Elisabeth estava hospedada, ansiosos para que ela soubesse desse extraordinário desenrolar dos fatos. Elisabeth deixou sua filha Valerie com uma amiga, embalou apressadamente sua rede de transporte com suprimentos e caminhou seis horas até o assentamento onde as waorani haviam aparecido. Ela trouxe as duas mulheres waorani de volta para morarem com ela. Ao longo de vários meses, ela começou a aprender a língua delas. Lentamente. As duas mulheres nativas ficaram ansiosas para voltar para sua tribo. Mais cedo ou mais tarde, elas convidaram Elisabeth e sua colega missionária, Rachel Saint (irmã de Nate Saint), para morarem com elas entre os waorani.

A maioria de nós ia querer garantias firmes de que o contato entre a tribo violenta e as "estrangeiras" norte-americanas teria um desfecho melhor do que em janeiro de 1956. Mas não havia garantia nenhuma.

Depois de muita oração e muitas páginas de fervorosos debates consigo mesma em seu diário, Elisabeth Elliot passou a crer que Deus estava de fato direcionando-a para viver com a tribo. Então, ela adentrou mais fundo na selva com aquela minúscula fada loira, sua filhinha... para conhecer as mesmas pessoas que mataram seu marido e amigos.

Quando Elisabeth e Rachel foram morar entre eles, muitos dos waorani — e a maioria dos homens que haviam traspassado os missionários — conheceram uma nova maneira de viver. Eles viram que Elisabeth e Rachel não queriam vingança pela morte de seus entes queridos. Eles viram que o perdão era a saída para o ciclo interminável de violência sombria que havia aterrorizado sua tribo. Muitos pararam de traspassar; eles decidiram seguir Jesus, que fora traspassado pelos pecados deles, e andar na vereda de Deus.

Eu ainda não estava no planeta em janeiro de 1956, mas cresci, como Elisabeth, em uma família cristã que constantemente recebia missionários de terras distantes. Cresci com fome por culturas exóticas. Eu amava como o Espírito Santo incessantemente atraía pessoas a Jesus, independente de seu contexto ou passado. Eu ficava curiosa: como essas histórias se desenrolaram, *na vida real*?

Quando adolescente, cheguei a ler alguns dos livros de Elisabeth Elliot, mas não achava que pudesse aderir às disciplinas que ela defendia. Como jovem profissional, eu a ouvi falar na Prison Fellowship, onde eu trabalhava na época, e em minha igreja nos arredores de Washington, DC. Ela era articulada e intelectualmente rigorosa, alta, imponente e severa. Sem floreios. Eu a admirava muito, mas não tinha certeza se gostava dela tanto assim. Mal sabia que, um dia, eu me tornaria sua biógrafa e descobriria não apenas as raízes de sua rigorosa autodisciplina, mas também seu lado divertido, seu ardente amor pela natureza, sua paixão, assim como seu requintado senso de ironia e seu humor profundo e essencial. Eu ainda a admiro, mas agora eu gosto muito dela.

Por que é importante contar a história dela agora?

As leitoras que já estimam Elisabeth Elliot talvez descubram aqui uma referência — termo que ela desprezava, preferindo "exemplo visível" — mais profunda, mais complexa e ainda mais fácil de se identificar do que haviam imaginado. Aquelas que a rejeitam pelo "tradicionalismo" de alguns de seus pontos de vista, ou que detestam seus livros sobre feminilidade, talvez encontrem alguém de quem ainda discordem, mas cuja autêntica jornada espiritual possam admirar.

E quanto a todas aquelas que nunca ouviram falar dela? Em um dia frio e tempestuoso, eu perambulava pelo campus do Wheaton College, que outrora fora a Meca de tudo o que havia de evangélico e a *alma mater* para muitos dos líderes cristãos do século XX, incluindo Jim e Elisabeth Elliot. Parei perto do alojamento estudantil, de frente para os apartamentos Saint e Elliot, bebericando um café latte.

"Com licença", eu abordava os alunos que passavam. "Estou conduzindo uma pesquisa." Desejosos de ajudar, eles faziam uma breve pausa.

"Você sabe quem é Elisabeth Elliot?"

A resposta era quase sempre a mesma.

"Oh, puxa, não... Desculpe! Em que ano ela está?"

Eu replicava: "Bem, e quanto a Jim Elliot?" (Eu não mencionava que estávamos parados de frente a um prédio que levava o nome dele.) Alguns alunos balançavam a cabeça, talvez pensando no enorme mural em seu centro estudantil que retrata ex-alunos de Wheaton como Jim, que saíram de lá para fazer coisas heroicas por Cristo e por seu reino.

"Ah, sim! O cara que levou uma lança, certo?"

Após a morte de Elisabeth em 2015, visitei sua casa na rochosa costa norte de Boston. Ocupando todo o comprimento de um duto de aquecimento perto do chão, pousava um longo objeto.

Perguntei se poderia pegá-lo.

Uma lança, uma das muitas que mataram Jim Elliot.

DESCOBRINDO A HISTÓRIA

Meu coração bateu mais rápido. A madeira lisa, o peso da haste de quase dois metros e meio, a ponta afiada, esguia e dentada... foi um momento sacramental, manipular aquele objeto físico que me falava de uma transação espiritual nos lugares celestiais que eu não conseguia sequer começar a entender.

De pé na casa de Elisabeth Elliot — com seus livros favoritos, seu piano, suas xícaras de chá e o oceano selvagem que ela amava logo além da janela panorâmica —, eu sabia que aquelas mortes ocorridas na selva há tanto tempo eram apenas *parte* de sua história. Para Elisabeth, como para todas nós, os capítulos mais dramáticos podem muito bem ser menos significativos do que a fidelidade cotidiana que traça a corajosa trajetória de uma vida humana radicalmente submissa a Cristo.

Eu queria apresentar essa arrojada mulher de fé a uma geração que não a conhece. Ela era perfeita? De jeito nenhum. Mas estava empenhada em viver sua vida por Cristo, escancaradamente, sem reservas? Sim. Ela era curiosa, intelectualmente honesta e destemida. Não apenas em relação a viver com pessoas nuas que poderiam matá-la enquanto ela dormia, mas destemida de que a busca pela Verdade pudesse levá-la a uma conclusão inconveniente.

Não quero falar demais sobre o já sobrecarregado assunto de estereótipos geracionais, mas dizem que muitos — não todos — os *baby boomers* são tribais, no sentido de que tendemos a encontrar nosso "grupo" e ficar apegados a ele. Na subcultura cristã em particular, muitas de nós crescemos ouvindo quem era doutrinariamente puro e quem não era. Quem tinha nascido de novo, e quem não tinha. Uma vez que uma marca recebia o selo de aprovação para a tribo evangélica, tudo estava bem. As listas de mais vendidos no auge do mundo editorial evangélico eram dominadas por homens brancos (e algumas mulheres brancas) cujos livros poderiam conter praticamente qualquer coisa. Desde que um nome com o selo de aprovação estivesse na capa, as vendas estavam garantidas.

Elisabeth Elliot era um desses nomes. Porém, na verdade ela tem mais em comum com os *millennials* e as gerações seguintes do que com os *baby boomers* que primeiro compraram seus livros.

Em contraste com os boomers, os crentes mais jovens geralmente são mais céticos. Eles não estão procurando pelo selo de aprovação de alguma figura de autoridade ou o *imprimatur* de uma determinada marca. Eles avaliam o material em seus méritos, independentemente de sua origem, e então fazem sua escolha.

Elisabeth Elliot era esse tipo de pensadora. Ela falava a verdade segundo acreditava que Deus lhe dera discernimento para a enxergar, totalmente disposta a provocar a ira, quer de conservadores, quer de progressistas. Ela não jogava seguro. Ela viajou para o Oriente Médio e escreveu o que viu lá, não o que achavam que ela deveria ver. Ela via as culturas dos povos indígenas na selva amazônica com um olhar notavelmente "moderno", sempre buscando distinguir entre o que era a verdade do evangelho e o que era sobreposição cultural. Ela se irritava com o triunfalismo ou o sentimentalismo exagerado das histórias missionárias. Ela tentava relatar o que era verdade, mesmo que as pessoas não quisessem ouvir a versão sem floreios.

Ela estava longe de ser perfeita. Cometeu uma abundância de erros, alguns em privado, bem como alguns que ficaram sujeitos ao escrutínio público por causa de seu papel como autora e palestrante bem conhecida. Ela lamentava suas gafes e erros, mas sem cair na armadilha de um autofoco enfadonho.

"*Ai de mim*", lamentava em seu diário; "*Eu sou ridícula. Deus me ajude!*" E então ela seguia em frente, como o apóstolo Paulo, que lamentava pelo homem miserável que ele era, mas não permanecia ali. Para Paulo, tudo era sobre Cristo. O mesmo era verdade para Elisabeth Elliot.

Ela ficava tão à vontade em uma erudita exposição inaugural em Nova York quanto em uma cabana na selva, cercada por índios nus — o que quer dizer que se sentia uma estranha em qualquer lugar. Sua própria casa era onde se sentia mais confortável e, embora fosse uma autora prolífica, preferia lavar as xícaras de chá e espanar a sala de visitas a sentar em sua escrivaninha e escrever. Ela amava aquele mundo no qual ainda existiam salas de visita e xícaras de porcelana, e lamentava o seu desaparecimento.

Ela se deleitava tanto com escritores místicos mortos há muito tempo quanto com os romancistas da última moda. Celebrava os clássicos mais elevados, lendo Platão ou Sófocles no grego original; amava o *patois* das conversas ouvidas por acaso em um aeroporto. Imitadora habilidosa, era capaz de replicar sotaques, cadências, uso de palavras e padrões de fala de todos, da realeza britânica aos motoristas de táxi de Nova York.

No entanto, nos anos enfraquecidos de sua vida outrora forte, ela perdeu completamente a linguagem, recuando ao silêncio de sua experiência particular de demência.

Ela era alguém que aceitava que o Senhor dá e o Senhor toma com equanimidade. Desde a formação de sua complexa personalidade, ela não dava muita vazão a sentimentos. Para alguns, aquilo significava que ela não tinha sentimento nenhum. Seus diários revelam o contrário. Ela abrigava em si emoções selvagens, apaixonadas, às vezes desenfreadas. Mas, apesar disso, suas ações não emergiam das marés altas e baixas de suas paixões, mas do que ela acreditava ser a vontade de Deus. Enquanto estudante de uma universidade mista, sua vida foi assim: *Ame este homem [...], mas espere cinco anos para que ele se decida a casar com você.* Como uma recém viúva: *Vá para a selva e viva com o povo tribal que matou seu marido e seus colegas. E leve sua pequenina filha com você.*

Sua vida se desenrolou em cenários muito variados e exóticos, desde uma cabana de folhas de palmeira na selva amazônica (muito antes disso ser considerado chique por ecoturistas) a recepções suntuosas em Manhattan. Ela ficava tão fascinada por uma mulher nua da selva carregando um macaco de estimação a tiracolo quanto ficava intrigada com uma socialite afagando seu cachorrinho Yorkshire e bebericando champanhe. O enredo de sua vida transmite toda a disciplina e paciente sofrimento pelos quais ela é bem conhecida nas histórias, frequentemente repetidas, sobre a morte violenta de seu primeiro marido. Mas sua realização mais nobre não foi resistir a essa perda terrível, e sim exercitar — através dos grandes dramas e dos pequenos e monótonos dias que constituem qualquer vida humana — aquela morte diária de si que é tão necessária para uma alma florescer.

É este tema da morte que fornece o arco narrativo de sua vida. Não é um tema particularmente animador; porém, se havia dentro de Elisabeth Elliot um elemento fortalecedor e paradoxal que definia o núcleo do seu ser, esse elemento era uma saudável disposição de morrer. Morrer e morrer de novo, se assim Deus quisesse, sempre crendo na promessa dele de que uma vida verdadeira, robusta e empolgante emerge de cada morte.

Podemos concordar ou não com as convicções dela sobre papéis de gênero. Podemos nos identificar ou não com sua personalidade às vezes gélida. Alguns podem se irritar com as decisões obtusas de Jim Elliot na época em que a cortejava. Mas em tudo isso, ainda podemos admirar — e aprender com — o núcleo de aço dessa mulher notável. Ela realmente entendia que morrer para si mesma e tomar a sua cruz para seguir Jesus — fosse qual fosse o custo — era um mandato bíblico a ser obedecido. Ponto final.

É por isso que sua biografia reflete a vida e as mortes, no plural, de Elisabeth Elliot. Seu pressuposto — de que devemos morrer para nós mesmos, e de que é apenas no morrer que de fato encontramos a vida real — informava seus pontos de vista sobre escolhas de vida, gerenciamento de tempo, prevenção de riscos, opinião pública... e tudo o mais. É por isso que ela era radical. É por isso que sua vida continua relevante hoje. Podemos discordar de algumas de suas conclusões, mas se acreditamos na Bíblia, é difícil discordar de sua motivação fundamental.

Foi uma vida longa, com mais capítulos do que alguém apreciaria devorar em um único livro. É de se duvidar que Elisabeth tenha vivido intencionalmente suas experiências para se alinhar às necessidades organizacionais de um biógrafo; ainda assim, suas dramáticas primeiras décadas de amor e perda, suas escolhas contraculturais e sua cativante jornada espiritual como ser humano criam uma primeira história que merece ser contada por si só.

Portanto, este livro conta a variegada história de como Elisabeth Elliot veio a ser quem ela foi, através de suas aventuras nas selvas do Equador. O próximo volume contará o resto da história: seus últimos anos de viagem e escrita; sua voz poderosa no mercado das ideias cristãs; sua disposição de enfrentar controvérsias; seu improvável casamento de meia-idade cuja paixão e alegria a espantaram; uma perda devastadora; seu surpreendente e duradouro terceiro casamento; seu apelo mundial como palestrante; sua forte personalidade pública e sua vulnerabilidade nas tribulações da vida particular; e, enfim, sua devastadora jornada através daquilo que ela mais temia: a perda de sua extraordinária capacidade mental.

Elisabeth conhecia os desafios que um biógrafo enfrenta. Em sua pouco conhecida história de Kenneth Strachan, o fundador da Latin America Mission [Missão América Latina] e um homem complexo, Elisabeth escreveu:

> É um fardo incrível aquele que o biógrafo assume. O que quer que ele faça envolverá um julgamento — sobre o sujeito biografado, é claro, mas também sobre o próprio biógrafo e sobre qualquer um que esteja associado ao sujeito biografado.[2]

Aos que a convidaram para escrever a história de Strachan, ela disse: "A menos que eu tivesse total liberdade para escrever sobre ele *como eu o enxergava*", não cogitaria escrevê-la.

---

2 Elisabeth Elliot, *Who Shall Ascend: The Life of R. Kenneth Strachan of Costa Rica* (New York, NY: Harper & Row, 1958), p. xi.

DESCOBRINDO A HISTÓRIA

Tal liberdade lhe foi concedida, assim como me foi dada em meus menos articulados esforços para escrever sobre Elisabeth Elliot.

O processo de escrever uma biografia, é claro, é muito mais do que receber permissão para fazê-lo como achar melhor, ainda mais com uma história que é bem conhecida por alguns e completamente desconhecida por outros. Alguns discordarão do que eu escolhi omitir sobre Elisabeth Elliot; outros não ficarão felizes com o que decidi incluir. O biógrafo diligente não escapa de ser condenado.

Nisto, porém, minhas ordens de marcha vêm de Elisabeth. Sobre a biografia de Strachan, ela disse:

> E assim eu comecei — tentando descobrir, não construir, a verdade sobre este homem. A forma despreocupada — às vezes, aparentemente aleatória — da sua vida se descortinou diante dos meus olhos através de seus próprios escritos e do testemunho daqueles que o conheciam. [...] Repetidas vezes, peguei-me tentada a perguntar como meus leitores gostariam que esse homem fosse, ou como eu queria que ele fosse, ou como ele próprio pensava que era — e tive que ignorar todas essas perguntas em favor da única consideração relevante: Isso é verdade? Foi assim mesmo que aconteceu? E, é claro, essa é a pergunta que qualquer escritor, de qualquer tipo de literatura, deve fazer o tempo todo.[3]

Elisabeth conclui: "Tentei desvelar a verdade dos fatos, respondendo à pergunta: É assim que ele era? com toda a veracidade, simpatia e clareza de que fui capaz".[4]

Em meus esforços para expor a verdade dos fatos da vida de Elisabeth Elliot, fui imensamente ajudada por muitos que a conheciam bem. Também fui guiada por sua própria voz: a mão livre, firme e articulada que encheu diários durante década após década de sua longa vida, narrando a crônica dos acontecimentos diários, é claro, mas certamente também registrando o seu "homem interior" moldado e aperfeiçoado pelo Deus que narra todos os eventos. Esses escritos apresentam uma pessoa que eu gostaria que o público conhecesse mais profundamente.

---

3 Ibid., p. xii.
4 Ibid., p. xii, ênfase acrescida.

Esses diários nunca foram publicados. Eles são apaixonados, hilários, sensuais, brilhantes, corriqueiros, espirituosos, autodepreciativos, sensíveis, complicados e sempre... bem, quase sempre... totalmente comprometidos e submetidos a fazer a vontade de Deus, não importa quão alto seja o custo. Para Elisabeth, a questão central não era: "Como isso me faz sentir?", mas simplesmente: "Isso é verdade?" Se sim, então a próxima pergunta era: "O que eu preciso fazer a respeito para obedecer a Deus?" *Caso encerrado.*

Os diários nos quais me baseei — e as observações de outrem — dão corpo a um retrato biográfico de Elisabeth Elliot. Uma biografia, particularmente uma biografia narrativa como esta, não é uma série de fotografias, que capturam momentos no tempo. É mais como um retrato pintado, que captura a verdade duradoura e reconhecível sobre um dado ser humano. Esta biógrafa procurou a verdade sobre uma companheira peregrina na jornada da vida, a qual nos precedeu, e tentou pintar um retrato verbal de Elisabeth Elliot tanto em suas glórias quanto em sua humanidade. Não é uma hagiografia, nem um "desmascaramento", nem uma análise de suas visões teológicas ou sociais. É uma *história*, a qual tentei contar com toda a veracidade, simpatia, clareza — e caridade — de que sou capaz.

PARTE II

MOLDADA POR DEUS

CAPÍTULO 3
B. T. M.

"A encarnação tomou tudo o que propriamente pertence à nossa humanidade e nos trouxe de volta, agora redimido. Todas as nossas inclinações, apetites, capacidades e anseios são purificados, reunidos e glorificados por Cristo. Ele não veio para diminuir a vida humana; veio para libertá-la. Todo o dançar, o festejar, o produzir, o cantar, o construir, o esculpir, o cozinhar, o divertir-se... tudo o que nos pertence, e que foi roubado para o serviço de falsos deuses, nos é agora devolvido no evangelho."
—Thomas Howard

Desde o nascimento de Elisabeth, em 21 de dezembro de 1926, em Bruxelas, na Bélgica, sua mãe, Katharine Howard, registrou cuidadosamente o desenvolvimento de sua filha em um livro de bebê de capa dura e azul claro. Suas páginas espessas e de cor creme, decoradas com caligrafia intrincada e marcadas com anotações precisas em caneta-tinteiro, acompanhavam o progresso de Bebê Elisabeth. A foto colada em uma das primeiras páginas mostra Katharine (27 anos) encostada na cabeceira de latão da cama contra um pano de fundo de papel de parede listrado. Seu cabelo lustroso e escuro escorria em uma trança grossa abaixo da cintura; e ela ternamente segurava um bebê gordo e de lábios rosados que parecia estar contemplando a natureza do universo.

As páginas passam a registrar caminhadas no parque com Philip, o irmão mais velho, e fotos com a família — o bebê envolto em camadas de babados e franjas, o avô envolto em camadas de lã e a avó com um coque luxuriante, um broche e judiciosas botas de cadarço. As páginas do livro guardam mechas de cabelos finos de bebê, ainda brilhando em ouro. As primeiras palavras de Elisabeth foram aos nove meses; com um ano, ela começou a andar; e, aos dezesseis meses, tinha "um amplo vocabulário", escreveu sua mãe com orgulho. Era um indício do que estava por vir.

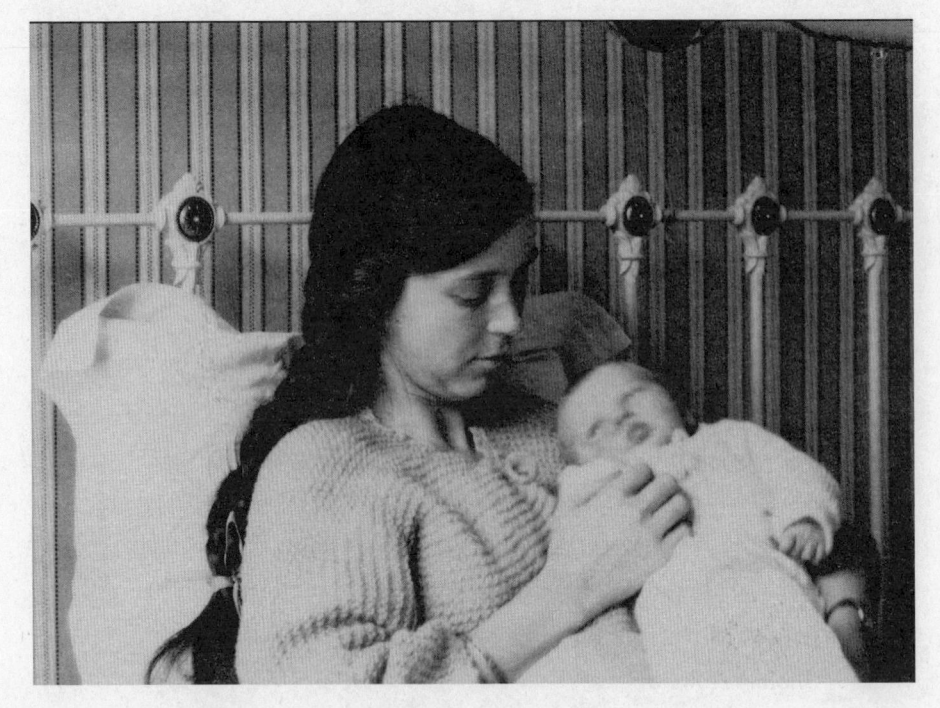

Elisabeth Howard, com sete dias de idade, dezembro de 1926

Katharine e seu marido, Philip Eugene Howard Jr., eram missionários em Bruxelas com a Belgian Gospel Mission [Missão Evangélica Belga]. Fundada após a Primeira Guerra Mundial, a Missão combinava ajuda humanitária com evangelismo entre soldados belgas que haviam retornado para casa depois dos medonhos campos de batalha da Grande Guerra. Em seguida, a Missão iniciou uma nova iniciativa evangelística protestante para colocar a Bíblia nas mãos dos leigos belgas. (A Bélgica era 99% católica na época, e as pessoas comuns simplesmente não tinham Bíblias.)

Philip e Katharine ensinavam na escola dominical, realizavam reuniões de evangelismo em tendas e faziam amizade com seus vizinhos. Sua casa ficava num quinto andar, sem encanamento; todos os dias, eles carregavam água fresca pelos lances estreitos de escada e, mais tarde, carregavam a água de dejetos para baixo. Katharine vinha de um lar no qual seus pais empregavam cozinheiros, um mordomo e uma camareira. Ela não passara muito tempo na cozinha até que seu casamento e a subsequente "lua de mel" começassem no ministério em Bruxelas. Philip, de origens mais humildes, sabia cozinhar duas coisas: café e mingau de aveia.

Um dia, Katharine foi ao mercado comprar mantimentos para a semana. Uma barraca brilhava com belos pedaços de salmão no gelo, e Katharine de repente se lembrou de como o salmão preparado em sua casa era delicioso. Em seu francês hesitante, ela perguntou o preço ao peixeiro e concordou em pagá-lo. Ele empacotou tudo e, quando ela finalmente descobriu que havia entendido errado, e o preço era equivalente ao orçamento para as compras da semana inteira, ficou envergonhada demais para cancelar a venda. Katharine e Philip jantaram seu suntuoso salmão naquela noite... e não comeram praticamente nada pelo resto da semana.

Quando a bebê Elisabeth chegou, Katharine já estava mais acostumada tanto com o francês quanto com sua nova vida doméstica, já tendo tido seu primeiro filho, Phil. Os dias passavam rapidamente, e sua garotinha — sempre conhecida como "Betty" ou "Bets" — crescia e se fortalecia.

Apenas alguns meses após o nascimento de Betty, os Howards voltaram para sua casa nos Estados Unidos em resposta a uma necessidade familiar no *Sunday School Times*. Charley, tio de Philip, era o editor, e Philip se tornaria editor associado. O *Times* era um periódico semanal não-denominacional cheio de notícias, textos inspiradores e editoriais. Era a única revista daquele tipo na época, e uma influência reconhecida entre os protestantes em todo o mundo.

Por oito ou nove anos, a família morou em um duplex em um bairro populoso da Filadélfia, até se mudarem para uma casa de três andares em Moorestown, Nova Jersey. Todos os dias, Philip pegava o trem para seu escritório na Filadélfia, uma figura alta e magra que chegava à plataforma precisamente a tempo, com sua pasta de couro cheia de artigos que havia editado na noite anterior.

A vida em casa corria tão pontualmente quanto o horário do trem. Treze meses após o nascimento de Betty, chegou o irmão David; depois, chegaram Virginia, Thomas e James. Todas as manhãs, Philip e Katharine se levantavam antes do amanhecer para ler suas Bíblias. Os filhos que já eram capazes se vestiam e prontamente se apresentavam à mesa do café da manhã um minuto antes das sete. A pontualidade reinava; chegar atrasado era roubar das pessoas seu bem mais precioso, seu tempo.

Após a refeição matinal, as devoções familiares começavam na sala de visitas, onde nenhuma migalha de torrada perdida podia estragar o protocolo. Havia um hino — todas as estrofes — com Philip ou Katharine acompanhando no piano, uma leitura bíblica, uma seleção devocional de Charles Spurgeon ou Jonathan

Edwards e, depois, orações de joelhos, terminando com a Oração do Senhor. (As devoções noturnas, depois do jantar, seguiam a mesma estrutura.)

Mais tarde em sua vida, Betty se lembrava desse rigoroso regime com admiração. Mesmo no "dia mais emocionante do ano, quando íamos a New Hampshire para nossas férias e saíamos às cinco horas da manhã, não pulávamos as devoções familiares. Na manhã de Natal, não abríamos os presentes até que as orações tivessem sido feitas. Crescemos com o entendimento de que as Escrituras eram a principal prioridade".[1]

À noite, as crianças mais novas eram colocadas para dormir com orações individuais e mais leitura da Bíblia; então, a incansável Katharine Howard cantava para elas o hino que, mais tarde, Betty cantaria para sua própria filha, Valerie, ao colocá-la em seu pequeno palete na cabana delas na selva:

> Ouve-me, ó terno Pastor Jesus
> Vem tua ovelhinha abençoar
> Do escuro até a manhã de luz
> Vem-me segura ao teu lado *abrigar*

Embora a casa dos Howard, com seis filhos, fosse bem movimentada, jamais era caótica. Cada cômodo era mantido em perfeita ordem. Os objetos eram adoravelmente colocados em estantes ou mesas com um senso artístico de intencionalidade. Os quartos eram varridos, as roupas guardadas, os pratos limpos, as janelas lavadas, as cortinas espanadas e os sapatos engraxados. Se você quisesse uma liga de borracha, poderia ir até aquele local específico daquela gaveta específica que, em toda a casa, havia sido designado para as ligas, e lá estavam elas, perfeitamente enroladas e prontas para o uso. A mesa de Philip Howard estava sempre limpa, com apenas um bloco de papel branco e liso apoiado em sua superfície brilhante, e dois lápis perfeitamente apontados e posicionados ao lado — tudo colocado em ângulos retos perfeitos. Betty abraçou essa paixão pela ordem com um entusiasmo que durou a vida toda; porém, quando criança, depois de limpar o escritório de seu pai obedientemente, ela recolocava o bloco ou os

---

[1] Entrevista de Elisabeth Howard Gren por Robert Shuster, 26 de março de 1985, coleção 278, fita T2, arquivos do Wheaton College, https://www2.wheaton.edu/bgc/archives/transcripts/cn278t02.pdf.

lápis um pouco tortos... apenas pela diversão de ver seu pai corrigi-los assim que voltasse para a sua mesa naquela noite.

Se as crianças alguma vez reclamassem dos rigorosos padrões de limpeza e disciplina, eram lembradas de que tais regras eram necessárias para o B. T. M., ou "Bom Treinamento Missionário". Com efeito, quatro dos seis Howards se tornaram missionários; dos outros dois, um se tornou escritor e professor universitário e o outro, pastor.

A casa dos Howard, no entanto, era muito mais do que um campo de treinamento para pessoas com TOC. Todos os filhos se lembravam de rir até chorar quando o pai contava histórias sobre personagens pitorescas da igreja deles. (Por exemplo, a velha professora da escola dominical, cuja dentadura folgada estalava quando ela opinava sobre Josafá e outros personagens bíblicos.) Eles uivavam de rir quando sua mãe — que tinha o hábito de usar LETRAS MAIÚSCULAS tanto em seu discurso oral como escrito para enfatizar dramaticamente certos pontos — contava histórias de sua infância privilegiada.

Embora fosse um lar completamente vitoriano em suas sensibilidades, Tom Howard disse anos depois: "não havia nenhum embuste, nenhuma pompa". O que mais havia, ele lembrava, era gente "gritando de tanto rir".[2]

Os filhos sabiam que eram amados, mesmo sem muitos afagos e abraços. Betty escreveu que não tinha sido fácil para sua mãe aprender a expressar fisicamente seu amor por seus filhos. Ela não havia recebido abraços ou beijos de seu próprio pai nem de sua madrasta, depois que sua mãe morreu quando ela tinha doze anos.

Quando Tom Howard, o irmão mais novo de Betty, estava na casa dos oitenta anos, olhamos juntos para uma fotografia antiga. Era uma foto de Tom, então com cerca de vinte e um anos, na ocasião em que fez uma surpresa para sua amada irmã Betty no Equador, depois de Jim ter sido morto. A foto em preto e branco mostra Tom, que acabara de sair de um pequeno avião, em pé ao lado de uma Betty descalça na grama da selva. A boca dela está escancarada em um sorriso enorme, chocado e encantado, e Tom também está risonho. Mas nem o irmão nem a irmã se estendem para abraçar o outro. Em vez disso, cada um desajeitadamente segura os antebraços do outro, como marinheiros iniciantes aprendendo uma técnica básica de resgate.

---

2 Entrevista de Tom Howard com Kathryn Long, 14 de fevereiro de 2002.

"Ah!", disse Tom, sorrindo com a lembrança. "Aquilo era clássico. Howards não se abraçam."³

Tom Howard visitando Betty Elliot, julho de 1958

Philip Howard, o pai deles, era um ornitólogo amador. Ele perdera um olho devido a uma imprudência adolescente com fogos de artifício, mas treinara a si mesmo para ser mais observador com um olho do que a maioria das pessoas, com dois. Ele parava por um caminho na floresta, ouvia na total atenção da quietude, e reconhecia vários cantos de pássaros, ou o som sutil do vento nas árvores, o farfalhar das folhas que anunciavam um pássaro no alto de um galho, até que enfim avistava um rouxinol de asas azuis que ninguém mais poderia ter encontrado. Ele ensinou seus filhos a observar. Depois que os convidados partiam, ele perguntava qual era a cor das meias que um dos homens estava usando, ou como era o alfinete de joias que estava empoleirado no peito da Sra. McDoogle. Os filhos de Philip desenvolveram o hábito tanto do naturalista quanto do escritor de realmente *enxergar*, de perceber claramente seus arredores e ser capaz de descrevê-los com precisão requintada.

---

3 Entrevista de Tom Howard com Ellen Vaughn, 19 de junho de 2018.

Philip deu à casa da família em Moorestown o nome de "Birdsong" [Canto de Pássaro]. Ele tinha um canto de pássaro distinto para cada um de seus seis filhos e sua esposa. O de Betty era o do piuí-de-madeira-do-leste. (Parece apropriado que, muitos anos depois, quando ela vivia entre o povo Waorani, eles a chamassem de *"Gikari"* ou "Pica-pau".)

"Birdsong", 1954

Quando Philip chegava em casa do trabalho, ele assobiava como um chapim. Da cozinha, sua chapim Katharine respondia com sua própria versão do som. Philip criou um jornal familiar chamado, é claro, *Chirps from Birdsong* [Gorjeios do Canto de Pássaro], e convidou seus filhos para contribuir com poemas, contos, notícias ou tirinhas. Os primeiros trabalhos publicados de Betty apareceram nesse distinto periódico.

Betty vinha de uma longa linhagem de escritores. Seu pai Philip Howard Jr., além do trabalho no *Sunday School Times*, teve seus ensaios compilados em livros. O pai dele, Philip Howard Sr., escrevera uma variedade de livros e hinos, e tinha dois cunhados que eram ambos autores: Samuel Scoville — colunista de jornal e autor de tomos de aventura para meninos com títulos como *Boy Scouts in the Wilderness* ["Escoteiros do Deserto"] — e o tio-avô Charles Gallaudet Trumbull — com um livro teológico chamado *The Life That Wins* ["A vida que vence"], uma exploração da "vida cristã vitoriosa" que vendeu milhões de cópias, bem como *Taking Men Alive: Studies in the Principles and Practice of Individual Soul Winning* ["Apanhando homens vivos: estudos nos princípios e prática de ganhar almas individuais"]. O bisavô de Betty, Henry Clay Trumbull, era o patriarca desse ilustre grupo. Ele era um homem alto com um chapéu desleixado de feltro preto, um sorriso sociável e uma barba grisalha que descia ao meio do peito. Nascido em 1830, ele chegou à fé em Cristo aos vinte e poucos anos e foi ordenado em 1852. Durante a Guerra Civil, tornou-se capelão do 10º Regimento de Connecticut, destacado na Carolina do Norte. Ele foi capturado pelos Confederados na Batalha de Fort Wagner e mantido em uma prisão do sul por vários meses. Após a guerra, tornou-se editor do *Sunday School Times*, escreveu trinta e três livros e lecionou na Universidade de Yale. Foi casado com Alice Gallaudet, filha do célebre fundador da American School for the Deaf [Escola Americana para os Surdos]. Era amigo íntimo de Dwight L. Moody, apareceu em plataformas com Ulysses S. Grant, e viajou para o Egito e a Palestina para explorar culturas antigas e sítios arqueológicos bíblicos.

A irmã de Henry Trumbull era uma mulher formidável chamada Annie Trumbull Slosson, autora de dezesseis livros curtos com títulos como *Fishin 'Jimmy* ["Pescando Jimmy"] e *Puzzled Souls* ["Almas confusas"], mais bem descritos como histórias no dialeto da Nova Inglaterra com uma mensagem inspiradora. Essas obras apareceram pela primeira vez em revistas como *The Atlantic Monthly* e *Harper's Bazaar*. Annie também era uma dedicada entomologista amadora, fascinada pelo estudo dos insetos. Em 1892, ela ajudou a fundar a Sociedade Entomológica de Nova York, tornando-se a primeira mulher membro dela.

Dada essa laboriosa herança literária, não é surpresa que a casa dos Howard estivesse cheia de estantes de livros. Philip Howard era um defensor da norma culta do inglês e lia para as crianças, em voz alta, homens de prosa majestosa como Charles Spurgeon e Matthew Henry. No entanto, grandes nomes literários como Shakespeare, Dickens, as irmãs Brontë e Tolstói estavam ausentes das prateleiras de Howard. Philip e Katharine não gastavam tempo com os grandes clássicos da literatura, música ou pintura. Eles se concentravam em teologia, hinos e flanelógrafos.

Um enorme e completo dicionário repousava em lugar de honra ao lado da mesa da sala de jantar. À medida que a família discutia observações de seu dia, as últimas questões teológicas trazidas no *Sunday School Times*, destaques das lições das crianças, pássaros, insetos, natureza e outros tópicos, esperava-se que as crianças procurassem palavras que não conheciam. O vocabulário delas crescia na mesma medida.

Moorestown havia sido fundada por quakers, e os diálogos com muitos dos vizinhos e amigos dos Howards fluía com o "vós" e "vosso" da linguagem formal dos quakers. Como os hinos e as leituras bíblicas que marcavam os dias da família Howard também estavam repletos da linguagem da Bíblia King James, não é de se surpreender que os diários de Betty se dirigissem a Deus como "Tu" e que suas flexões verbais por toda a sua longa vida usassem estruturas como "Queiras Tu". Na Filadélfia, os Howards frequentavam uma Igreja Episcopal Reformada. Betty adorava a liturgia alta da igreja. Em Moorestown, eles iam a uma igreja presbiteriana e depois se uniram a uma pequena denominação chamada Protestantes da Bíblia. Os Howards não eram seletivos quanto à afiliação denominacional; eles só queriam uma igreja que expusesse fielmente a Bíblia. Betty "recebeu Jesus como seu Salvador" quando tinha quatro ou cinco anos e fez uma dedicação mais profunda de sua vida ao serviço de Cristo quando tinha cerca de doze anos.

Ambos os casais de avós moravam nas proximidades. Os pais de Katharine residiam em uma casa imponente em Germantown, Pensilvânia, e convidavam os Howards para uma refeição a cada dois domingos. Era um evento formal, com uma criada de uniforme branco e as crianças sendo levadas a entender que, quanto mais cedo desaparecessem para o quintal depois do almoço, melhor. Betty não se lembrava de ter ouvido o seu avô materno jamais se dirigir a qualquer uma delas. Ela o chamava de Avô Que Nunca Sorria.

Por outro lado, os avós Howard eram calorosos, amorosos, abertos e empolgados em ver as crianças sempre que podiam vir. O pai de Betty brincava sobre a disparidade entre seu humilde lar de origem e o de sua esposa. Ah, sim, dizia ele: "Enquanto sua mãe comia rosbife malpassado, eu comia ovos [mexidos], piabas fritas e geleia". Embora os Howards não nadassem em recursos financeiros, eles tinham uma rica herança intelectual e espiritual. Philip estudou na Universidade da Pensilvânia e obteve sua chave Phi Beta Kappa. Enquanto isso, aos dezessete anos, Katharine — que não fez faculdade — passeava pela cidade em um Buick vermelho, um conversível esportivo, vestida com um chapéu de pele de castor e um casaco de guaxinim — todos presentes de seu pai.

A vida doméstica era orientada pelo dever, mas ainda assim, segura. À medida que Betty crescia, ela se mostrava tímida com estranhos — embora isso geralmente fosse interpretado como frio distanciamento. Ela sempre foi alta para a sua idade. Quando adulta, ela costumava se lembrar de um incidente em um elegante saguão de hotel em Atlantic City, quando uma garotinha correu pelo grande salão para perguntar a Betty quantos anos ela tinha... e então correu de volta, gritando: "Vovó, vovó, aquela grande e alta garota ali tem apenas sete anos!". Com o passar dos anos, as visitas de Betty ao escritório de seu pai na Filadélfia não ajudavam a melhorar sua autoimagem.

"Nossa, como você cresceu", todas as garotas legais do escritório diziam. "Em breve você estará do tamanho do seu pai!"

Philip Howard tinha mais de 1,90m.

Segundo seu irmão Dave (treze meses mais novo que ela), Betty canalizava sua frustração usando sua altura para desvantagem dele, encurralando-o contra a parede e rosnando: "Você é tão... PEQUENO!".

Aos onze anos, Betty havia começado seu duradouro hábito de confidenciar seus pensamentos particulares ao papel. Seu primeiro diário era um livro pequeno, preto e de capa dura, "uma página por dia em 1938". Escrito em LETRAS MAIÚSCULAS no topo da primeira página, um aviso a lápis: "ESTE DIÁRIO É ABSOLUTAMENTE CONFIDENCIAL A TODOS OS MENINOS. MULHERES, MENINAS E HOMENS PODEM LÊ-LO".

As privilegiadas páginas que se seguem laboriosamente observam o clima de cada dia e estão cheias de relatos de lutas de bolas de neve, esconde-esconde, amarelinha, pique-bandeira, aulas de música e projetos escolares. No domingo de Páscoa de 1938, Betty rigidamente relatou que usava seus novos sapatos de camurça e chapéu de palha azul, luvas brancas e um terno azul "adornado com cerejas sintéticas". No registro de outro dia, ela soa novamente mais como uma criança: "Adivinha só! Fomos ver *Branca de Neve e os Sete Anões*! Nunca vi um filme tão legal. E ainda mais, foi em cores! Foi realmente fantástico".

Alguns meses depois, ela internalizou um evento muito mais severo do que uma sessão matinê da Disney. Ou, como ela colocou após se tornar adulta, "Eu tive um vislumbre do que o disciplinado podia implicar".

CAPÍTULO 4
A QUALQUER CUSTO

"Se eu morrer aqui em Glasgow, serei comido por vermes; se posso viver e morrer servindo ao Senhor Jesus, não me fará diferença se sou comido por canibais ou por vermes; pois, no Grande Dia, o corpo da minha ressurreição se levantará tão belo quanto o seu, à semelhança de nosso Redentor que ressurgiu."
—John Gibson Paton

Por causa do trabalho de Philip Howard no *Sunday School Times*, os missionários visitantes que estavam nos EUA em período sabático costumavam jantar na casa dos Howards. Betty se sentava fascinada à mesa de jantar, ouvindo o Sr. L. L. Legters contar sobre seus anos no México traduzindo a Bíblia para povos tribais. E a Srta. Helen Yost, uma "ruiva encantadora" que trabalhou sozinha, por décadas, com nativos americanos no Arizona. Betty amava ouvir o Sir Alexander Clark, condecorado pela rainha Elizabeth por seu trabalho na África, contando sobre sua desajeitada fuga para o topo de uma árvore, ao ser atacado por um enorme búfalo-do-cabo. O livro de hóspedes da família dela listava visitantes de quarenta e dois países diferentes. As histórias deles capturaram sua imaginação, fundindo-se com os relatos que ela lia de Mary Slessor e David Livingstone, trabalhando para o Senhor nos rincões da África. Quando Betty pensava na possibilidade de ela mesma ser missionária, a imagem em sua mente era sempre de uma cabana de palha; uma cabana, em algum lugar na selva da África.

Uma missionária que visitou a família Howard no início dos anos 1930 foi Betty Scott. Ela tinha vinte e poucos anos, pele clara e sedosa, cabelos escuros brilhantes e um par de óculos redondos e pretos. Os Howards conheciam seu pai — um experiente missionário chamado Charles Earnest Scott. Betty Scott crescera na China e retornara aos Estados Unidos aos dezessete anos, para frequentar o Moody Bible Institute [Instituto Bíblico Moody]. Ela se apaixonara por um colega de sala chamado John Stam... Porém, voltou para o campo missionário sem ele, pois faltava algum tempo para ele terminar seus estudos e ela ainda não sabia se Deus os estava guiando para o casamento. Ela começou a trabalhar na China em 1931, cheia de promessas, resolução, paixão e comprometimento.

No ano seguinte, John também partiu para a China, e ele e Betty se casaram em outubro de 1933. Eles viviam em Anhui, uma pequena província montanhosa no leste da China, trabalhando com aldeões pobres, ajudando-os e falando-lhes sobre Jesus. Os Stams eram apolíticos, é claro, mas no outono de 1934 foram afetados por uma das muitas convulsões partidárias da difícil história da China. O episódio ficou conhecido como a Grande Marcha, um massivo recuo militar do Exército Vermelho do Partido Comunista no qual eles conseguiram escapar das forças consolidadas do Partido Nacionalista Chinês após percorrerem mais de nove mil quilômetros. A Grande Marcha facilitou a ascensão de Mao Zedong ao poder, culminando com seu sangrento controle de toda a China.

Soldados comunistas invadiram a aldeia dos Stams e prenderam John e Betty. Eles saquearam seus bens, incluindo o dinheiro que os missionários haviam angariado para a ajuda dos pobres. Eles disseram aos Stams que os resgatariam pelo equivalente a vinte mil dólares e os forçaram — carregando sua filha de três meses, Helen Priscilla — a marchar vinte quilômetros para outra cidade, onde pararam para passar a noite na casa de um comerciante local que havia fugido.

Na manhã seguinte, antes que os soldados os expulsassem da casa, Betty escondeu a bebê Helen dentro de uma trouxa de lençóis. Os comunistas não perceberam a falta do bebê. Eles arrancaram as roupas de cima de John e Betty, amarraram suas mãos pelas costas e os fizeram marchar em direção ao centro da aldeia.

Os Stams sabiam que estavam sendo arrastados para a morte.

Os moradores da vila assistiam à procissão com zombaria. Um corajoso comerciante cristão correu em direção aos Stams, implorando aos soldados que os poupassem. Eles apontaram uma arma para a cabeça dele e o amarraram também. John implorou pela vida do homem. O líder comunista, furioso, ordenou abruptamente que John se ajoelhasse, decapitou-o e empurrou Betty para o chão, decapitando-a com a mesma espada ensanguentada.

Um pastor chinês local descobriu a bebê Helen trinta horas depois. Ela estava molhada e com fome, mas segura. Havia dinheiro preso dentro de suas roupas. Era apenas o suficiente para levá-la a um lugar seguro. Ela acabou sendo trazida de volta para os Estados Unidos e criada por seus avós.

A QUALQUER CUSTO

Os crentes chineses tomaram os corpos de John e Betty, envolveram-nos em panos brancos e os enterraram. A lápide que mais tarde sinalizava o túmulo de Betty dizia:

Betty Scott Stam, 22 de fevereiro de 1906
"Para mim, o viver é Cristo, e o morrer é lucro."
Filipenses 1.21

*8 de dezem*bro de 1934, Miaosheo, Anhui
"Sê fiel até à morte*, e dar-te-ei a coroa da vida." Apocalipse 2.10*

A morte dos Stams teve um enorme impacto sobre os cristãos por todos os Estados Unidos. Betty Howard tinha apenas oito ou nove anos quando a terrível notícia chegou a Nova Jersey. Dentro de alguns anos, ela havia internalizado a história da jovem e corajosa moça que havia sido convidada para jantar na casa dos Howards. Meticulosamente, ela copiou a radical oração que Betty Scott Stam havia feito quando ainda era estudante no Moody Bible Institute, uma oração que o pai de Betty havia compartilhado com os Howards. Betty a colou em sua Bíblia já bem desgastada.

"Senhor,
Eu desisto de todos os meus próprios planos e propósitos,
Todos os meus próprios desejos e esperanças,
E aceito a tua vontade para minha vida.
Eu consagro a mim mesma, minha vida, meu tudo,
Completamente a ti, para ser tua para sempre!
Enche-me e sela-me com teu Espírito Santo.
Usa-me como quiseres,
Envia-me para onde quiseres,
E faz tua plena vontade em minha vida,
A qualquer custo, agora e para sempre!"

Era uma oração que se tornaria a da própria Betty.

CAPÍTULO 5
CORTANDO DIAMANTES

"Meu amigo, a verdade é sempre implausível; você sabia disso? Para tornar a verdade mais plausível, é absolutamente necessário misturar a ela um pouco de falsidade. As pessoas fazem isso desde sempre."
—Fiódor Dostoiévski

A Hampden Dubose Academy, um internato cristão na Flórida, convidou o tio de Betty, Charley, para falar em uma de suas assembleias no início dos anos 1940. Ele trouxe uma cópia do anuário da HDA de volta para o lar dos Howards, e Betty se debruçou sobre as fotos de palmeiras, praias de areia branca, lagos verde-água, meninas em vestidos formais, meninos em ternos brancos e pequenas turmas de alunos sentados em um gramado exuberante com suas jovens e belas professoras. Betty tinha ficado um pouco solitária durante seu primeiro ano do ensino médio na Moorestown High School, embora tivesse sido notícia no jornal local quando seu poema, "Minha Mãe", ganhou o primeiro lugar em um concurso. Incluía versos ligeiramente exagerados, tais como

> Quando olho para minha mãe, penso
> Em anjos.
> Seu cabelo é como seda retorcida.
> Seus olhos superam
> A beleza de límpidos lagos.
> Suas mãos, conquanto encrespadas pelo labor,
> São como os lírios.

Poesia à parte, em sua escola pública Betty não tinha nenhum colega de sala cristão e só uns poucos amigos; não havia cultos na capela, chás da tarde nem brisas quentes. Ela então só podia se imaginar na Hampden DuBose Academy, usando um vestido longo e arrebatador, bebericando seu chá em uma xícara de porcelana, inclinada sobre azáleas vermelhas. Ela não implorou — Betty nunca foi de implorar —, mas expressou aos seus pais seu profundo desejo de frequentar aquele adorável internato.

Então, o tio Charley veio a falecer e o pai de Betty era agora o editor do *Sunday School Times*. Seu novo aumento de salário lhe permitia pagar os extravagantes trezentos dólares que cobriam a anuidade do dormitório, da pensão e do próprio estudo na HDA. Betty estava empolgada, embora a experiência fosse ser difícil. Ela estaria por nove meses vivendo por conta própria: não voltaria para casa no Dia de Ação de Graças, no Natal ou na Páscoa. Não haveria telefonemas para casa: aquilo era um luxo apenas para os ricos ou para alguém em uma emergência muito grave.

Foi assim que, em setembro de 1941, aos catorze anos, Betty Howard embarcou no trem na estação da 30th Street, na Filadélfia. Era o Tamiami Champion, um trem de passageiros aerodinâmico vermelho e branco que possuía vagões exclusivos que funcionavam como restaurante, mirante e dormitórios.

Ao mesmo tempo, o mundo estava à beira do abismo. Adolf Hitler tornara-se chanceler da Alemanha em janeiro de 1933. Seu primeiro campo de concentração para presos políticos, Dachau, fora inaugurado em março do mesmo ano. Mussolini se gabava de sua Itália fascista, iniciando leis antijudaicas e alinhando-se com os objetivos expansionistas da Alemanha nazista. O imperador Hirohito, considerado divino por muitos de seus súditos, ocupava o Trono de Crisântemo do Japão. Seu Japão Imperial invadira a China, a Manchúria, a Mongólia, o Sudeste Asiático e as zonas de produção de petróleo no Pacífico.

Embora Betty talvez não acompanhasse as últimas manchetes de jornais e reportagens de rádio sobre como essas potências do Eixo constituíam uma ameaça tanto para o Oriente como para o Ocidente, ela certamente estava ciente do efeito dessas lutas geopolíticas em seu mundo cristão. Missionários em toda a Ásia fugiram do avanço das tropas; alguns foram colocados em campos de prisioneiros ou em prisão domiciliar, incluindo vários dos amigos mais próximos de sua família.

Em agosto, o presidente Roosevelt e o primeiro-ministro britânico Winston Churchill se encontraram a bordo de um navio de guerra dos EUA na costa da Ilha de Terra Nova. Em meio aos ataques da Alemanha, a Grã-Bretanha temia que o Japão Imperial aproveitasse a situação para conquistar territórios britânicos, franceses e holandeses no Sudeste Asiático. A Grã-Bretanha precisava desesperadamente que os EUA entrassem na guerra.

Roosevelt declarou publicamente a solidariedade entre os EUA e a Grã-Bretanha contra a agressão do Eixo; ele e Churchill compartilhavam uma visão comum para o (inevitável) mundo do pós-guerra. Mas o presidente estava limitado pela opinião pública em sua própria terra: a maioria dos americanos se opunha à intervenção dos EUA na guerra.

Isso mudaria, é claro, em 7 de dezembro de 1941, quando o Japão executaria seu ataque não provocado à Marinha dos EUA em Pearl Harbor. Naquela tranquila manhã de domingo, trezentos e cinquenta e três aviões imperiais japoneses iriam zunir pelos céus azuis do Havaí, lançando bombas e matando 2.403 membros da marinha, dos fuzileiros navais e do exército, bem como civis.

Porém, em setembro de 1941, esse turbilhão que unificaria a nação ainda estava a três meses de distância, e é improvável que as tensões internacionais estivessem no primeiro plano da mente adolescente de Betty Howard. Ela tinha quatorze anos, sonhando com uma vida em meio ao desabrochar das azaleias na Flórida. Ela contemplava a paisagem pelas janelas largas do trem, observando cidades, campos e vacas passarem, animada com sua nova aventura longe de casa.

Ela chegou à estação ferroviária de Orlando no horário previsto — uma garota alta, tímida e loira usando roupas apropriadas para o clima de Nova Jersey: um chapéu de feltro bege, um vestido de lã azul e sapatos de camurça marrom. Ela suava em bicas na umidade da Flórida. Ao sair do trem, examinando a miríade de rostos na estação, uma mulher magra e de olhos escuros — adequadamente vestida com um vestido leve de verão — aproximou-se dela.

"Olá! Você é Betty Howard e eu sou a Srta. Andy. Estamos tão felizes que você esteja aqui!"

A Srta. Andy pegou a mala de Betty, conduziu-a a um carro tipo "perua" com painéis de madeira e a levou para seu novo lar acadêmico em Zellwood, a cerca de quarenta quilômetros a noroeste de Orlando.

A Hampden DuBose Academy fora fundada em 1934 por Pierre Wilds DuBose, filho de pais missionários na China. Quando adulto, ele passou a empatizar com crianças que eram separadas de seus pais e enviadas para internatos em tenra idade. Ele e sua esposa, uma mulher formidável chamada Gwen Peyton DuBose, criaram um ambiente onde crianças cristãs poderiam crescer em sua fé, receber uma educação em artes liberais e aprender os costumes corteses do Sul dos EUA. O Dr. DuBose nomeou a escola em homenagem a seu pai, o ativista Hampden Coit DuBose.[1] A escola dos DuBoses tinha quartos grandes e graciosos, uma passagem subterrânea, piscina, lago, estábulos, uma pista de boliche, lavanderia, quadras de tênis e jardins formais. As áreas públicas eram decoradas com antiguidades chinesas de valor inestimável. Os quartos dos alunos tinham cortinas de babados e colchas brancas... que alguns alunos decoravam com tesouros de seus lares no campo missionário, tais como peles de tigre no chão ou lanças africanas nas paredes.

A escola, como a casa de Betty em Moorestown, era parada obrigatória para missionários em período sabático, pregadores e palestrantes cristãos internacionalmente conhecidos e pastores que passavam pela cidade para visitar seus filhos. Líderes cristãos como Billy Graham enviaram seus filhos para a HDA. Havia "vésperas" (cultos de oração vespertinos) todas as noites, um culto fechado só para a escola aos domingos de manhã, e um culto aberto ao público nas tardes de domingo. Os alunos assinavam compromissos de se absterem de álcool, tabaco, jogos de cartas, dança, teatro e filmes. Em vez disso, eles deveriam passar muito tempo praticando natação e canoagem no Lago Margaret, fazendo piqueniques, jogando tênis, basquete e outros esportes, e se divertindo em jogos ao ar livre sob as palmeiras reais.

Os cem alunos que a HDA tinha em 1941 eram divididos igualmente entre FM's (filhos de missionários), FP's (filhos de pregadores) e FC's (filhos de pais comuns). As professoras, como a Srta. Andy, moravam no dormitório com as meninas. Eles não eram assalariados e não apenas ensinavam na escola, mas resolviam pendências administrativas, planejavam cardápios e serviam de diversas formas, quando e como fosse necessário. Da mesma forma, os alunos recebiam tarefas como servir às mesas, lavar as louças, limpar os cômodos e passar as roupas.

---

1 Hampden Coit DuBose e sua esposa chegaram à China em 1872, estabeleceram-se em Suzhou (Soochow) e ali serviram trinta e oito anos até à morte dele. Ele é lembrado não apenas como pregador e evangelista, mas como fundador da Anti-Opium League [Liga Anti-Ópio], que informava e mobilizava a opinião pública contra o nefasto comércio da substância. Dubose conquistou o apoio do presidente Theodore Roosevelt, do Congresso dos EUA e da Comissão Internacional do Ópio e, em 1906, o Parlamento Britânico declarou o seu comércio "moralmente indefensável". Uma petição assinada por mais de mil missionários foi apresentada ao imperador. Um decreto imperial (seguindo letra por letra a petição que Dubose havia redigido) proibia seu comércio e consumo. Ele foi homenageado em Suzhou com um monumento de pedra e nos Estados Unidos ao ser eleito moderador da Assembleia Geral da Presbyterian Church, U.S. [a Igreja Presbiteriana do Sul dos EUA] em 1891, http://bdcconline.net/en/stories/dubose-hampden-coit.

CORTANDO DIAMANTES

A aluna mais destacada receberia a honra de lavar à mão a roupa de baixo e o intimidador conjunto de cintas da Sra. DuBose, além de servir seu desjejum, todas as manhãs, em uma bandeja de prata com um jogo americano de linho branco engomado e um guardanapo delicadamente bordado.

Gwen DuBose era alta e amplamente dotada, uma ex-cantora de ópera cuja silhueta imponente costumava estar envolta em echarpes. Ela muitas vezes carregava um leque de seda e marfim pintado à mão, o qual ela abria como se fosse uma imperatriz da dinastia Ming, sempre que tinha um pronunciamento a fazer.

No entanto, o lema da escola era latim e não chinês. *Esse Quam Videri: ser em vez de parecer*. Essa autenticidade integral de caráter que havia sido modelada no lar de Betty em Moorestown agora assumia o foco total para ela na HDA.

"Não saia por aí com uma Bíblia debaixo do braço se não tiver varrido debaixo da cama", a Sra. DuBose gostava de dizer. A jovem Betty, já treinada como uma governanta meticulosa, unia ainda mais a poeira ao pecado. "O que você é agora é quem você é", prosseguia a Sra. DuBose. "São essas pequenas, minúsculas coisas em sua vida que, se você não as corrigir agora, vão acabar com você quando sair desta escola." Poeira debaixo da cama já era ruim o suficiente, mas a preguiça na vida espiritual que ela representava poderia correr mortalmente desenfreada se não fosse controlada.

A Sra. DuBose incentivava Betty a escrever — poesia para ocasiões especiais, artigos para o jornal e o anuário da escola, discursos. Esperava-se que os alunos fossem cultos, preparados e decentes. Enquanto os anuários de outras escolas de ensino médio talvez exibissem desajeitadas fileiras de alunos para suas fotos em grupo, a Hampden DuBose organizava os meninos e meninas artisticamente em grupos coreografados, conversando uns com os outros como se estivessem em um set de filmagem de Hollywood. Seria quase de se esperar que os estudantes do sexo masculino estivessem galantemente acendendo cigarros das estudantes do sexo feminino em piteiras de prata, se aquela não fosse uma instituição *cristã*.

Na Hampden DuBose, Betty aprendeu a arrumar flores em vasos de vidro veneziano, a servir café em delicadas xícaras demitasses depois do jantar, a dispor garfos de salada de prata reluzente nos exatos ângulos retos sobre toalhas de mesa brancas e engomadas que ela mesma passara a ferro. Ela também aprendeu a depenar e preparar corretamente um frango recém-morto. A HDA não estava produzindo debutantes, mas missionários e líderes cristãos que pudessem levar tanto cultura como competências práticas para o ambiente estrangeiro mais exótico.

A Sra. DuBose tinha seus favoritos. Ela se concentrava em alunos como Betty Howard, jovens que poderiam se destacar em seu comprometimento espiritual, na educação, no trabalho, no estudo, no atletismo, na música, no falar em público e na apreciação da literatura. Ela os apertava incessantemente em contextos privados e públicos, exortando-os a serem o melhor que pudessem para o serviço de Deus.

"Somos diamantes cortados à mão", explicaria a Sra. DuBose. Disciplina implacável, pressão, legalismo e dor social eram, evidentemente, suas ferramentas para fazê-lo. Mesmo amando Betty, ela a corrigia e a criticava. Ocasionalmente, ela chamava alunas errantes para o seu quarto; a estudante ficava de pé, de cabeça baixa, à extremidade da grande cama branca da Sra. DuBose, com sua intrincada cabeceira de águia esculpida. Recostada ali e vestida com uma camisola de cetim rosa, a Sra. DuBose revisava os pecados da aluna. As meninas chamavam isso de "Sessões da Águia Branca". Anos depois, Betty se lembraria de ficar tão nervosa durante uma das pequenas avaliações da Sra. DuBose que fez xixi nas calças. (Isso não impediu que, ocasionalmente, a Betty mais velha criticasse a postura, os modos, o peso e os hábitos daqueles que amava.)

As reuniões de oração de domingo à noite não continham apenas o cântico de hinos de adoração; muitas vezes incluíam momentos de confissão. A Sra. DuBose entrava na sala, se desenrolava de suas várias echarpes e esperava até que os alunos confessassem suas faltas. Se um aluno tivesse usado o carimbo de um colega de quarto sem pedir permissão, mentido ou deixado uma tarefa por fazer, esperava-se que ele ou ela reconhecesse o pecado. Se nenhuma confissão viesse à tona, essas reuniões poderiam durar horas a fio, enquanto a Sra. DuBose esperava que os culpados se apresentassem.

Quando a irmã mais nova de Betty, Ginny, se formou na ADH anos depois, Betty, então com vinte e quatro anos, escreveu em seu diário: "Seria impossível expressar exatamente quais são meus sentimentos neste lugar. A HDA é para mim o palco dos maiores deleites, emocionais e sensórios. É também o palco de agonizantes conflitos de espírito, medos devastadores. [...] É um mundo à parte. [...] Meu coração se solidariza, quase sente dor, para com essas adoráveis crianças. Eu amo minha irmã como nunca. Tenho orgulho dela, e quase temo por ela, exceto pelo fato de que confio no amor de Deus por ela".

Após a formatura de Betty em 1944, os alunos que vieram depois dela se lembram da escola com uma combinação de horror e carinho. Alguns dizem que

CORTANDO DIAMANTES

levou anos para se curarem do legalismo e da vergonha infligidos em nome de Cristo. Outros se lembram do amor e da comunhão entre os alunos e dos grandes líderes que falavam nos cultos da capela. Alguns questionam a saúde mental da liderança; a própria Betty a chamou de uma "ditadura".[2] Ao longo dos anos, a HDA floresceu, vacilou, entrou em decadência, vendeu terras e se reinventou. Gwen DuBose, como todas nós, era uma mistura de pontos fortes e fracos.

De qualquer forma, assim como a atmosfera em seu lar de origem, o estilo de vida disciplinado da HDA e sua ênfase no decoro e na beleza moldaram a jovem Betty. Seus primeiros diários do internato se perderam, mas sua agenda dos anos acadêmicos de 1942 e 1943 mostra uma jovem ardorosa e imatura entusiasticamente se adaptando ao seu pequeno e seguro açude de vida acadêmica, trabalho, culto e uma vida social ativa que se concentrava em um aluno mais velho em particular.

"Estou tão feliz por estar aqui", escreveu ela no início do seu primeiro ano. "Mas me sinto tão mal. Paul está saindo com a Nona. Eu gosto tanto dele... Eu o admiro profundamente por ele ser um cristão tão maravilhoso. Vou orar para que o Senhor me ajude a superar."

Depois desse começo sombrio, havia sinais de esperança. "Herbie [...] diz que Paul não gosta nem um pouco de Nona. Estou tão feliz." "Ontem à noite, Paul e eu ajudamos a Sra. DuBose a desfazer a mala de roupas [...] Paul é maravilhoso demais para mim." "Ele provavelmente acha que eu sou esnobe e boba."

Os relatos sobre Paul foram interrompidos por uma nota sobre a crescente coleção de prata dos DuBoses: "Hoje foi o aniversário de casamento do Doutor e da Senhora DuBose. Os alunos do último semestre deram a eles um cálice de prata. Eles têm seis agora".

Então, as páginas voltaram ao foco em Paul. "[Ele] foi muito gentil comigo [...] Talvez eu tenha alguma esperança." "Paul é tão doce e <u>verdadeiro</u>. Ele lidera muito o canto, embora não saiba cantar. Isso mostra que ele está disposto a tentar. Tenho a sensação mais engraçada do mundo quando ele sorri para mim."

À medida que o outono avançava, os sentimentos de Betty cresceram. "Tive uma longa conversa com Ethel esta noite [...] Tenho sentido que sou uma grande farsa e isso me faz sentir horrível, então conversamos, choramos e oramos sobre isso por um longo tempo. Eu certamente não sou digna de P."

---

2 EH para "Queridíssimos Pais", 5 de maio de 1946.

"Gostaria que ele me convidasse para o banquete. Morrerei se outra pessoa o fizer."

Ela não morreu. "Paul me convidou!"

De forma incomum, Betty até jogou fora as cercas da boa gramática para falar com entusiasmo sobre Paul. "[Ele] falou sobre a lua e eu gostei daquilo."

"Paul ficou bravo comigo e, embora eu não possa dizer que o culpo, sinto-me completamente mal por isso. Eu realmente sou terrível com ele, e ele é tão bom para comigo." "Hoje à noite, Paul e eu ficamos na cozinha limpando até as 2h da manhã. Comemos muito chantili."

"Banquete hoje à noite [sic]! [...] absolutamente maravilhoso. Oh, quão bom é o Senhor." E no dia seguinte: "Com certeza é difícil voltar a estudar — não pensei em nada além de ontem à noite — oh, que momentos celestiais eu tive!"

7 de dezembro de 1942: "Há exatos 365 dias, [os japoneses] começaram a guerra [...] Paul é tão doce [...] Ele está ficando tão sério — a maneira como ele olha para mim também me faz sentir tão engraçada. Não sei se devemos terminar ou não [...] Ele é realmente legal [...] Sei que estou sendo boba, suponho que quando for mais velha vou rir de tudo isso".

Contudo, o diário não é completamente centrado em Paul. Há anotações sobre amigos, funcionários, estudos, debates, solos musicais e outras atividades. "Holly é uma querida — eu realmente a amo. Willy Jean é a coisa mais louca. Ethel certamente tem intimidade com o Senhor. Eu a amo. Wenger e Carol são podres. Eles são os mais divertidos — e a Sarah também! Eu amo mesmo a Joyce." "Sem dúvida, a Sra. DuBose tem acertado em cheio em suas mensagens nas reuniões de oração ultimamente. Ela é maravilhosa." "A Sra. DuBose me encorajou muito na minha aula de música hoje. Ela é tão doce."

"Fui eleita representante da turma do terceiro ano. É um privilégio maravilhoso, mas muita responsabilidade. Não me sinto boa o bastante, mas com o Senhor eu posso dar conta."

"Jogamos uma partida eletrizante de basquete depois da escola!" Havia também jogos de futebol americano, natação, observação de estrelas e da lua, jogos como pique-bandeira e pique-esconde, fogueiras, hinos e festas de jardim — tudo isso com observações como: "O Senhor nos ajudou maravilhosamente! Que diversão temos nele!".

Havia ainda muito trabalho: polir a prataria, passar lençóis, cortar verduras, fatiar abacaxis, limpar carpetes, cortinas, lençóis e pratos. E entusiasmo sobre o

Dia do Senhor: "Eu simplesmente amo os domingos. O Senhor é tão maravilhoso para mim".

Ocasionalmente, havia discórdia no paraíso. O diário observa que dois alunos entraram em uma discussão sobre xingamentos, com o resultado de que um funcionário os xingou por brigar. Outro conflito mereceu uma menção superficial de Betty: "Esta noite Holly e a Sra. D. discutiram no escritório. As duas gritando e chorando".

Perto do final do ano letivo, em meio a menções casuais de apagões de energia e escassez de alimentos, há pistas do mundo exterior e sua guerra... "Talvez eu nunca mais veja Paul. Quando penso em [Phil] e Paul indo para o exército, quase choro." Essa afirmação é seguida de forma bastante incongruente pela conclusão alegre: *"C'est la guerre!"*.

"Como será quando Paul estiver no Exército?" "Paul recebeu uma carta do Departamento de Guerra em Washington, dizendo que ele tinha obtido uma nota alta o suficiente em seu teste de QI para receber o Treinamento Especializado para Candidatos a Oficiais!!!! Que notícia maravilhosa. Pense em suas oportunidades de testemunhar para o Senhor!"

Perto do final de maio, Betty escreveu: "Paul me deu um belo ramalhete de rosas vermelhas! Ele me acompanhou até em casa e me disse que este ano tinha sido tudo o que ele queria. Que eu era tudo para ele. Subi as escadas e chorei na varanda".

O pequeno diário preto desgastado com a escrita microscópica termina com o último dia do penúltimo ano do ensino médio de Betty, 1º de junho de 1943. "Graduação esta noite — Paul fez o discurso de saudação, recebeu o prêmio de excelência geral. Recebi prêmios de música e debate... nossa última noite juntos — ele me disse que me amava."

Poucas de nós gostariam que nossos diários adolescentes fossem publicados. E para os fãs mais antigos de Elisabeth Elliot, é um pouco difícil imaginar que a austera e resoluta mulher, a amante de Jim Elliot, a autora de *Paixão e Pureza* um dia tenha sido uma menina adolescente transbordando de paixão por um romance colegial. Também era difícil para Elisabeth Elliot imaginar. Ela não se lembrava muito bem de partes de sua própria juventude e pensava em seu eu mais jovem como uma mulher antissocial e tímida que não tinha NENHUM interesse nem recebia qualquer atenção do sexo oposto. Ao reler seus próprios diários muito mais tarde em sua longa vida, ela ocasionalmente escreveu notas nas margens, tais como: "não lembrava que namorei tanto assim!".

O efeito mais duradouro dos anos formativos da HDA, no entanto, não veio de um romance, mas da heroica missionária e escritora irlandesa Amy Carmichael.

A Sra. DuBose costumava citar os livros de Carmichael em suas mensagens na reunião de oração do domingo à noite. Betty foi cativada, e a Sra. DuBose lhe emprestou os livros. Eles atraíram Betty com um magnetismo espiritual; a vida ousada de Amy dava um peso radical às suas palavras.

"Ela era uma mística pé-no-chão cujos belos escritos capturavam minha imaginação", disse Betty muitos anos depois. "Seu inflexível apego a Cristo e ao custo do discipulado me atraíram. Fui fortemente atraída pela mensagem da cruz, da rendição incondicional e do discipulado. [...] Há tanta coisa que é insossa no mundo..., mas havia algo tão limpo, puro e forte como aço na absolutamente sólida determinação de Amy Carmichael de ser obediente."[3]

Betty sentia que devia a Amy Carmichael o que C. S. Lewis certa vez disse dever ao escritor George MacDonald: uma dívida tão grande quanto uma pessoa pudesse dever a outra. "[Ela] foi minha primeira mãe espiritual. Mostrou-me a forma da piedade."[4]

Betty já sabia sobre a cruz de Cristo e cantava grandes hinos sobre sua teologia ao longo de toda a sua vida. Agora, porém, ela entendeu que ser crucificada com Cristo, como dizem as Escrituras, não era algo mórbido, mas na verdade a própria porta de entrada para a verdadeira vida. Ela enxergava vislumbres de um mundo invisível o qual ela instintivamente reconhecia como sendo muito mais *real* do que o ambiente cotidiano em que vivia sua vida adolescente.

Em Amy Carmichael, Betty encontrou uma cosmovisão tanto quanto uma vida radical que demonstrava suas convicções. Amy Carmichael viveu o que acreditava. Seus escritos faziam sentido para Betty de uma forma profunda, contraintuitiva e, no entanto, profundamente intuitiva. Assim, tornaram-se uma moldura de avaliação para suas próprias percepções de eventos externos e um freio interno para domar seus pensamentos e sentimentos. Tudo isso estava enraizado na compreensão contracultural de Amy sobre a vida nesta terra, a qual Betty levou a sério:

---

3 The Elisabeth Elliot Newsletter, maio/jun. 2002; e entrevista de Elisabeth Elliot com Bob Schuster, 26 de março de 1985, coleção 278 -- Documentos de Elisabeth Elliot, CN 278. Arquivos do Billy Graham Center, https://archives.wheaton.edu/repositories/4/resources/484; acesso: em 27 fev. 2020.
4 Elisabeth Elliot, *Amy Carmichael: um legado de renúncia e entrega* (São José dos Campos, SP: Editora Fiel, 2023), p. 15.

CORTANDO DIAMANTES

"Tudo o que aflige é apenas por um instante;
Tudo o que agrada é apenas por um instante;
Somente o eterno é importante."

Amy Carmichael nasceu em uma família rica da Irlanda do Norte em 1867. Seus pais eram cristãos sinceros que ensinaram Amy sobre o amor de Deus. Quando adolescente, Amy decidiu seguir a Cristo. Sua leitura das Escrituras lhe deu uma compaixão que primeiro a levou a trabalhar com as "shawlies", meninas pobres que trabalhavam catorze horas por dia em usinas e eram rejeitadas pela sociedade educada. Ela levou muitas delas a Cristo e estabeleceu um Salão de Boas-Vindas onde elas poderiam se encontrar e crescer em sua compreensão de Jesus.

Quando Amy tinha vinte anos, ouviu Hudson Taylor, fundador da China Inland Mission [Missão para o Interior da China], falar sobre espalhar pelo mundo a verdade sobre Jesus. Mais cedo ou mais tarde, ela foi para o campo missionário no Japão. Lá, em seu pequeno quarto, ela escreveu duas palavras na parede de papel: "<u>Sim, Senhor</u>".

Ela ficou muito doente e teve que deixar o Japão. Após algum tempo, ela se recuperou na Inglaterra, navegou para o Ceilão e, finalmente, para a Índia, onde conseguia tolerar melhor o clima. (Ela sofria de neuralgia, o que causava dores debilitantes nas articulações.) Na Índia, como no Japão, ela resistiu às tendências missionárias convencionais de sua época. Usava roupas indianas, comia o que os indianos comiam e viajava como os indianos viajavam. Ela morava com mulheres indianas que tinham vindo a Cristo e sido ameaçadas por suas famílias hindus. Ela sofreu o que elas sofriam.

Logo ela conheceu Preena, uma garotinha que havia sofrido um dos grandes males sociais da época. A mãe viúva de Preena a entregara a um templo hindu, onde ela "se casou com o deus" e servia como prostituta do templo. Preena tentara fugir, mas foi pega e marcada com um atiçador em brasa. De alguma forma, ela chegou até Amy Carmichael, que a acolheu... e então veio mais uma criança, e mais uma. A necessidade de resgate e restauração era enorme.

Em 1901, Amy estabeleceu um refúgio para crianças, incialmente acolhendo apenas meninas e, depois, meninos também. Ela o chamou de Dohnavur.

Esse trabalho de resgate e amor não era fácil. Amy escreveu:

Eu nunca encorajaria alguém a [evangelizar entre aqueles que não conhecem a Cristo], a menos que tal pessoa sentisse o fardo pelas almas e o chamado do Mestre. Mas oh! Suponho que tão poucos o sintam. De fato, há um custo. Satanás é dez vezes mais real para mim hoje do que era na Inglaterra, e às vezes aquela terrível saudade de casa me atravessa muito intensamente — mas há uma estranha alegria profunda em estar aqui com Jesus. Louvar ajuda mais do que qualquer coisa. Às vezes, a tentação é ceder, cair no feitiço da saudade melancólica e não ser útil a mais ninguém. Então você sente as orações do lar, e elas o ajudam a começar imediatamente e cantar: "Glória, glória, aleluia", e você descobre que, afinal de contas, seu cálice está prestes a transbordar novamente.[5]

Hoje, a Dohnavur Fellowship continua. Comandada e dirigida por líderes nativos, seu site e sua página no Facebook homenageiam Amy Carmichael e a convicção que ela escreveu em sua parede durante sua primeira missão no Japão, há mais de cem anos:

Sim, Senhor.
Ela continuou obedecendo, embora a princípio tivesse de enfrentar muita oposição e perigo. À medida que aprendia mais sobre a triste situação de crianças inocentes, seu coração ardia com o próprio amor e indignação de Deus, e ela escreveu palavras que incitaram outros a virem e se juntarem a ela. [...] Desde o início era uma família, nunca uma instituição. Amy era a mãe, amorosa para com todos e amada por todos. Os berçários deram lugar a casas de campo, escolas para todas as idades, desde crianças a adolescentes, uma fazenda de laticínios, terras de arroz, pomares e hortas, departamentos de alfaiataria, cozinhas, lavanderias, oficinas e escritórios de construção com equipes de construtores, carpinteiros e eletricistas.[6]

---

5 http://www.elisabethelliot.org/newsletters/2002-05-06.pdf.
6 http://dohnavurfellowship.org/amycarmichael/.

CORTANDO DIAMANTES

Amy Carmichael escreveu quase quarenta livros e viveu na Índia sem tirar nenhum período sabático por cinquenta e cinco anos. Ela morreu lá em 1951, aos oitenta e três anos de idade. A seu pedido, seu túmulo não tem nenhuma indicação, apenas um bebedouro de pássaro sobre ele com a simples inscrição "*Amma*" — "mãe" na língua tâmil. (No ano da morte de Carmichael, Betty estava a caminho do campo missionário, fortalecida e moldada pela vida de sua heroína.)

Ao longo dos anos, Carmichael recebeu muitas cartas de jovens que estavam considerando missões. Uma jovem mulher perguntou: "Como é a vida missionária?".

A resposta concisa de Carmichael não foi particularmente encorajadora: "A vida missionária é simplesmente uma chance de morrer".

Essas palavras ressoaram com a jovem e idealista Betty Howard quando ela as leu pela primeira vez no colégio interno. E certamente ela sabia, por seu amor por Betty Scott Stam, que a vida missionária poderia terminar em morte.

Mas o que Betty não sabia quando adolescente era que as palavras de Amy Carmichael também seriam *literalmente* verdadeiras em sua própria vida.

CAPÍTULO 6
UM SAPO MUITO PEQUENO

"Estou tão cansada de receber educação tão somente do que há entre a capa e a contracapa de um livro. Nós precisamos é de começar a pensar ocasionalmente, ao invés de apenas memorizar."
—Betty Howard

Betty se formou como oradora oficial de sua turma.

"Ah, sim", ela diria sobre essa grande conquista anos depois. "Houve *dez* desses na minha turma."

A próxima parada, assim como para tantos cristãos FM's, FP's e FC's daquela época, era o Wheaton College.

"Eu era um sapo muito pequeno em um charco muito grande", disse Betty sobre Wheaton. Tecnicamente, não era um grande charco, com um corpo discente de menos de mil alunos quando ela começou as aulas no outono de 1944. Mas, assim como a HDA, o Wheaton College era um charco que produzia uma quantidade desproporcional de líderes cristãos em relação ao seu tamanho.

Wheaton foi fundada por abolicionistas cristãos em 1860, como uma instituição comprometida com o crescimento intelectual rigoroso e uma fé profunda e biblicamente fundamentada. A escola era uma parada na Underground Railroad [Ferrovia Subterrânea][1] e formou um dos primeiros universitários afro-americanos de Illinois. O lema de Wheaton, "*Por Cristo e por seu Reino*", capturou a atenção e as intenções de vida de estudantes como Billy Graham, Ruth Bell Graham, Carl F. H. Henry, John Piper e, é claro, os futuros missionários Ed McCully, Nate Saint, Jim Elliot e uma tal Betty Howard.

---

1 N. T.: O termo se refere não a uma ferrovia literal, mas a um conjunto de rotas e esconderijos secretos criado no século XIX, nos Estados Unidos, por negros escravizados, abolicionistas e pessoas simpáticas ao movimento. A "ferrovia" conduzia a estados onde a escravidão já havia sido abolida ou até mesmo ao Canadá.

À medida que a Segunda Guerra Mundial avançava no outono de 1944, Betty escreveu fielmente para amigos homens no serviço militar: sua paixão do ensino médio, Paul, e um colega da HDA chamado George Griebenow, que havia sido convocado para o Exército enquanto calouro em Wheaton. As cartas de Betty para sua família transmitiam as notícias dos soldados sobre a guerra na Europa — "Paul está em Cherbourg agora; isso é tudo o que ele podia dizer".

Betty estava mais preocupada com assuntos locais. "Aqui está a relação das minhas despesas", escreveu para a mãe, horrorizada. "Duzentos e vinte e cinco dólares e trinta e cinco centavos para o semestre!"

"Eu te amo muito e confio que você não ficará sobrecarregada com [isso]. Tenho que parar de me preocupar com isso — honestamente, quase desmaiei quando vi [...] ainda não recebi minha designação de trabalho, mas espero conseguir um bom emprego e um salário decente. É possível trabalhar até 65 centavos por hora. Nada mal!"[2]

Betty precisava do dinheiro, mas também estava dando ouvidos a uma carta enviada aos calouros por Edman, presidente de Wheaton: "Em tempos de guerra, é especialmente patriótico cooperar no trabalho em tempo parcial. Haverá muitos empregos disponíveis no campus, e neles você pode servir tanto à faculdade quanto ao país".[3]

"Eu vinha orando sobre esses gastos e não conseguia falar sobre isso com a senhora; mas afinal de contas, o Senhor me enviou para cá, creio eu, e ele certamente pode mandar a provisão", disse Betty à mãe. "Ele 'sabe que temos necessidade destas coisas'. Tive que pedir perdão por minha preocupação e dúvida."[4]

Preocupações financeiras à parte, Betty logo se adaptou à vida em Wheaton: "Acho que vou me formar em inglês ou filosofia [...] o pessoal aqui é muito amigável e todos estamos aproveitando nosso tempo aqui [...] as coisas estão indo muito bem. Eu [...] acabei de tomar café da manhã — o refeitório fica no porão do meu dormitório e certamente é muito limpo e atrativo. Cadeiras e mesas de bordo com flores. Sem toalhas de linho, é claro, mas as mesas são enceradas e polidas. Tomei café, suco de frutas, torradas com geleia e um ovo".[5]

---

2 EH para "Queridíssima Mãe", 12 de setembro de 1944.
3 Carta do presidente da Wheaton, V. Raymond Edman, aos calouros, agosto de 1944.
4 EH para "Queridíssima Mãe", 12 de setembro de 1944.
5 Ibid.

UM SAPO MUITO PEQUENO

As coisas estavam um pouco menos em ordem em seu dormitório. Devido ao número de jovens que voltavam da guerra para a faculdade, havia pouca moradia para mulheres. Betty e sua colega moravam em um quarto de solteiro; tinham duas camas, mas apenas uma cômoda e um guarda-roupas. O pai dessa colega era dono de uma loja de departamentos, e ela tinha o melhor que a década de 1940 tinha a oferecer: vestidos de verão listrados de algodão, saias compridas, camisolas xadrez, sapatos bicolores, mocassins, saias peplum, dúzias de vestidos floridos de algodão, suéteres alegres, pérolas, vestidos de baile e acessórios de todos os tipos.

"[E]ra simplesmente um esforço enorme para eu pendurar um vestido ou tirar qualquer coisa do armário", lembrou Betty anos depois. "Com toda a sua força, você tinha que empurrar as coisas; e eu tinha cerca de dez centímetros do armário, enquanto ela tinha o resto. Era uma situação desagradável."[6]

Apenas algumas semanas após o início das aulas, Betty escreveu aos pais sobre uma grande reunião no ginásio dos ex-alunos de Wheaton — "A Hora da Capela de Domingo, patrocinada por Torrey Johnson, o homem que fundou a Chicagoland Youth for Christ [Juventude para Cristo de Chicagoland] [...] Eu julgaria que pelo menos 2.000 pessoas estavam lá [...] um grande número foi à frente para dedicar suas vidas e acho que alguns foram salvos. [...] [A Youth for Christ] reservou o Estádio Municipal de Chicago para 21 de outubro e eles querem que 1.000 alunos de Wheaton se voluntariem para cantar em um coral de 2.500 pessoas. O estádio comporta cerca de 60.000 pessoas e, nossa! É muito emocionante! Que testemunho para o Senhor!!! Mal posso esperar! Por favor, orem por todas as reuniões de jovens — elas já tiveram centenas de almas e terão centenas mais se orarmos!"[7]

Mesmo que Wheaton oferecesse o tipo de oportunidades espirituais a que Betty estava acostumada, também começou a abri-la para o mundo da literatura além dos clássicos cristãos que ela havia lido em casa.

Cartas do primeiro ano mostram Betty exultando com o famoso "Prefácio" de William Wordsworth às suas baladas líricas, escritas em 1800. A prosa de Wordsworth — abundante em frases entorpecentes de comprimento impressionante, separadas por milhares de vírgulas — capturou Betty.

---

6 https://www2.wheaton.edu/bgc/archives/transcript/cn278t02.pdf.
7 EH para "Queridíssimos Pais", 24 de setembro de 1944.

O que é um poeta? A quem ele se dirige? E que linguagem se espera dele? — Ele é um homem que fala aos homens: um homem, é verdade, dotado de uma sensibilidade mais viva, mais entusiasmo e ternura, que tem um maior conhecimento da natureza humana e uma alma mais abrangente do que se supõe ser comum entre a humanidade; um homem satisfeito com suas próprias paixões e volições, e que se alegra mais do que outros homens no espírito de vida que está nele; deleitando-se em contemplar volições e paixões semelhantes, conforme manifestadas nos acontecimentos do Universo, e habitualmente impelido a criá-las onde não as encontra. A essas qualidades, acrescenta-se a ele uma disposição para ser afetado mais do que outros homens por coisas ausentes, como se estivessem presentes; uma capacidade de evocar em si paixões, que estão de fato longe de ser as mesmas produzidas por eventos reais, mas (especialmente nas partes da simpatia geral que são agradáveis e deliciosas) se assemelham mais às paixões produzidas por eventos reais do que qualquer coisa que, apenas pelos movimentos de suas próprias mentes, outros homens estão acostumados a sentir em si mesmos: de onde, e pela prática, ele tem adquirido maior prontidão e poder em expressar o que pensa e sente e, especialmente, aqueles pensamentos e sentimentos que, por sua própria escolha, ou pela estrutura de sua própria mente, surgem nele sem excitação externa imediata.[8]

Encantada com a prosa túrgida de Wordsworth, Betty escreveu à mãe que aquilo estava "positivamente fora deste mundo" [...] "Imagine ser capaz de se expressar como ele!"[9]

Evidentemente, houve alguma resistência lá de casa.

"A senhora perguntou [...] se Wordsworth não era panteísta", respondeu Betty à mãe com bastante condescendência. "A senhora tem a mesma concepção equivocada que muitas pessoas têm ao ler algumas de suas poesias. Alguns de

---

8 https://www.bartleby.com/39/36.html.
9 Carta de EH para a família, 4 de fevereiro de 1945.

seus poemas tendem ao panteísmo, mas quando seus motivos, ideais e circunstâncias são estudados, descobre-se que ele definitivamente não era panteísta. É uma história muito longa para descrever aqui!"[10]

Katharine Howard deve ter expressado por escrito mais preocupações depois de Betty anunciar que talvez se formasse em inglês. Betty a repreendeu. Educadamente.

"Mãe, a senhora parece estar se preocupando com minha graduação em inglês. Bem, deixe-me esclarecer o fato de que [um livro que ela havia lido com o perfil de um líder não cristão] certamente não tinha nenhuma conexão com a matéria de inglês. A leitura foi [...] para a de história. [...] A única leitura que nos é exigida em inglês são *O peregrino* e uma [p]eça de Shakespeare. Algum problema com eles?"

"Além disso — a senhora sugeriu que eu me graduasse em Bíblia. Há uma dificuldade primordial: isso não prepara a gente para nada específico. Por que ir para a faculdade se você vai sair sem preparação para ganhar a vida? Se eu fosse estudar apenas a Bíblia e matérias relacionadas a ela, eu deveria ter ido para um instituto bíblico. Os colegas que estão se graduando em Bíblia planejam ir para o campo missionário e nada mais. Acredito que, a menos que o Senhor tenha definitivamente chamado uma pessoa para o campo missionário, devemos estar preparados para encarar o mundo em seus próprios termos. Mas esta é a principal razão: o Senhor definitivamente me levou a escolher o inglês. Talvez ele mude minha cabeça outra vez, mas até lá, devo continuar no caminho que ele tem apontado."[11]

Quando não estava corrigindo a mãe, Betty estava ocupada com a equipe do jornal da escola, o coral, o debate, as aulas de canto, além de seus horários acadêmicos e de trabalho. Mais uma vez, havia preocupações vindas de casa.

"Mãe, a senhora não precisa se preocupar com o fato de eu ter muitos espetos no fogo ao mesmo tempo. Tenho orado muito definitivamente sobre eles."[12]

"Mãe, não entendo por que a senhora acha que eu deveria sair de qualquer uma dessas atividades — e ainda mais o clube de debates! A senhora não tem ideia de como ele é divertido e a maravilhosa multidão de colegas no esquadrão. Eu odiaria renunciar a isso. [...] Claro que eu poderia deixar de lado minhas

---

10 Carta de EH para "Mãe", fevereiro de 1945.
11 Carta de EH para "Mãe", 26 de janeiro de 1945.
12 Carta de EH para "Mãe", 9 de outubro de 1945.

esperanças quanto ao coral ou as lições de canto. Mas eu odeio <u>desistir</u> de coisas em que já estou envolvida."[13]

Betty e sua mãe trocaram milhares de cartas ao longo de suas vidas. Um paciente pesquisador identificou 1.355 cartas de Betty para "Queridíssima Mãe", totalizando quase três mil páginas, ao longo de trinta e dois anos.[14]

O relacionamento entre elas, como o de tantas mães e filhas, era complexo. Betty conseguia ser crítica e grosseiramente insensível, mas também amorosa e agradecida para com a mamãe, a quem sempre chamava de "Mãe", enquanto Philip Howard era "Papai" ou "Paizinho".

Katharine Howard, uma mãe superprotetora muito antes de essa expressão ser usada, lamentava quando se sentia excluída — nem que fosse da menor maneira — da vida de seus filhos. Ela comentava quantas cartas recebia ou deixava de receber. Quando seu filho mais velho, Phil, estava no serviço militar, ela lhe enviava bilhetes como: "Phil, querido: tente enviar cartas pelo correio aéreo. Nenhuma correspondência sua tem chegado já há um longo tempo, e esse silêncio <u>não</u> é '<u>ouro</u>'! Estou ansiosa por notícias suas".

Ela comparava quantas cartas Phil enviava para sua namorada versus quantas escrevia para casa. Tendo visto a necessidade de sua mãe, Phil aconselhara Betty sobre o assunto quando Betty ainda estava no internato:

"Quero citar para você um trecho de uma das cartas que recebi da mãe, e então vou explicar",[15] escreveu à irmã. Ele passou a citar algumas linhas que a mãe lhe havia escrito sobre uma certa notícia que Betty não havia se preocupado de compartilhar com ela.

"'Betty [...] não me contou; eu ouvi de uma maneira indireta. Fiquei um pouquinho machucada por ela não ter me contado, uma vez que eu anelo tanto para participar das alegrias e tristezas dos meus filhos. Mas, de alguma forma, pareço falhar nisso, pelo menos no que diz respeito a Bets. Ela é tão reticente! No entanto, eu a amo muito, assim como ela é.'"

"Talvez você já entenda onde estou querendo chegar", continuou Phil em sua carta a Betty. A mãe deles desejava "que nós, filhos, contemos tudo a ela.

---

13 Ibid.
14 Anthony Solis, de Wheaton, Illinois, é um pesquisador paciente e meticuloso que foi de incomensurável ajuda com detalhes de pesquisa sobre este projeto.
15 Phil Howard para "Querida Betty", 1º de outubro de 1943.

Já tinha percebido isso antes, e conto a ela praticamente tudo sobre minhas alegrias e tristezas. Eu sei que você ama a mãe [...] esta é uma maneira prática pela qual você pode mostrar seu amor por ela; então, conte-lhe tudo".

Phil concluiu: "Não estou criticando você [...] Escrevi isto como uma exortação, em um espírito de amor cristão, para a glória de nosso Senhor Jesus, e a felicidade da querida Mãe, e o bem de sua vida como filha de Deus. Afinal, que melhor amiga na terra um cara ou uma moça tem, além de sua mãe?"[16]

Se alguém já ouviu um irmão lhe repreender por ter machucado sua mãe só "um pouquinho", certamente consegue sentir as emoções comprimidas entre as frases tão cuidadosamente expressas dessa missiva. Mas a família Howard não falava sobre emoções; eles exortavam uns aos outros para a glória de Deus.

Ainda assim, Betty se sentiu péssima depois de ter tratado mal a mãe, como revela uma amostra de suas cartas.

"A senhora é maravilhosa para mim, mãe. O modo como a senhora segue em frente, e isso com um tão belo espírito, em meio a todas as suas provações, que são muitas! Se não houvesse nada mais, uma filha como eu já seria o bastante para deixá-la louca. Mas a senhora recebeu uma porção muito maior, e ainda assim se encheu de maior doçura. Nós, as crianças (seus filhos, quero dizer), estamos orando pela senhora, e sei que há outros amigos que devem fazê-lo também. Fico feliz que a senhora tenha um temperamento constante e o equilíbrio que traz à família. Pelos milhões [de] outras coisas a seu respeito, também sou grata — mas sou mais grata simplesmente por você!"[17]

"Quero agradecê-la novamente por tudo o que a senhora fez — não apenas materialmente, mas espiritualmente e de todas as outras maneiras. Sinto muito mesmo que meu contínuo antagonismo e meu espírito argumentativo tenham sido tamanha tristeza para a senhora neste verão. Eu sei que digo isso todos os anos, e todo verão eu ajo da mesma maneira. Mas agradeço à senhora por ter um espírito tão doce e perdoador. Não consigo entender como a senhora poderia me tolerar. Mas o Senhor é muito real em sua vida, como qualquer um pode ver, e eu a amo, de verdade!"[18]

---

16 Phil Howard para "Querida Betty", 1º de outubro de 1943.
17 EH para "Queridíssima Mãe", 12 de março de 1945.
18 As citações nesta seção são de cartas de EE de 10, 12 e 14 de setembro de 1944. A carta de Phil é 1º de outubro de 1943.

"Não, mãe! Não seria nenhum <u>alívio</u> se a senhora parasse de escrever! [...] E eu amo ouvir sobre todos vocês — mesmo que eu raramente mencione suas cartas."[19]

Os registros no diário mostram o hiato entre as intenções e o comportamento de Betty. "Meu coração dói pela maneira como tratei minha querida mãe. Oh, eu a amo tanto — esta tarde chorei, pois sinto tanta falta dela, e me senti tão pesarosa por não conseguir mostrar a ela o meu amor. Algum dia eu irei [para longe] — talvez para nunca mais vê-la. Por que não a aproveito quando estou com ela?"

---

[19] EH para "Queridíssimos Pais", 5 de maio de 1946.

CAPÍTULO 7
"QUE NÃO FUMEGUE E SE APAGUE"

"Humildade é perfeita quietude de coração. É não esperar nada, não se espantar com nada que seja feito a mim, não sentir nada feito contra mim. É estar tranquilo se ninguém me elogia ou se sou acusado ou desprezado. É encontrar um bendito abrigo no Senhor, onde eu possa entrar, e fechar a porta, e me ajoelhar diante de meu Pai em secreto, e ficar em paz, como em um mar profundo de calmaria, quando tudo por cima e ao redor é perturbação."
— Andrew Murray

A Segunda Guerra Mundial sempre estava no pano de fundo da vida universitária de Betty. Cartas eram uma espécie de corda salva-vidas para os jovens que serviam no exterior e, no início de 1945, Betty recebeu uma joia de um solitário conhecido — um tal soldado Albert Alguma-Coisa que ela conhecera na HDA.

"Minha querida grande Betty — entenda, eu também conheço uma pequena Betty e estou tentando não me confundir. Será que você cresceu e ficou ainda mais alta? Não sei por que raios estou escrevendo para você, dentre todas as pessoas, mas dizem que não se deve esquecer velhas amizades [...] ou talvez eu esteja escrevendo porque estou solitário e acabei de completar dezenove anos, ontem. De qualquer forma, não há nada muito melhor que eu pudesse estar fazendo."[1]

Albert passou a pedir à "grande Betty" por uma foto dela e, quem sabe, alguns instantâneos "apenas do seu rosto — um desperdício de filme, eu sei, mas — também do restante do seu um metro e oitenta. Estou lhe pedindo porque

---

[1] Soldado Albert, na Austrália, para Betty Howard, 26 de janeiro de 1945.

acho que talvez você os envie a mim depois desta bela carta que escrevi para você e de todo o tempo que investi nela. Com amor, Al".[2]

Al continuou essa cativante linha de pensamento com um "P. S." de três páginas em que descrevia as atividades das tropas no Pacífico — suprimidas pela censura do Exército — e encerrou implorando por uma carta de Betty. "Não fique brava comigo. Espero que você tenha idade suficiente para ter superado aquelas coisas infantis. Uma velha chama apagada, Al."[3]

Betty fez questão de escrever aos pais sobre todos os acontecimentos dramáticos da primavera de 1945. Franklin Delano Roosevelt, presidente por quatro mandatos, falecera em abril: "A morte do presidente não foi um choque? Fiquei sabendo quinze minutos depois de ele ter morrido e simplesmente não pude acreditar. Fiquei emocionada quando, ontem, Truman decretou um dia de oração e pediu aos jornalistas que orassem por ele. Um bom começo — talvez ele não vá ser tão ruim assim. [Um professor] tinha acabado de dizer, na segunda-feira passada, que não conseguia pensar em nada pior que pudesse acontecer aos EUA do que a eleição de Truman. E agora isto! Nunca sabemos como Deus usará as circunstâncias".[4]

No final de abril de 1945, ela escreveu que seu amigo George Griebenow estava "com o Terceiro Pelotão de Patton na Alemanha. Diz que mal consegue se lembrar de como são roupas limpas; já há tanto tempo que estão marchando e tomando cidades".[5]

Por volta da mesma época, o velho amigo de Betty, Paul, enviou-lhe perfume de Paris. George lhe enviou um poema da Alemanha. Expressava "muitas coisas — mais do que nós, civis, somos capazes de imaginar".

Em 8 de maio de 1945, a Alemanha nazista se rendeu às forças Aliadas. Embora a guerra no Pacífico se arrastasse, o terrível conflito na Europa terminou. Betty levou o rádio transistor para a aula de francês, e todos se aglomeraram para ouvir o discurso do presidente Truman sobre a rendição. "Foi-me emocionante ouvir como ele reconhecia a mão de Deus na Vitória. Eles tocaram o sino da Torre [...] Na capela, cantamos a Doxologia, Castelo Forte e o hino nacional, e a maioria de nós

---

2 Soldado Albert, na Austrália, para Betty Howard, 26 de janeiro de 1945.
3 Ibid.
4 EH aos pais, 15 de abril de 1945.
5 EH aos pais, 20 de abril de 1945.

simplesmente se sentou ali e chorou. Foi tão inacreditável, mas ainda é de se pensar na [guerra no Pacífico] — só podemos orar para que o Senhor acelere a vitória lá."

No início de seu segundo ano, no outono de 1945, Betty conheceu Katherine Cumming, sua madrinha de dormitório e nova professora de escola dominical. A calorosa e efervescente Katherine, com seu jeito do Sul, era muito diferente da reservada Betty, criada na Costa Leste. Quando Katherine escolheu seguir a Jesus, ela perdeu o favor de sua família rica, que a deserdou. Ela era muito mais velha que os alunos, solteira, um pouco rechonchuda, e tinha uma presença extremamente reconfortante e desafiadora — uma "mãe espiritual" — na vida de Betty Howard em Wheaton.

Anos depois, Betty se lembrou do profundo sotaque sulista de sua mentora: "[Ela tinha] um busto muito farto e estava sempre batendo no peito e dizendo: 'Bê-ê-bê, bê-ê-bê'".[6] (Digamos apenas que, se havia algum gesto de carinho a que Betty Howard *não* estava acostumada, era ser chamada de "Bebê".) Mas junto com seus abraços calorosos e seu sotaque arrastado, a graciosa Srta. Cumming tinha percepções nítidas e claras sobre essa garota complicada e era capaz de comunicá-las de uma maneira que até Betty, às vezes espinhosa, podia aceitar.

"Ela é tão completamente rendida ao Senhor e tão transbordante da alegria do Senhor e de um genuíno amor do Calvário pelos filhos de Deus!", Betty escreveu a seus pais.[7]

Enquanto isso, reuniões evangelísticas aconteciam regularmente em Wheaton. Betty escreveu aos pais pedindo suas orações: "Por favor, orem para que Deus faça um milagre e reavive o Wheaton College! Nós certamente precisamos disso e eu sei que ele quer fazê-lo".[8] Betty observou que, embora alguns alunos criticassem o pregador — "O povo de Wheaton criticaria qualquer um", escreveu ela em seu diário —, "o Senhor derramou Seu Espírito de maneiras poderosas neste campus, e não tenho ideia de quantas decisões aconteceram — para consagração e salvação. É maravilhoso ver pessoas indo à frente, as quais você nem tinha percebido que não eram salvas. A garota que mora do outro lado do corredor foi salva na semana passada. O Senhor tem sido maravilhoso para mim também!"[9]

---

6 https://www2.wheaton.edu/bgc/archives/transcript/cn278t02.pdf
7 EH aos pais, 21 de outubro de 1945.
8 EH para "Queridíssimos Pais", 2 de fevereiro de 1945.
9 EH aos pais, 14 de outubro de 1945.

Ela passou a descrever o concerto da noite anterior, em que ouvira George Beverly Shea cantar. Shea se tornaria um nome familiar na cristandade por causa de suas muitas décadas de solos nas cruzadas de Billy Graham.

"O Sr. Shea é tão genuíno — não um desses solistas evangelísticos que exaltam a si mesmos com sorriso forçado e ar de entusiasmo — mas alguém sincero e cheio do Espírito. É preciso muito para impressionar os Wheatonitas, mas o pessoal realmente gostou."[10]

Além das buscas espirituais, se houve alguma atividade universitária que correspondesse aos dons de Betty, era o clube de debates. Ela se destacou com entusiasmo em seu lugar na equipe de debate de Wheaton durante seu segundo ano. Seu irmão mais novo, Dave, também estava na equipe, e ambos estudavam tópicos cintilantes como: "Resolvido: que o trabalho deve receber uma participação definida na gestão da indústria" ou "Resolvido: que a ONU deve ser imediatamente transformada em um superestado".[11]

"Nossa!", Betty comentava com os pais. "Como é exaustivo! Não conheço exercício físico e mental mais extenuante do que debater. Admito (!) que fiquei morta!"[12]

Em uma viagem de debate para Bloomington, Illinois, ela descreveu seus colegas debatedores de escolas seculares. "A maioria dos homens acabou de sair do serviço militar [...] as garotas que são debatedoras parecem estar sempre bem arrumadas, usam batom bem vermelho, a maioria delas fuma, usam o cabelo escorrido em estilo pajem ou algo assim. Claro que esta é a típica garota de faculdade em geral, exceto que os óculos coloridos e o cabelo escorrido parecem ser especialmente peculiares às debatedoras! Sempre parece tão engraçado estar em um campus cheio de pontas de cigarro e se sentar à mesa de jantar com cinzeiros na nossa frente!"

Além de seus estudos e preparação para debates, Betty constantemente lia livros que a afiavam. "Estive lendo *Cartas de um diabo a seu aprendiz*. [...] Sem dúvidas, é uma obra clara e que realmente dá uma ideia dos truques sutis de Satanás. Que conhecimento [C. S. Lewis] tem da natureza humana! [...] O Senhor tem sido maravilhoso para mim ultimamente. Uau, que paciência ele tem! Não vejo como ele pode me perdoar tão repetidamente quando sou tão teimosa,

---

10 Ibid.
11 EH para "Queridíssima Mãe", 6 de outubro de 1946.
12 EH para "Queridíssimos Pais", 18 de janeiro de 1946.

"QUE NÃO FUMEGUE E SE APAGUE"

preguiçosa, tola e desobediente. Tenho sobre minha escrivaninha uma cópia de *Humildade* de Andrew Murray. À medida que leio, percebo como somos orgulhosos e vaidosos."

"Em nosso grupo de oração [...] tivemos alguns momentos preciosos. Seis das garotas mais populares do campus estão no meu grupo, e sinto tão profundamente minha necessidade do Senhor Jesus, em tão grande responsabilidade. Sou tão completamente oposta a essas garotas em minha personalidade e minha maquiagem e, às vezes, é uma tarefa muito árdua corrigi-las, como devo fazer, em relação a coisas como o uso prolongado do chuveiro, rádios ligados, conversas barulhentas etc. Eu me vejo tão pecadora e com traves tão grandes em meus próprios olhos, que é muito difícil viver de forma consistente diante delas."

Então, um palestrante da Wycliffe Bible Translators [Associação Wycliffe para a Tradução da Bíblia] veio ao campus. Ele falou sobre missionários "pioneiros"; aqueles que procuram alcançar povos que jamais ouviram o nome de Jesus.

"Ele deu a mensagem mais incomum e desafiadora sobre missões pioneiras que eu já ouvi", escreveu Betty. Embora trabalhar com povos não alcançados fosse difícil, o palestrante desafiou os estudantes de Wheaton a seguirem esse caminho mais difícil, em vez de optar por estações missionárias bem estabelecidas ou prósperas. "Que o Senhor mantenha diante de mim o seu propósito para minha vida, e que eu nunca seja desencorajada ou desviada de qualquer forma", escreveu Betty. "Como eu amo este poema de Amy Carmichael—

> Dá-me o amor que conduz o caminhar,
> A fé que na angústia não se pode abalar,
> A esperança que não cansa na decepção,
> A paixão que arde e queima em clarão;
> Que não fumegue e se apague o pavio meu
> Faz-me tua lenha, ó Chama de Deus!"[13]

Por volta do penúltimo ano de faculdade de Betty, vários temas recorrentes em sua vida estavam começando a se aglutinar. Ela começou a estudar grego e descobriu que se destacava nisso. Ela sentia uma contínua atração em direção ao

---
13 EH para "Queridíssimos Pais", 5 de maio de 1946.

campo missionário, talvez no trabalho de tradução. Ela havia aprendido mais sobre seus profundos anseios, em qualquer relacionamento romântico, pelo belo e por um entendimento mútuo profundamente espiritual. Ela duvidava que jamais encontraria um homem assim. Ela também percebia o quão retraída e distante ela podia ser em relação aos outros. E ela conheceu, nas aulas de grego, um cordial colega de classe chamado Jim Elliot.

CAPÍTULO 8
UMA ROSA GELADA

"As pessoas não podem se tornar perfeitas em virtude de ouvir ou ler sobre a perfeição. O principal não é ouvir a si mesmo, mas silenciosamente ouvir a Deus. Fale pouco e faça muito, sem se importar em ser visto. Deus lhe ensinará mais do que todas as pessoas mais experientes ou os livros mais espirituais podem fazer. Você já sabe muito mais do que coloca em prática. Você não precisa tanto da aquisição de novos conhecimentos, nem de perto, quanto de colocar em prática o conhecimento que já possui."
— François de la Mothe-Fénelon

No entanto, Jim Elliot ainda estava em seu futuro durante o verão de 1946, quando Betty se reconectou com um colega de classe da HDA, George Griebenow. George tinha 1,98m, com maçãs do rosto proeminentes e cabelos grossos e escuros. Ele se sobressaía em relação à Betty, o que era revigorante para ela, que tantas vezes se sentia desconfortável com sua altura. George servira durante a Segunda Guerra Mundial com grande distinção e voltou para casa como um herói condecorado. Ele havia experimentado suplícios que poucos não-veteranos podiam entender, e provocava em Betty reações que *ela* não conseguia entender muito bem. Talvez ele representasse uma "terra de ninguém" na qual ela não ousaria entrar. Seja lá o que fosse, Betty, apesar de toda a sua vivacidade intelectual, permaneceu bastante desorientada, deixando George confuso pelo resto daquele ano letivo.

Mas agora, no verão de 1946, tudo estava ótimo. Numa noite quente de junho, George passou a noite na casa dos pais de Betty, pois suas famílias eram velhas amigas. "Vê-lo [era] algo celestial", escreveu ela em seu diário. George deve ter pensado que aquilo era "celestial" também: "[Ele] queria me beijar".

Com o passar das semanas, George lhe enviou fotos de si mesmo, endereçando sua carta a "Minha queridíssima Betty". Ela escreveu de volta, "uma tarefa muito agradável". Mais cartas se seguiram. "Queria vê-lo em breve", escreveu em seu diário. "Ele é um doce."

Betty chegou a Wheaton para seu penúltimo ano em meados de setembro. Ela escreveu para a mãe imediatamente.

"Bem, quando voltei da cidade, descobri que tinha recebido uma ligação de 'um homem' que não deixara recado. Mais tarde, ele apareceu — na pessoa de George — e queria dois ou três encontros logo de cara. Conseguiu um. Com isso, eu disse adeus e ele se foi."[1]

Em 20 de setembro, Betty escreveu para a mãe: "Você ficou exasperada por eu não dar detalhes do meu encontro! Não quero ser enigmática; simplesmente não era uma questão de interesse para mim, por isso a negligência. Nós apenas fomos à igreja, e depois eu me livrei dele às 8h20! Receio que ele agora esteja desanimado!"[2]

Em 22 de setembro, ela escreveu em seu diário: "Vi o Geo. hoje à tarde. Ele me chamou para um encontro à noite. Eu simplesmente não o suporto, mas não sei como dispensá-lo com graciosidade".

16 de outubro: "Quanto mais conheço dos homens, mais sei que ainda não conheci ninguém com quem me importasse de me casar. Phil [seu irmão mais velho] é o meu ideal, mas, ao que parece, não há mais ninguém do tipo dele".

Alguns dias depois, ela cantou no coral na Igreja da Bíblia de Wheaton: "Geo apareceu [...] é claro que ficou procurando um buraco para se esconder". Um aluno chamado Don entrou na sala de ensaio de Betty e cantou com ela. "Ele é legal", escreveu ela. "Mas que lobo!"

No meio de toda essa intriga romântica, Betty estava fazendo sua primeira matéria de grego. Isso estava prestes a mudar a vida dela.

"Estou muito interessada no idioma, embora enfrente a rotina do ano com certa apreensão! Sentei-me ao lado de uma garota que foi aprovada como tradutora da Bíblia para o Peru e participou da Wyclif [sic] no verão passado. Ela já é uma aluna concluinte e diz que sentiu que precisava desesperadamente aprender grego. Mas ela me aconselha a frequentar a Wyclif [sic] no próximo verão, em vez

---

1 EH para "Queridíssima Mãe", 14 de setembro de 1946.
2 EH para "Queridíssima Mãe", 20 de setembro de 1946.

de permanecer aqui pelo segundo ano de grego, já que dois anos é realmente tudo de que eu precisaria para ter uma base para a tradução."

Por volta da mesma época, a amada madrinha de dormitório de Betty, Katherine Cumming, lhe deu um vislumbre de seu futuro, o qual Betty compartilhou com sua mãe. "Sei que a senhora vai se alegrar comigo quando eu lhe contar algo que a Srta. Cumming me disse hoje. Digo isso apenas porque é da misericórdia do Senhor, e não me sinto, de modo nenhum, digna de tal comentário."[3]

Betty havia conduzido o devocional em Hebreus 12.12 durante a aula dela na escola dominical. Depois, a Srta. Cumming disse: "Betty, acho que você deveria estar em algum tipo de trabalho cristão público. Você expressa coisas muito profundas de forma poderosa e concisa. Você é uma verdadeira bênção para mim". "A Sra. Evans [outra madrinha de dormitório] disse a Edna que eu era uma das garotas mais espirituais da escola. Mãe, a senhora sabe tão bem quanto eu que isso não pode ser verdade, mas quero que a senhora ore comigo para que isso se torne verdade cada vez mais — que eu possa viver apenas 'para o louvor de sua glória'. Que coisa diabólica é o orgulho espiritual, e que o Senhor me proteja disso."[4]

Nessa mesma época, enquanto lia a Bíblia em suas devoções diárias, ela chegou a Isaías 42.6; "Eu, o Senhor, te chamei em justiça", Betty leu em sua desgastada Bíblia King James. "[Eu] te tomarei pela mão, e te guardarei, e te darei por aliança do povo, e para luz dos gentios" (ACF). Ela sentiu que Deus a estava chamando especificamente, Betty Howard, para o trabalho de traduzir a Bíblia para pessoas que ainda não tinham tido acesso a ela.

"Senti uma nova emoção ao perceber que sou comissionada como embaixadora do Rei dos reis — e uma nova seriedade de propósito aqui na faculdade, pois, afinal de contas, não temos um amanhã no qual servi-lo — apenas o hoje! Como alguém jovem, muitas vezes é difícil deixar de viver no futuro, com o pensamento de que as coisas ainda não começaram para valer — de que ainda temos uma vida inteira pela frente. Talvez — mas o Senhor nos dá um momento de cada vez e o confia a nós que o investiremos para a eternidade."

Esse chamado eterno coincidia com chamados mais comuns.

"Na segunda-feira, George me ligou querendo um encontro para 19 de outubro, e outro para o dia 26! Ele com certeza acredita que já ganhou o leilão! Recusei ambos,

---

3 EH para "Queridíssima Mãe", 6 de outubro de 1946.
4 EH para "Queridíssima Mãe", 6 de outubro de 1946.

dizendo que era cedo demais para fazer planos para aquelas datas. [...] Ele disse a Sarah [...] que estava literalmente se jogando aos meus pés e sendo pisado. O problema é que ele nunca <u>me</u> diz pessoalmente como se sente (o que eu <u>odeio</u>), então não tenho abertura para dizer a ele qual é a posição dele no leilão. Eu não quero despedaçá-lo se ele realmente gosta de mim, mas certamente gostaria de saber como dispensá-lo com graciosidade. [...] E eu definitivamente <u>não</u> quero ser vista como o "parzinho" dele no campus, como o pessoal automaticamente pensa se vê você com o mesmo cara duas vezes! Há outros com quem eu gostaria de sair e que nunca me convidariam para um encontro se acharem que eu estou namorando o Geo."[5]

Décadas depois, Betty havia se esquecido de toda essa ofegante e ativa vida de encontros. Quando o arquivista de Wheaton lhe perguntou, em meados da década de 1980, como era um "encontro típico" em Wheaton na década de 1940, ela respondeu que "um encontro típico em Wheaton certamente não era algo que me pertencia, sem dúvida alguma. Eu era definitivamente uma moça tímida. [...] Havia certas garotas no dormitório que sempre [...] tinham encontros, e eu era aquela que nunca saía, nunca tinha um encontro para nada".[6]

Em 1º de dezembro de 1946, Betty escreveu para sua mãe, que havia chamado seu insistente amigo de "pobre George".[7]

"Tive um encontro com George. Ele me deu uma pulseira de requintadas rosas talismã [chá], então usei meu vestido formal de tafetá azul. A Srta. Cumming sentou-se bem atrás de nós no concerto; ela me disse ontem que pensou haver algo "excepcionalmente bom" nele e acha que formamos um 'par adorável'. A maioria das garotas por aqui acha que ele é incrivelmente maravilhoso e não consegue entender minhas razões para não estar completamente deslumbrada! [...] Ele usava um smoking, para minha surpresa, pois nunca pensei que ele conseguiria um grande o suficiente."

Betty passou a descrever o concerto [...] uma família que cantava "perfeitamente bem juntos [...] Eles têm rostos muito belos, retratando caráter forte e vidas puras. Todos têm afinação absoluta, uma qualidade rara".[8]

O nome deles?

---

[5] EH para "Queridíssima Mãe", 6 de outubro de 1946.
[6] Entrevista de Elisabeth Howard Gren por Robert Shuster, 26 de março de 1985, coleção 278, fita T2, arquivos do Wheaton College.
[7] EH para "Queridíssimos Pais", 11 de novembro de 1946: "Mãe, <u>por favor</u>, pare de se preocupar com o 'pobre George'".
[8] EH para "Queridíssimos Pais", 1º de dezembro de 1946.

UMA ROSA GELADA

A família von Trapp, liderada pela Baronesa Maria von Trapp, cantando em Wheaton dezenove anos antes de o filme *A Noviça Rebelde* consagrá-los para sempre na cultura americana.

Talvez tenha sido uma noite irônica para o jovem George Griebenow. O capitão von Trapp se recusara a cooperar com os nazistas. George tinha experiência pessoal com um austríaco menos íntegro, o qual havia vendido seu país *aos* nazistas. Seu nome era Ernst Kaltenbrunner.

Kaltenbrunner tinha 1,93m, com uma teia de cicatrizes em seu rosto angulado. Um antissemita raivoso, ele era chefe da SS e administrava campos de concentração nazistas em toda a Europa. Após o suicídio de Hitler, Kaltenbrunner foi nomeado chefe de todas as forças nazistas no sul da Europa. Ele havia se escondido em uma remota cabana em uma montanha austríaca — e ali George Griebenow foi um dos jovens soldados americanos que o capturaram em maio de 1945.

Kaltenbrunner foi julgado perante o Tribunal Militar Internacional de Nuremberg, considerado culpado de crimes de guerra e executado em outubro de 1946.

Enquanto Kaltenbrunner era enforcado, George estava seguro no Wheaton College, participando de aulas e concertos musicais; porém, velhas memórias nazistas não podiam deixar de inundar sua mente.

Esse rapaz, que a mãe de Betty Howard chamava de "pobre George", era na verdade um homem multifacetado que havia resistido aos horrores da guerra. Ele havia sido premiado com condecorações do Exército pela captura de Kaltenbrunner. Recebera a Estrela de Bronze por arrastar um companheiro para fora do fogo inimigo durante um ataque de metralhadora na Alemanha, e o Coração Púrpura por ferimentos que recebeu ao atravessar o Reno.

O que quer que George carregasse dentro de si permanecia um mistério — ou um obstáculo — em seu relacionamento com Betty Howard. Ela raramente se referiu ao serviço militar dele em suas cartas ou registros de diário, mas, durante o inverno de 1946 e a primavera de 1947, ela travava uma guerra dentro de si mesma quanto ao seu relacionamento com George Griebenow.

2 de dezembro: "Vi o Geo. Pouco antes da capela. Ele estava meio engraçado para mim. Veio hoje à noite e queria tirar aquela foto nossa ao lado de seu avião. Ele se recusa a me mostrar aquela foto minha que carregou consigo durante toda a guerra".

20 de dezembro: "A caminho de casa para o recesso de Natal, no trem 'Trailblazer'. Monty nos levou até a estação. Tive que sentar-me perto do Geo no trem. No começo, fiquei brava; agora estamos nos divertindo".

Betty — uma alma velha, mas ainda assim uma mulher jovem e imatura — completou vinte anos no dia seguinte.

Em janeiro, o mesmo ciclo de indecisão de Betty continuou. Ela saía para um encontro com George, então voltava se perguntando por quê. Ela se perguntou se deveria "iniciar um embate" ou "deixar que ele resolvesse isso". Em 12 de janeiro, ela escreveu em seu diário: "Desde a sexta-feira da última semana, não tenho visto o Geo G. nem mesmo para conversar. É bom não o ter por perto. Oh, puxa! Gostaria de conhecer o homem com quem vou me casar — se é que o Senhor quer que eu me case, afinal".

Em 26 de janeiro, George a convidou para patinar. "Eu tive que dizer sim, embora particularmente não quisesse. Odeio dispensá-lo de novo! Não tenho certeza se aprovo patinação."

Eles se envolveram naquela atividade questionável no dia seguinte. "George me levou para uma festa de patinação. Eu dei o tom de como iríamos patinar e consegui mantê-lo à distância. Eu realmente não gosto de estar com ele. Chegando em casa, conversamos muito pouco e sei que fui rude. Deixei-o contrariado. No rol de entrada, ele tentou colocar o braço em volta de mim. Aquilo me irrita."

A maioria de nós não pensaria numa pista de patinação como um celeiro de desejos, mas Betty era muito severa quanto a contatos físicos, até mesmo patinar com o braço ao redor de um parceiro. Ela havia escrito aos seus pais: "Descobri que há poucas garotas por aqui que percebem a importância da castidade em todas as fases de nossa vida. <u>Ninguém</u> que eu conheça, até agora, pensa exatamente como eu em relação a coisas como dar as mãos, carícias etc. Eu sou considerada bastante peculiar e, para dizer sem rodeios — um 'caso perdido!' Mas isso não me preocupa, e sou grata por aquilo que o Senhor tem me ensinado".[9]

Finalmente, em abril de 1947, Betty escreveu em seu diário que ela e George saíram para uma longa caminhada, "e eu lhe disse que teríamos que parar de sair juntos. Ele me disse como sentia que jamais conseguiria ter um outro alguém, e que o que sentia por mim era muito sério. Então, seus olhos se encheram de

---

9 Carta de EE para "Mãe", 10 de fevereiro de 1946.

lágrimas e sua voz falhou quando ele tentou me dizer o quanto eu significava para ele. Agora, sinto-me péssima; não tinha percebido que aquilo o machucaria".

No dia seguinte, ela se sentia um pouco melhor, embora ainda bastante distraída. "Acho que estou superando George aos poucos. Ainda quero muito ter uma conversa com ele para expressar meu apreço por todas as centenas de coisas maravilhosas que ele fez por mim." Ela devolveu as medalhas dele e os outros presentes que ele lhe dera.

George seguiria em frente. Dentro de dois anos, ele ficou noivo, depois se casou e serviu como pastor junto à Christian Missionary Alliance [Aliança Missionária Cristã], e mais tarde se tornou chefe da Small Business Administration [Agência de Administração de Pequenas Empresas] em Minnesota. Ele foi reconhecido por sua vida de serviço aos outros, décadas depois, quando seu governador proclamou o dia 1º de março de 1987 como o Dia George Griebenow em Minnesota.

Enquanto esse drama romântico se acalmava em Wheaton, a madrinha de dormitório de Betty, com seu sotaque arrastado, assumiu o risco de ser honesta com ela. Ela gentilmente expôs algumas brechas nos muros de Betty que o relacionamento com George havia revelado.

"Tive uma longa e maravilhosa conversa com a Srta. Cumming, principalmente sobre George. Ela tem uma capacidade incrível de analisar minha personalidade. Ela consegue ler meus motivos para dispensar o George e sente que eu realmente não deveria ter feito aquilo. Ela tem certeza de que ele me ama profundamente. Ela também acha que, por causa da minha postura indiferente, eu posso perder o homem que deveria ter."

Betty não refletiu mais, pelo menos em seu diário, sobre a "indiferença" que a Srta. Cumming via tão bem. Esse senso de reticência ou desapego foi uma parte orgânica de sua personalidade por toda a sua vida. Por causa disso, algumas pessoas a descartaram como arrogante, santarrona ou fria. Embora sua personalidade não tivesse nenhum desses atributos, seu comportamento abrupto às vezes comunicava isso aos outros.

Uma explicação para esse desapego veio à tona quando Betty estava estudando as teorias junguianas da personalidade. "Outro dia, na aula de psicologia, discutimos as 13 características dos introvertidos. Acho que 11 delas são <u>muito</u> verdadeiras sobre mim. É bastante desanimador estudar psicologia. Espero que não me torne uma introvertida ainda pior. O Senhor pode mudar isso em mim, eu sei, pois certamente é algo ruim ser introvertida."

Por que Betty via a introversão como algo ruim? Em um ambiente de campus, particularmente na década de 1940, líderes reconhecidos tendiam a ser extrovertidos. Esses tipos entusiasmados e energizados pelas pessoas são amigáveis e falantes — qualidades que chamam a atenção e atraem os outros mais do que a tendência do introvertido de extrair energia passando tempo sozinho. O introvertido típico não é tímido, mas pode ser percebido como tal. Ele gosta de pessoas e não se sente intimidado por elas, mas pode ficar exausto com grandes festas e ajuntamentos, ocasiões nas quais o extrovertido está em seu hábitat natural. O introvertido precisa de tempo para recarregar suas baterias.

Atualmente, há mais compreensão e celebração da diversidade nos vários tipos de personalidade. As pessoas se debruçam sobre os resultados do seu teste de Myers-Briggs e publicam o seu eneagrama de personalidade. De qualquer forma, muitas de nós provavelmente nos classificamos como ambivertidas, combinando, pelo menos em nossa mente, as melhores qualidades de ambos os tipos de personalidade.

Contudo, nos dias de faculdade de Betty Howard, ela sentia que era "algo ruim" ser introvertida, e sua falta de energia e seus silêncios abruptos para com os outros, com efeito, afastavam as pessoas. Anos mais tarde, quando ela aparecia confiante em grandes auditórios por todo o mundo ou ensinava em seminários de vários dias para milhares de pessoas, muitos ouvintes esperavam que Elisabeth Elliot fosse uma pessoa gregária e dada a outras pessoas. Mas, como alguns podem atestar depois de terem esperado em longas filas de autógrafos, nos contatos individuais ela muitas vezes soava brusca ou inexplicavelmente rude.

Sua inata postura de distanciamento muitas vezes escondia o fato de que ela realmente amava as pessoas e admirava profundamente seus talentos e dons. Ela humildemente lamentava suas gafes e deficiências. Durante a faculdade, ela constantemente convidava pessoas que talvez se sentiriam sozinhas ou esquecidas para passar as datas comemorativas com ela em sua casa. Ela amava seus amigos e olhava para estranhos com fascínio e curiosidade.

Por um lado, ela tinha a capacidade de um amor profundamente apaixonado e sem reservas. Por outro lado, suas emoções corriam como um rio controlado por margens rochosas e profundamente canalizadas, construídas por uma disciplina que se fortalecia a cada ano. A garota que chorou a caminho da HDA já havia se tornado mais reservada no Wheaton College. Depois de haver passado alguns anos no campo missionário e confrontado sua perda mais profunda, suas lágrimas se tornaram poucas e muito ocasionais.

À medida que envelhecia, ela dava pouco peso às suas próprias emoções, então às vezes parecia insensível às emoções dos outros. Mas isso não significava que ela não as sentisse.

Enquanto isso, suas paixões — sua profunda reação às belezas da natureza, por exemplo, ou seu eventual amor por Jim Elliot — não eram "apenas sentimentos" para ela, mas uma combinação de reações intelectuais, espirituais e sensoriais às suas convicções sobre as verdades que ela percebia ao seu redor.

Ela escreveu muitas vezes sobre "estar doente de deslumbre" diante da lua cheia ou de um brilhante pôr do sol. A arte a comovia profundamente. Ela escreveu em seu diário: "Quando ouço uma grande composição — poesia ou música — sou profundamente movida pela paixão de seu autor, o páthos — e o amor me parece ser uma coisa alta e gloriosa demais para ser pensada em conexão com qualquer homem que já conheci. Eu me pergunto se o Senhor tem alguém para mim". Aos vinte anos, Elisabeth Howard levava uma vida disciplinada, de trabalho duro e rigor espiritual. Ela amava a natureza, a música, a poesia, os livros e jogos de palavras. Ela desenvolvera padrões de namoro e afeição física que eram singulares mesmo em sua faculdade cristã. Ela vivera exclusivamente entre outros crentes. Ela mantinha agendas meticulosas com um tempo designado para cada atividade, de devoções a estudo, de trabalho a exercício, das 7h às 23h30, exceto pelos dias em que se levantava ainda mais cedo.

Ela admirava o professor que anunciava no primeiro dia de aula: "Não haverá nenhum tipo de segunda chamada, por qualquer motivo. A doença é uma perda econômica". Ela apreciava o treinador do clube de debates que não elogiava ninguém por um trabalho bem-feito: "Fomos mais ou menos ensinados que, quando tivéssemos feito tudo, ainda éramos servos inúteis, o que é uma atitude muito saudável de se adotar".[10] Ela gerenciava o dinheiro com cuidado, escrevendo sobre uma viagem de trem para visitar amigos: "Eu teria condições de ir [...], mas a questão é se seria certo gastar tanto em mero prazer. Até agora, não tenho certeza do que o Senhor quer que eu faça".

---

10 Entrevista de Elisabeth Howard Gren por Robert Shuster, 26 de março de 1985, coleção 278, fita T2, arquivos do Wheaton College, https://www2.wheaton.edu/bgc/archives/transcripts/cn278t02.pdf.

Ela respeitava seus pais e outras autoridades, mas também percebia suas fraquezas e confiava mais em sua própria análise de qual era a vontade de Deus para si. Seu caráter carregava as influências das mulheres piedosas — e ainda assim imperfeitas — que ela admirava. Sua mãe organizada e sacrificial. A martirizada amiga da família e missionária, Betty Scott Stam. A formidável, mas culta, Sra. DuBose. A visionária e iconoclasta Amy Carmichael. E a doce, sulista e graciosamente firme madrinha de dormitório, Katherine Cumming.

Embora Betty duvidasse sinceramente de que isso jamais aconteceria, ela ansiava por um relacionamento profundo com um homem que fosse sua alma gêmea, bem como pelo casamento. Ela havia elaborado uma lista de onze pontos de seu "homem ideal", cobrindo tudo, desde sua mandíbula marcada até seu amor pela poesia, música, literatura e natureza e seu "intelecto imponente". Sua característica número um: "Uma espiritualidade mais profunda do que eu jamais pude sondar. Um missionário".

Além disso, enquanto refletia sobre o casamento de seu irmão mais velho Phil, que aconteceria no final daquela primavera de 1947, Betty escreveu: "[Um amigo] estava falando comigo novamente hoje sobre amor. Existem diferentes níveis em que os indivíduos amam — eu não deveria me satisfazer com nada menos do que uma completa e linda união de <u>alma</u> — um amor cuja certeza o tempo não possa jamais aumentar, e cujo deslumbre o tempo não possa jamais diminuir!".

Sedenta pelo deslumbre, ansiando por alguma elevada união de almas, irritando-se com o que fosse bobo e incapaz de trazer plena satisfação... aos vinte anos, Betty era como uma rosa talismã na geladeira de um florista, gelada, ainda sem ter desabrochado e ainda sem riqueza de perfume. Talvez isso estivesse para acontecer. O registro do diário do dia seguinte dizia com naturalidade:

23 de abril de 1947: "Tive uma boa conversa com Jim Elliot — ele é um cara maravilhoso. Nós dois nos recusamos a aceitar 'visão cristã do mundo e da vida' [convencional]. Que o Senhor conceda sabedoria".

CAPÍTULO 9
EUNUCO PARA CRISTO

"Nossos homens jovens estão indo para as carreiras profissionais porque não 'se sentem chamados' para o campo missionário. Nós não precisamos de um chamado; precisamos de um pontapé nas calças. Devemos começar a pensar em termos de 'ir' até as pessoas e parar de chorar porque 'elas não vêm' a nós. Quem iria querer entrar num iglu? Os próprios túmulos não são mais frios do que as igrejas. Que Deus nos envie."
— Jim Elliot

Betty conheceu Jim Elliot, um estudante do segundo ano (um ano atrás dela na faculdade), porque ele era o colega de quarto de seu irmão mais novo, Dave. Como Betty, Jim havia decidido graduar-se em grego como forma de aprofundar seu próprio estudo do Novo Testamento. Ele também acreditava que saber grego acabaria por ajudá-lo a traduzir o Novo Testamento para línguas que ainda permaneciam ágrafas. Jim e Betty tinham estado juntos em aulas com temas impronunciáveis, como Tucídides, Heródoto, Septuaginta etc. Agora ela o olhava com novo interesse, notando seus olhos azuis-acinzentados, seu físico atlético, e suas roupas alinhadas, embora desgastadas: seu suéter, paletó e calças de flanela cinza.

Betty não percebeu isso na época, mas Jim tinha no campus a reputação de ser um pouco espiritual demais. Durante seu primeiro ano, ele incomodara muitos alunos de Wheaton perguntando-lhes efusivamente o que haviam aprendido em suas devoções matinais, ou qual era o "versículo de hoje" deles. Mais tarde em sua carreira universitária, ele sentiu que tinha sido muito extremo; sem perder sua devoção absoluta a Cristo, ele se tornou muito mais divertido e popular. Excepcionalmente intencional, Jim via a faculdade como um privilégio, mas algo que seria desperdiçado a menos que ele o usasse para fortalecer sua alma, mente e corpo, tudo para a glória de Deus.

Dadas as várias referências do Novo Testamento à luta como uma metáfora espiritual, não foi surpresa que Jim se tornasse um destaque na talentosa equipe de luta livre de Wheaton. O irmão de Betty, Dave Howard, descreveu isso da seguinte forma:

> Em nossa primeira partida do primeiro ano, enfrentamos a Universidade de Illinois. Jim teve o infortúnio de encarar o campeão nacional em sua categoria de peso. Como Jim nunca havia lutado antes, o campeão ficou um pouco perplexo. Ele aplicou em Jim todos os golpes de luta livre que podia pensar, mas não conseguiu virá-lo de costas e prendê-lo. Descobrimos que Jim tinha dupla articulação! Não importava o que o campeão tentasse, nada funcionava com Jim, pois seus membros simplesmente se curvavam de forma inacreditável, mas ele não era dominado. Daquele dia em diante, passamos a chamá-lo de O Homem-Borracha.[1]

O Homem-Borracha estava determinado a eliminar de sua vida todas as coisas não essenciais. Ele se considerava — a menos que Deus o conduzisse de forma diferente — um "eunuco" para Cristo, como Mateus 19.12 descreve. Ele poderia servir melhor ao Senhor sem as distrações e responsabilidades de esposa, família, filhos e um lar. Ele via isso como uma arapuca gradual que poderia, na verdade, comprometer todo o foco de alguém nas coisas de Deus.

Quando foram veteranos, Dave morou com ele no dormitório em Wheaton que mais tarde levaria o nome de Jim: Elliot Hall.

"Eu estava namorando Phyllis, que mais tarde se tornou minha esposa", escreveu Dave muitos anos depois. "Quando eu voltava para o dormitório depois de um encontro, muitas vezes o achava ali sentado, lendo a Bíblia ou orando. Ele olhava para mim de soslaio, desconfiado, e dizia: 'Você saiu com a Phyllis de novo? Quando eu confessava que sim, ele virava as costas com um meneio de cabeça, implicando que mais uma vez eu estava perdendo meu tempo."

"Uma de suas firmes convicções (pelo menos ele a *achava* firme!) era que o celibato era o mais alto chamado de Deus na vida. Era melhor não ter os entraves

---

[1] Dave Howard, https://urbana.org/blog/my-roommate-jim-elliot.

de uma esposa e família e, portanto, ser livre para servir ao Senhor com total desprendimento."[2]

Os vibrantes — e mais tarde famosos — diários de Jim trazem isso à tona.

"Ultimamente, tenho refletido sobre os extremamente perigosos efeitos cumulativos das coisas terrenas", escreveu ele depois da faculdade. Ele achava que se comprometer com uma esposa implicaria armadilhas inevitáveis, como "uma casa; uma casa, por sua vez, requer cortinas, tapetes, máquinas de lavar roupa etc. Uma casa com essas coisas logo se torna um lar, e os filhos são o resultado pretendido. As necessidades se multiplicam à medida que são satisfeitas — um carro exige uma garagem; uma garagem, um terreno; um terreno, um jardim; um jardim, ferramentas; e ferramentas precisam ser afiadas. Ai, ai, ai do homem que deseja viver uma vida desembaraçada neste século, se insistir em ter uma esposa. Aprendo com isso que a vida mais sábia é a mais simples, vivida na satisfação exclusiva dos requisitos básicos da vida: teto, comida, roupas e cama. E mesmo estas coisas podem gerar outras necessidades se não prestarmos atenção. Esteja alerta, ó minha alma, para você não complicar seu próprio ambiente de modo a não ter tempo nem espaço para crescer!"[3]

Parte do que tornava Jim Elliot atraente para alguém, e repulsivo para outrem, tinha a ver com essa inclinação contracultural, às vezes articulada de maneiras pouco ponderadas. Ele detestava a superficialidade de uma vida religiosa que descansasse no "estilo de vida americano", em vez de no chamado radical de Jesus.

Jim ansiava por pregar o evangelho puro do Novo Testamento, não um que misturasse sutilmente os ensinamentos de Jesus com os valores convencionais de conforto e prosperidade. Depois de seu primeiro ano na faculdade, ele escreveu em seu diário: "Foi um ano proveitoso, aproximando-me do meu Salvador e descobrindo preciosidades em sua Palavra. Como é maravilhoso saber que o cristianismo é mais do que um banco de igreja acolchoado ou uma catedral escura, mas que é uma experiência real, viva e diária que vai de graça em graça".[4]

Jim vinha dos Irmãos de Plymouth, uma tradição que evitava estruturas denominacionais e hierarquias à medida que buscava aderir ao modelo neotestamentário da igreja primitiva. Seu pai, Fred, era um mestre e evangelista

---

2 Ibid.
3 Elisabeth Elliot, *Shadow of the Almighty* (New York: Harper, 1958), p. 117, registro no diário de 4 de janeiro de 1950.
4 Ibid., 39.

"recomendado" ou reconhecido entre os Irmãos. O grupo não acreditava num clero ou ministério ordenado.

A fé antissistema de Jim o motivara a se cadastrar como um objetor de consciência — uma ideia contracultural na era patriótica da Segunda Guerra Mundial. Mas Jim era um iconoclasta que se deliciava em agitar o barco conformista. Desde o ensino médio, ele carregava uma Bíblia por quase todos os lugares que frequentava. Seu conhecimento do conteúdo das Escrituras era profundo e amplo. Ele não se furtava de expor a sua fé. Suas opiniões sobre a devoção absoluta a Deus não eram para os fracos de coração.

Para não pensarmos que Jim era simplesmente irritante ou "de outro mundo", é bom lembrar seu sorriso largo, voz calorosa e personalidade efervescente. Durante a última porção da faculdade, ele passou por uma autodeclarada "Renascença", na qual transbordou sagacidade, poesia, canções e piadas; ele adorava pregar peças em seus amigos e ir a festas. Ele se deleitava com a natureza e adorava caminhadas, pesca, trilhas, observação de estrelas, escalada e natação. Havia algo de estimulante nele, como se quisesse sorver e experimentar plenamente cada momento. Jim Elliot não passava os dias passivamente; ele os *vivia*.

Dave Howard convidou seu amigo para passar o recesso de Natal de 1947 na casa da família em Nova Jersey.

Muitos anos depois, Betty escreveu: "Minha família ficou encantada com Jim. Como sisuda gente da Costa Leste [...] nós achamos revigorantes sua súbita gargalhada, seu forte aperto de mão, sua completa franqueza. Ele consertou tudo o que precisava ser consertado. [...] Ele enxugou os pratos para a senhorinha que então ajudava minha mãe na cozinha. [...] Ele conhecia centenas de hinos de cor, e não tinha nenhuma vergonha de romper a qualquer momento com sua voz de barítono vigorosa e não modulada".

Jim levou as crianças para andar de trenó e patinar no gelo e tirou a neve para Philip Howard. Tarde da noite, depois que o resto da família ia para a cama, ele ficava acordado e conversava com Betty. Os temas variavam de princípios do Novo Testamento sobre a igreja, poesia, mulheres e "muitos outros assuntos sobre os quais seus pontos de vista eram, eu pensava, fora do comum. Eu apreciava aqueles momentos, em parte, porque naquela época eu discordava dele em tantas coisas. De qualquer modo, concluí que Jim Elliot era 'uma figura' e passei a gostar dele".[5]

---

5 Ibid., 50.

Família Howard, Natal, 1947
Phil, sua esposa Margaret, Philip, Jimmy, Katharine,
Betty, Tom; Dave e Ginny na fileira de trás

Embora Betty não soubesse disso na época, o sentimento era mútuo.

Quando 1948 começou, Jim Elliot começou a passar cada vez mais tempo estudando grego com Betty Howard. Talvez isso fosse porque ela estava aprendendo grego mais rápido do que ele. Talvez fosse porque o interesse dele, despertado durante a visita de Natal em Nova Jersey, estava crescendo.

Durante aquele recesso de Natal, Betty escreveu carrancuda em seu diário: "Cá estou eu, com 21 anos, e sem perspectiva de casamento".

Como poucas pessoas de vinte e um anos, no entanto, ela pensava em termos drasticamente bíblicos. Enxergava a sua vida como um sacrifício a ser colocado no altar de Deus, consumida pelos propósitos de Deus. "Minha vida está em teu altar, ó Senhor — para que me consumas. Ateia o fogo, Pai! Ata-me com cordas de amor até o altar. Mantém-me ali. Faz-me lembrar da cruz."

No início da primavera, no casamento de dois amigos próximos, ela sentiu "uma tranquila certeza de que não vou me casar. Sou grata ao meu Senhor por obter vitória nessa área".

Em março, ela esclareceu: "Não quero dizer que enxergo por completo o plano da minha vida. Deus pode mudar tudo. Apenas lhe agradeço pela alegria de descansar nele e confiar nele em cada passo".

Em 30 de abril de 1948, algumas semanas depois de Betty escrever aquilo, na verdade ela e Jim tiveram um encontro convencional... embora, é claro, o programa do encontro fosse ir uma grande conferência cristã no centro de Chicago. Ambos ficaram empolgados com os relatos e desafios dados por uma variedade de missionários de todo o mundo. "Foi uma reunião abençoada e encorajadora", escreveu Betty. Ela estava sendo arrebatada por duas emoções fortes, mas muito diferentes: uma profunda preocupação por aqueles que nunca tiveram a chance de ouvir o evangelho, e um profundo respeito por sua bela companhia (como seu desordenado registro de diário deixa claro).

"Mas, oh! Aquelas cem mil almas que hoje pereceram na 'negridão das trevas, para sempre'! O que eu estou fazendo quanto a isso? Senhor, dá-me amor! Jim é, sem exceção, o melhor sujeito que já conheci."

Como Jim e Betty eram ambos escritores prolíficos, o desabrochar de seus sentimentos um pelo outro e — mais importante, para eles — suas convicções sobre Deus estão bem documentados por Elisabeth nos livros *Shadow of the Almighty* [Sombra do Onipotente] e *Paixão e Pureza*,[6] bem como na hábil compilação que a filha deles, Valerie Shepard, fez dos diários e cartas de amor de seus pais no livro *Com devoção*.[7]

Basta dizer que duas almas muito diferentes, mas surpreendentemente semelhantes, se uniram. Duas pessoas intensas, eloquentes e nada convencionais, que achavam que seriam perpetuamente solteiras, servindo a Deus no campo missionário, se viram agora borbulhando, perdendo o sono e sendo enlevadas por um amor que nunca imaginaram conhecer. Suas torrentes individuais de prosa e poesia transbordam das mesmas imagens bíblicas — altares, cruzes, sacrifícios

---

6 N. T.: Publicado em português como Elisabeth Elliot, *Paixão e Pureza: aprendendo a deixar sua vida amorosa sob o controle de Cristo* (São José dos Campos: Fiel, 2021).
7 N. T.: Publicado em português como Valerie Elliot Shepard, *Com devoção: as cartas pessoais e a história de amor de Jim e Elisabeth Elliot* (São José dos Campos: Fiel, 2020).

para a glória de Deus. Eles eram pessoas fortes e teimosas que compartilhavam uma radical e intencional submissão a Cristo. Atordoados pelo amor, ambos estavam determinados, se Deus assim quisesse, a sacrificar por Deus aquele amor.

Certamente, outros casais cristãos que eles conheciam estavam dispostos a sacrificar qualquer coisa por Cristo, tais como os outros missionários com quem Jim e Betty mais tarde serviriam no Equador. Mas poucos — além dos místicos do século XVII que ambos amavam — *articularam* sua mentalidade sacrificial com tantos detalhes, paixão, intensidade e esforço quanto Jim e Betty. Podemos todas nos alegrar por eles terem se encontrado.

"Muitas vezes ficávamos surpresos", escreveu Betty, "por nossas ideias coincidirem tão perfeitamente — coisas que nenhum de nós havia discutido com ninguém antes".

À medida que Jim e Betty começaram a reconhecer seus sentimentos de fato, eles o fizeram em particular. Quando outras pessoas começaram a descobrir, algumas ficaram menos do que empolgadas ao saber sobre as emoções agitadas do "eunuco por Cristo".

Dave Howard — melhor amigo de Jim, colega de quarto e, claro, irmão mais novo de Betty — estava no topo dessa lista. Muitas décadas depois, ele balbuciou para um entrevistador: "Ele saiu com ela [Betty] todas as noites por duas semanas, e não teve coragem de admitir isso para mim. Ele não teve coragem de admitir que ele, o grande celibatário, estava sendo atraído por uma garota".

Aquilo era hipócrita, disse Dave — que amava seu amigo, mas não queria que outros o colocassem em um pedestal após sua morte. "Jim fazia com que todos nos sentíssemos como cidadãos de segunda classe por sequer olhar para uma garota, [ou por] sair para um encontro [...], mas [...] naquele mesmo período em que ele começava a se apaixonar por Betty, ele está escrevendo em seu diário algumas das coisas mais quentes vindas da sua imaginação."[8]

Em 9 de junho de 1948, Jim e Betty saíram para uma caminhada sem rumo, pelo lado sul do campus de Wheaton. Eles passaram perto do local onde Jim quase perdera a vida, oito semanas antes, nos trilhos do trem. Era uma doce noite de início de verão, prenunciando o calor que estava por vir. Agora eles já sabiam que se importavam profundamente um com o outro. Eles sabiam que qualquer coisa

---

8 David Howard, entrevista com Kathryn Long, 31 de maio de 2000, bem como comentários semelhantes em entrevista com Ellen Vaughn, 7 de fevereiro de 2018.

que amassem nesta vida tinha que ser colocada sobre o altar — rendida a Deus, já que a vontade dele era suprema.

Em um cenário apropriado, eles atravessaram o portão de um cemitério, provavelmente o Sepulcrário de St. Michael, a cerca de um quilômetro e meio do campus.

Como Betty descreveu, eles se sentaram em uma placa de pedra. "Jim me disse que me dedicou a Deus, assim como Abraão fez com seu filho, Isaque. Isso me veio quase como um choque — pois era exatamente a figura que estava em minha mente há vários dias, enquanto eu ponderava sobre nosso relacionamento. Concordamos que Deus estava nos guiando. Nossa vida pertencia totalmente a ele, e se ele escolhesse aceitar o 'sacrifício' e consumi-lo, estávamos determinados a não estender nossa mão sobre ele para impedi-lo por nossa própria força."

"Ficamos sentados em silêncio. De repente, percebemos que a lua, que havia surgido atrás de nós, lançava a sombra de uma grande cruz de pedra entre nós."[9]

Às vezes, cenas como essa são iluminadas de significado somente *após* eventos subsequentes. Não foi assim naquele caso. Betty escreveu em seu diário naquela noite: "Hoje à noite, caminhamos até o cemitério e, por acaso (?), nos sentamos sob uma grande cruz. Quão simbólico pareceu aquilo! Comuniquei a decisão de ontem. Havia em ambos grande luta interior. Longos hiatos de silêncio — porém de comunhão. 'O que fazer com as cinzas?' Fez-se um corte bem profundo — portanto, não ousemos tocar nele. Oh, inexorável Amor!".

Jim Elliot dispôs a mesma cena em seu próprio diário: "Na cruz, eu e Betty chegamos a um entendimento na noite passada. Parece que o Senhor me fez pensar nisso como que estendendo um sacrifício sobre o altar. Ela pôs a sua vida nele e eu quase senti como se fosse estender a mão sobre ela, para resgatá-la para mim mesmo, mas sua vida não é minha — é inteiramente de Deus. Ele pagou por ela e é digno de fazer com ela o que lhe apraz. Toma-a e a consome para teu agrado, Senhor, e que o teu fogo caia sobre mim também".[10]

Ambos foram perspicazes o suficiente para notar a sombra da cruz. Eles simplesmente não sabiam que forma específica suas cruzes tomariam.

---

9 Extraído de *Shadow of the Almighty*, p. 56–57.
10 Elisabeth Elliot (ed.), *Journals of Jim Elliot* (Old Tappan, NJ: Revell, 1978), p. 65, registro de 10 de junho de 1948.

CAPÍTULO 10
PACIÊNCIA EM ALBERTA

"O amor é espontâneo, mas deve ser sustentado pela disciplina."
— Oswald Chambers

Betty passou o verão de 1948 na Universidade de Oklahoma. Lá, através do Summer Institute of Linguistics [Instituto de Linguística de Verão], sob os auspícios da Wycliffe Bible Translators [Associação Wycliffe para a Tradução da Bíblia], ela estudou estruturas linguísticas, sintaxe, fonética e outras habilidades de que precisaria para traduzir o Novo Testamento para línguas tribais que ainda permaneciam ágrafas.

Muitos recém-formados podem simpatizar com o fato de ela muitas vezes se sentir isolada, sem o calor, a agitação e a comunidade da vida universitária. E ela se sentia um pouco ao léu; talvez tivesse imaginado uma linha reta, um caminho alinhado, eficiente e direto do Wheaton College até o campo missionário. Como a maioria de nós, a vida de Betty se desenrolou em capítulos que às vezes pareciam não ter relação com seus objetivos mais elevados. Como ela escreveu do ponto de vista de algumas décadas depois,

> "A verdade é que nenhum de nós conhece a vontade de Deus para a sua vida. Eu digo *para a sua vida* — pois a promessa é 'à medida que andares passo a passo, eu abrirei o caminho diante de ti'. Ele nos dá luz suficiente para o dia de hoje, força suficiente para um dia de cada vez, maná suficiente, o pão nosso de 'cada dia'".

Ela prosseguiu descrevendo a multidão corriqueira e banal de passos na longa jornada dos filhos de Israel enquanto se dirigiam para a Terra Prometida. "Cada uma das etapas de sua jornada, a maioria enfadonha e monótona, era uma parte necessária do movimento em direção ao cumprimento da promessa."[1]

---

1 Elisabeth Elliot, *Deixe-me ser mulher: lições à minha filha sobre o significado de feminilidade* (São José dos Campos, SP: Fiel, 2021), p. 60.

Assim era a sua tediosa vida enquanto estudava linguística no campus da Universidade de Oklahoma, depois de se formar em Wheaton. Nas noites de verão, ela subia ao topo das arquibancadas no estádio de futebol americano vazio. Lá ela lia e orava, uma figura alta e solitária debruçada sobre sua Bíblia, descobrindo que gastava tempo demais "pensando em J.", contudo ansiando "por aquela paixão ardente cujo único objeto é Cristo!".

O fato de o irmão de Jim, Burt, também estar estudando linguística naquele verão era ao mesmo tempo um conforto e uma provocação. Eles andavam juntos por tempo suficiente para que as pessoas começassem a supor que eram um casal. Betty, incapaz de deixar Burt saber sobre seus verdadeiros sentimentos por seu irmão, deleitava-se na semelhança física entre ele e Jim. (Enquanto isso, ironicamente, Jim estava falando em campi universitários no Meio-Oeste com Dave Howard, irmão de Betty.)

A correspondência entre Betty e Jim Elliot explorava, no ritmo lento dos selos postais, o intrincado funcionamento interno de suas mentes e espíritos, reflexões metafísicas, sua paixão física não saciada e sua busca meticulosa pela vontade de Deus em relação ao casamento ou à solteirice. Talvez seja quase tão excruciante ler sobre esse cortejo quanto foi vivenciá-lo, embora aqueles que o vivenciaram e suportaram em tempo real estivessem sendo santificados ao longo do caminho — e não tenho certeza se o mesmo é verdade para o resto de nós.

Betty e Jim passaram alguns raros dias juntos no final do verão de 1948, enquanto ela se dirigia para o Prairie Bible Institute [Instituto Bíblico Prairie]. Jim lhe disse que a amava, o que para ambos não era simplesmente uma declaração de emoção, mas uma declaração destinada a pavimentar o caminho para o casamento. Mas ambos também sabiam que a intenção mais profunda dele era ir para o campo missionário enquanto solteiro.

Jim era um ano mais novo que Betty e, à medida que o verão se esvaía, ele retornou a Wheaton para seu último ano. Ele voltou para a escola determinado a viver ao máximo a experiência da faculdade. Ele lamentou as "regrinhas meticulosas pelas quais eu costumava governar minha conduta [...] Estou experimentando uma nova comunhão, uma nova liberdade, um novo deleite".[2]

---

2 Elisabeth Elliot, *Shadow of the Almighty* (Nova York: Harper, 1958), p. 98.

PACIÊNCIA EM ALBERTA

Ele vinha refletindo sobre 1 Timóteo 6.17: "'Deus [...] tudo nos proporciona ricamente para nosso aprazimento', [e] acordou para o fato de que havia muito dessa vida gratuitamente dada por Deus de que ele não estava desfrutando".

Mais tarde, Dave Howard disse: "Ele percebeu que sua restrita atitude de 'mais santo do que você' era enganosa, a si e a seus amigos, e o afastava de muita diversão. Então, o pêndulo balançou para o outro extremo, e Jim começou a pedir parada em todas as estações e aproveitar a vida ao máximo. Ele escreveu em seu diário: 'Onde quer que você esteja, esteja plenamente lá. Viva plenamente todas as situações que você acredita serem a vontade de Deus'".[3]

Assim, Jim estudou a Bíblia com todo o seu coração, alma e mente. Ele mergulhou na vida acadêmica e se graduaria em grego, *summa cum laude*. Ele se jogou ainda mais na luta livre, de corpo e alma, ganhando muitas medalhas. Ele amou seus amigos, foi a festas e praticou trotes. Quanto a estes últimos, algumas vezes ele não soube a hora de parar. (Em sua correspondência, Betty, que tinha ouvido rumores de algumas de suas aventuras, teve algumas observações selecionadas sobre essa tendência.)

Durante seu último ano, Jim atuou como presidente da Student Foreign Missions Fellowship [Comunhão Estudantil de Missões Estrangeiras]. Ele criou uma tabela de oração dividida em segmentos de quinze minutos; os alunos podiam se inscrever para orar pelo campus do Wheaton College, pedindo a Deus que despertasse homens e mulheres a se comprometerem com missões estrangeiras.

Um resultado tangível desse esforço de oração, relatou Dave Howard, foi que "nos 150 anos de história do Wheaton College, mais alunos formados entre o final dos anos 1940 e início dos anos 1950 foram para o campo missionário do que em qualquer outro período".[4]

Jim também recrutou pessoas de maneiras mais diretas. Seu amigo Ed McCully era um jogador de futebol americano e estrela do atletismo — alto, bonito, presidente da turma dos formandos, e vencedor do campeonato nacional de oratória universitária em seu último ano. Ele planejava ir para a faculdade de direito.

Um dia, quando Jim e Dave estavam no vestiário depois de um treino, eles avistaram Ed. Jim o agarrou pelo pescoço e disse:

---

3 Dave Howard, https://urbana.org/blog/my-roommate-jim-elliot.
4 Ibid.

"Ei, McCully! Você ganhou o campeonato nacional, não foi? Fantástico, McCully. Você tem muito talento, não tem? Você sabe quem lhe deu esse talento, não sabe? Então, o que você vai fazer com isso — passar a vida ganhando dinheiro para si mesmo? Você não tem o direito de fazer isso. Você deveria ser um missionário, e estou orando para que Deus o faça um!"[5]

O determinado Ed acabou indo para a faculdade de direito por um ano... mas então creu que Deus realmente o estava chamando para se tornar um missionário em tempo integral. Ele deixou a faculdade de direito para estudar missões e, mais cedo ou mais tarde, foi para o Equador... onde iria servir — e morrer — com seu amigo Jim Elliot.

Enquanto Jim enfrentava seu agitado ano em Wheaton, Betty chegou ao Prairie Bible Institute. Na época, era um austero conjunto de edifícios de madeira em uma triste pradaria em Three Hills, Alberta. Certa tarde, ela estava se sentindo deslocada e solitária quando alguém bateu em sua porta. Ao abri-la, ela encontrou uma bela mulher de bochechas rosadas, seu rosto emoldurado por cabelos brancos, evidentemente uma espécie de madrinha de dormitório. Ela falou com um charmoso sotaque escocês: "Você não me conhece, mas eu conheço você. Tenho orado por você, *querr-ida* Betty. Sou a Sra. Cunningham. Se você *quiserr* uma xícara de chá e um *scone* escocês, basta *descerr* ao meu pequeno apartamento".[6]

Betty passou muitas tardes invernosas nas acomodações aconchegantes da Sra. Cunningham. A velha senhora vertia chá nas xícaras, e Betty vertia sua própria alma diante dela. O rosto rosado da Sra. Cunningham demonstrava simpatia, amor e compreensão enquanto a ouvia. Ela bebericava silenciosamente o chá, balançando a cabeça. Então ela orava, erguia os olhos e fortalecia Betty não com sentimento, mas com palavras fortes, palavras extraídas diretamente das Escrituras.

A Sra. Cunningham permaneceu uma encorajadora e um modelo para Betty pelo resto de sua vida. E não era só porque a Sra. Cunningham tinha palavras sábias a dizer. Era por causa de *quem ela era*. "Acima de tudo, ela mesma era a

---

5 Ibid.
6 The Elisabeth Elliot Newsletter, set./out. 1989, "A Call to Older Women".

mensagem."⁷ (Por exemplo, Betty refletiria mais tarde que ser missionária não era uma questão de *declarar* uma mensagem. Era uma questão de *encarnar* o evangelho, como a "Sra. C." fizera com ela.)

Durante a faculdade, a mentora anterior de Betty, Srta. Cumming, já a alertara sobre sua "indiferença" e como sua postura de distanciamento a fizera machucar involuntariamente George Griebenow. Agora, no Canadá, a mãe de Betty lhe escreveu sobre o mesmo assunto. Katharine Howard se sentia rejeitada e isolada porque Betty compartilhava tão pouco de sua vida, e ela se perguntava se seria culpada dessa distância.

"Você jamais falhou comigo de nenhuma maneira", escreveu Betty para a mãe. Qualquer distância entre elas era culpa de Betty. Ela pediu perdão... e então, corajosamente, passou a revelar coisas sobre si mesma que nunca havia articulado no papel.

"A senhora apenas precisa entender que minha natureza é reservada, meus sentimentos ficam basicamente reprimidos. Eu tenho sido uma hipócrita de marca maior, orgulhando-me há muito tempo na vida com o fato de que ninguém sabia como eu me sentia ou o que eu estava pensando. Muitas vezes eu não revelava meus verdadeiros sentimentos para que as pessoas pensassem que eu era... talvez mais sábia ou mais madura do que realmente era."

"Muitas vezes, eu mesma tinha um pouco de vergonha de que as coisas me afetassem emocionalmente, então não admitia isso. Considerava que demonstrar sentimentos ou revelar pensamentos era pura fraqueza, e eu desejava tanto ser forte!"⁸

Obviamente, ela não achava que alguém devesse divulgar tudo para todas as pessoas indiscriminadamente. Mas ela havia levado sua própria discrição longe demais. Jim lhe havia dito, em setembro do ano anterior, que faria qualquer coisa no mundo para vê-la chorar. "Então, a senhora vê que ele conhece um pouco dos seus mesmos sentimentos", Betty consolou a mãe. "Eu nunca derramei uma lágrima na presença dele."⁹

Tendo assim aberto uma janela em seu coração, Betty continuou, e agora as comportas se abriram. Seus sentimentos sobre Jim se derramaram. "Eu o amo,

---

7 Ibid.
8 EH para "Minha própria queridíssima Mãe", 9 de fevereiro de 1949.
9 Ibid.

como nunca pensei que pudesse amar alguém", clamou para a mãe. Ela não conseguia pensar nele sem ansiar pelo casamento. Se ela não se casasse com Jim, não se casaria com ninguém mais. E achava que o último cenário era muito mais provável. "Eu nunca disse a Jim que o amo — na verdade, eu nunca contei a ninguém, nem mesmo meu diário. Não é fácil prosseguir em tal escuridão, amando-o, mas contemplando o futuro sem ele."[10]

Então, ela pediu à mãe que orasse para que ela não fosse enfraquecida por "sentimentalismo e imaginações vãs".[11]

Após seu período acadêmico no Prairie Bible Institute, Betty passou a trabalhar no campo. Ela morava em um trailer caindo aos pedaços em uma fazenda na pequena aldeia de Patience, Alberta. Galos a despertavam às 4h30 da manhã; ela saía de bicicleta por estradas empoeiradas para convidar pessoas das fazendas para as reuniões de escola dominical. Os moradores locais eram pobres, sem instrução e encontravam alívio para suas vidas difíceis no álcool, brigas e fofocas vulgares. Betty às vezes chorava enquanto seguia na bicicleta. Certa noite, o vento da pradaria era tão forte que ela mal conseguia pedalar; ela escreveu: "Cheguei à minha casinha escura, com frio e muito cansada. 'Nenhuma recompensa, exceto a de saber que faço a Tua vontade'".

Sobrecarregada, ela se consolou com as palavras do ícone missionário Hudson Taylor: "Não é aquilo que nos dispusemos a fazer que de fato se torna em bênção, mas o que Deus está fazendo através de nós quando menos esperamos, se apenas estivermos em permanente comunhão com ele".

No final de seu tempo sombrio naquele lugar, apropriadamente chamado Patience, um dos ásperos fazendeiros se tornou mais caloroso para com ela: "Passei a manhã fazendo as malas e limpando o trailer. Foi triste ver o pobre Sr. K. se despedir de mim. Ele tem sido gentil e educado, mas tentou se desculpar por qualquer coisa 'ruim' que dissera. [...] As crianças todas choraram muito quando partimos. Eu também!".

---

10 Ibid.
11 Ibid.

CAPÍTULO 11
"UMA IMPRESSÃO UNIVERSALMENTE HORRÍVEL"

"Não importa o quão grande seja a pressão. O que realmente importa é onde se aplica a pressão — se ela se interpõe entre você e Deus, ou se ela o pressiona para mais perto do coração dele."
— Hudson Taylor

Ao longo de seus impacientes meses em Patience, Betty recebeu mensagens pródigas, ternas, atenciosas e chocantes de Jim Elliot. Ele citava suas leituras em Freud, Nietzsche, Neemias, Hebreus, Efésios e tudo o mais. Ela se disciplinou a escrever de volta com moderação. Ela também era uma escritora prolífica; poderia ter amontoado tomos de prosa sobre Jim. Mas ela se refreou. Ela não queria se mover à frente do ritmo dele.

Em seu diário, ela escreveu: "Na verdade, suponho que em certo sentido estou escrevendo este diário para ele. [...] Não foi de propósito, mas talvez eu esteja registrando algumas das coisas que gostaria de poder dizer-lhe em minhas cartas, mas não posso. Por que não posso dizê-las em cartas? Porque não estamos noivos (não tenho certeza se isso é verdade — isto é, não tenho certeza de que seja o único motivo ou o <u>real</u> motivo) [...] Mas eu o amo agora — eu o amo. E é forte, constante e puro. [...] Não posso dizer essas coisas a ninguém. Então sinto que devo <u>escrever</u>".

Jim também usava seus diários para derramar suas paixões mais profundas, rabiscando algumas de suas profundas e prescientes orações em registros que se tornaram famosos após sua morte.

Muitos dos escritos de Jim, encadeados ao longo dos anos, mostram uma atração magnética e mística pela ideia de morrer no serviço de Cristo. Jim teria ecoado a famosa afirmação de Dietrich Bonhoeffer, o corajoso pastor alemão que foi enforcado pelos nazistas enquanto Jim estava na faculdade: "Quando Cristo chama um homem, ele o manda vir e morrer".[1]

Morte para o ego, sim. Mas, como Bonhoeffer, Jim estava disposto a ser assassinado, se Deus assim quisesse:

"Deus, eu oro, inflama esses ociosos gravetos da minha vida, para que eu possa queimar por ti. Consome minha vida, Deus meu, pois ela é tua. Não busco uma vida longa, mas uma vida plena como a tua, Senhor Jesus."[2]

"Fui muito encorajado a pensar em uma vida de piedade à luz de uma morte prematura."[3]

"Orei hoje uma estranha oração. Fiz um pacto com meu Pai, para que ele me faça uma de duas coisas — que ele se glorifique supremamente em mim, ou que ele me mate. Pela sua graça, não receberei o seu segundo melhor. Ele me ouviu, creio, de sorte que agora não tenho nada a esperar, senão uma vida de filiação sacrificial [...] ou o céu, em breve. Talvez amanhã. Que expectativa!"[4]

"Não devo achar estranho se Deus toma na juventude aqueles que eu manteria na terra até que fossem mais velhos. Deus está povoando a eternidade, e não devo limitá-lo a homens e mulheres idosos."[5]

"Quando a morte chegar, certifique-se de que tudo o que você tem para fazer é morrer."[6]

A mais famosa citação de Jim desse tipo, aquela que tem inspirado e despertado milhares de jovens para o serviço a Cristo, vem de seu diário de 28 de outubro de 1949.

---

1 "A cruz é imposta a cada cristão. O primeiro sofrimento semelhante ao de Cristo, que cada um tem de vivenciar, é o chamado a abandonar nossos vínculos com este mundo. É a morte do velho homem, a qual resulta do seu encontro com Cristo. Ao embarcarmos no discipulado, nós nos rendemos a Cristo em união com a sua morte — nós entregamos nossa vida à morte. E assim tudo começa; a cruz não é o terrível fim de uma vida outrora feliz e piedosa; ao contrário, ela nos encontra no início de nossa comunhão com Cristo. Quando Cristo chama um homem, ele o manda vir e morrer." Extraído de Dietrich Bonhoeffer, *The Cost of Discipleship* (1937; repr. New York: Touchstone, 1995).
2 Elisabeth Elliot, *Shadow of the Almighty* (New York: Harper, 1958), p. 55.
3 Ibid., p. 108.
4 Ibid., p. 73.
5 Ibid., p. 117, citando o diário de Jim de 4 de janeiro de 1950; também Elisabeth Elliot (ed.), *The Journals of Jim Elliot* (Old Tappan, NJ: Fleming H. Revell Company, 1978), p. 205.
6 Elisabeth Elliot, *Através dos portais do esplendor: a história que chocou o mundo, mudou um povo e inspirou uma nação* (São Paulo: Vida Nova, 2013), p. 290.

"UMA IMPRESSÃO UNIVERSALMENTE HORRÍVEL"

Naquela época, o jovem de vinte e cinco anos provavelmente estava lendo seleções de Matthew Henry, o conhecido comentarista bíblico e pregador. Em 1699, o Reverendo Henry escreveu com carinho sobre seu pai, Philip, que costumava dizer: "Não é tolo quem se separa daquilo que não pode reter, quando certamente será recompensado com aquilo que não pode perder".[7]

Mas a versão de Jim Elliot era mais contundente. Ele rabiscou em seu diário: "Não é tolo quem entrega o que não pode reter para ganhar o que não pode perder".[8]

A maior parte dos mais conhecidos, eloquentes e apaixonados escritos de Jim emergiram durante e logo após a universidade, bem como durante seu trabalho missionário no Equador, quando ainda solteiro. Nessa época, ele podia se dar ao luxo de refletir, passando longas noites solitárias com a Bíblia e o diário à luz do abajur.

Assim que Jim e Betty finalmente se casaram, vivendo em uma tenda cheia de goteiras na floresta tropical, a trilha de papel escasseou. A conversa substituiu a correspondência. E havia menos tempo para refletir sobre a possível vontade de Deus no diário de cada um. Quando a obra de Deus está bem na sua frente, você faz o que tem de ser feito. Você aplica a injeção no índio moribundo. Você ensina as crianças na escola indígena. E quando você tem sua própria bebê recém-nascida, não há mistérios sobre se Deus quer que você cuide dela. Você a alimenta, dá banho, veste e conforta; você não se questiona se está no caminho certo ou não.

Está além do nosso escopo tentar entender tudo o que acontecia dentro de Jim Elliot no final dos anos 1940 e início dos anos 1950. Claramente, ele era um jovem determinado a subsumir todos os vestígios de si mesmo no flamejante serviço de Deus. Seus diários e cartas, bem documentados em outros lugares, fervilhavam de paixão física. (Nos últimos anos, pelo menos um blogueiro obstinado tem alegado que as profundas amizades de Jim com outros homens indicam que ele era sexualmente atraído por eles e que sua indecisão sobre Betty era o subproduto da repressão homoerótica. Talvez o fato seja que, para um revisionista com um martelo na mão, tudo tenha cara de prego.)

Vinte anos após a morte de Jim, Elisabeth Elliot — admita-se, não a analista mais objetiva — escreveu: "Ele estava determinado a experimentar o bastante da força e da graça de Deus para vencer as fraquezas comuns da carne de um homem.

---

[7] https://www2.wheaton.edu/bgc/archives/faq/20.htm.
[8] Do diário de Jim, 28 de outubro de 1949; veja a foto em https://www2.wheaton.edu/bgc/archives/faq/20.htm.

Ele conhecia a própria e forte atração por mulheres. Ele também estava determinado a servir ao Senhor sem embaraços. Chegou o momento, porém, em que o casamento tornou-se, para ele, um mandamento claro, e ele soube que se tratava de uma dádiva, dada pelo mesmo Doador que dá a alguns a dádiva especial de ser solteiro".[9]

Jim Elliot apenas precisou de um tempo muito longo para ver que Deus, o arquiteto do casamento, sorriu quando Jim entrou em sua invenção.[10]

Poucas de nós teriam a paciência de Betty Howard. Sua própria confiança na condução de Deus, não importando o que acontecesse, reforçou sua perseverança. Ela suportou um cortejo de cinco anos que não era para os fracos de coração.

Ela conseguiu suportar porque lançava todas as suas ansiedades em Deus. Ela colocava aos pés dele as maiores esperanças de sua vida e os menores detalhes de sua agenda. Se ela era cautelosa em seu relacionamento com Jim Elliot, ou reservada com outras pessoas, ela não era assim com Deus. Ela se atirava nele, abertamente, de coração inteiro, sem restrições.

Nessa tendência, Betty Howard era o oposto daquelas de nós que se atiram completamente em pessoas que podem ou não ser confiáveis, mas que mantêm o próprio Deus, o Amante de nossa alma, a uma desapaixonada distância regulamentar.

Ela estava determinada a não fazer o que era fácil, mas esperar pela direção de Deus, fosse ela qual fosse. Como escreveu muitos anos depois: "Esperar em Deus requer a disposição de suportar a incerteza, de carregar para dentro de si a pergunta sem resposta, de elevar o coração a Deus sempre que essa questão se intromete em seus pensamentos. É fácil convencer-se a tomar uma decisão que não tem permanência — mais fácil, às vezes, do que esperar com paciência".[11]

---

9 Elisabeth Elliot, *Deixe-me ser mulher: lições à minha filha sobre o significado de feminilidade* (São José dos Campos, SP: Fiel, 2021), p. 54.
10 Décadas depois, quando escreveu *Deixe-me ser mulher*, Elisabeth Elliot citaria Martinho Lutero para seu jovem marido, há tanto tempo já falecido, modificando só um pouco a citação: "Diz-se que é preciso ter ousadia para um homem se aventurar no casamento", escreveu Lutero. "O que você precisa, acima de tudo, então, é ser encorajado, admoestado, instado e incitado, e ter ousadia. Por que você se demoraria, meu querido e reverendo senhor, e continuaria a pesar o assunto em sua mente? [...] Pare de pensar a esse respeito e vá direto ao ponto, alegremente. Seu corpo exige isso; Deus quer e o conduz a isso. [...] É melhor nos conformarmos a todos os nossos sentidos, o quanto antes, e nos entregarmos à Palavra e à obra de Deus em tudo que ele deseja que façamos". Elisabeth Elliot, *Deixe-me ser mulher: lições à minha filha sobre o significado de feminilidade* (São José dos Campos, SP: Fiel, 2021), p. 55.
11 Elisabeth Elliot, *Paixão e pureza: aprendendo a deixar sua vida amorosa sob o controle de Cristo* (São José dos Campos: Fiel, 2021), p. 77.

"UMA IMPRESSÃO UNIVERSALMENTE HORRÍVEL"

Certamente, seu amor por Jim Elliot a fez esperar que eles pudessem ficar juntos e consumar seu relacionamento em algum momento antes de ambos chegarem à terceira idade. Mas seu amor por Deus a tornava disposta a desistir dessa esperança, caso Deus assim pedisse.

No final do verão de 1949, Betty aceitou o convite dos pais de Jim para visitar a casa da família em Portland, Oregon, para o fim de semana do Dia do Trabalho.

Quem poderia saber que essa visita tão esperada, emocionante e terna, objeto de tanta oração, seria, em termos humanos, um desastre absoluto?

Até que começou bem. Jim e Betty fizeram piqueniques, remaram canoas, exploraram ilhas e observaram a lua se erguer sobre o Rio Columbia. Nadaram no oceano gelado, escavaram sob as rochas, encontraram anêmonas do mar, acenderam fogueira e observaram o pôr do sol. Caminharam a Timberline Trail oito quilômetros até Mount Hood e Alpine Meadow, cruzando geleiras e maravilhando-se com flores silvestres. Cultuaram a Deus com a assembleia dos Irmãos de Plymouth da qual Jim era membro, fizeram refeições com a família dele, cantaram e tocaram piano.

Ambos lamentaram quando Jim levou Betty até à rodoviária, dando-lhe frutas e sanduíches para a maratona de noventa e oito horas que a levou do Oregon pela Califórnia, Denver, Kansas City e, finalmente, até Nova Jersey.

Logo após Betty retornar para casa, chegou uma carta de cair o queixo vinda de Jim. Evidentemente, a avaliação da família dele após a visita dela foi um pouco menos do que positiva. Jim não a poupou de nada ao relatar a opinião de sua família. "Você causou uma impressão universalmente horrível", escreveu. Tais impressões "não poderiam ter sido piores [...] Mamãe concluiu seriamente que convidá-la aqui foi 'um fiasco'".[12]

"Ela acha que você é pouco comunicativa, possuidora de um 'espírito manso e quieto', mas uma péssima fazedora de amigos e, portanto, uma má missionária em potencial."

"Ela tentou iniciar uma 'conversa'. Sua réplica, ao dizer que você não se importava de ficar sozinha, 'congelou-a por dentro.'"

"Mamãe perguntou: 'Você costura?'. Sua resposta: 'Não, se eu puder evitar — minha mãe sempre fez isso'. Então, para mamãe, você ainda é uma imatura

---

12 Todas essas joias são de carta de Jim Elliot para EH, 19 de setembro de 1949.

'criança do internato' que, infelizmente, carece de qualquer senso de responsabilidade doméstica e que é pouco adaptável à vida do lar. [...]"

Ao mesmo tempo, o pai de Jim não apenas criticou o caráter de Betty, mas sua aparência. "Não vejo nela nada que me agrade — em seu rosto, em sua forma, uma sonhadora alta e magra que habilmente lançou a isca para você, e você mordeu."

Apesar disso, Jim insistiu com Betty, seu pai havia chegado à fase de aceitação da desgraça de seu filho. "Embora ele não consiga de jeito nenhum entender nossa atração", estava disposto a confiar o sombrio destino de seu filho ao Senhor. Se Deus queria mesmo que Jim terminasse com aquela "sonhadora alta e magra", que assim fosse.

Jane, a irmã mais nova, "nunca a viu lendo sua Bíblia ou encabeçando qualquer conversa espiritual. Efeito registrado: decepção".

Dois outros membros da família foram mais caridosos, dizendo apenas: "Admiro-a por não fazer uma exibição para nós"; e "Essas pessoas quietas têm sentimentos mais profundos do que nós que falamos tanto".

Jim conhecia bem a personalidade de sua amada. Ele disse que suportara as críticas "a maior parte [...] em silêncio, dizendo apenas o que *sabia* que você concordaria comigo". Ele exortou sua família a se colocar no lugar de Betty, a pensar em como deve ter sido intimidante para ela saber que a estavam avaliando a cada interação.

Porém, ele concluiu: "Não sei por que deveria defendê-la de acusações como falta de comunicação", disse. "Não vou defendê-la mais. Você, conhecendo a atual inclinação deles, deve fazer o resto."[13]

Ficamos divididas entre perder todas as esperanças no estúpido insensível e sem noção Jim Elliot, de um lado, e querer saber como Betty respondeu, do outro. Muitas de nós teríamos cancelado todo contato imediatamente, desabando em lágrimas, ou partido para a estação missionária mais distante que estivesse disponível, sem deixar nenhum endereço de encaminhamento e sacudindo o pó dos pés.

Betty ponderou tudo cuidadosamente. "Eu mal podia acreditar no que lia", escreveu em seu diário. "Fiquei completamente arrasada por isso. Oh, de fato, sou um caso perdido e sem cura! *Socorro*, Senhor!"

Seria a "postura indiferente" sobre a qual a Srta. Cumming a havia avisado na faculdade mostrando suas garras? Sua introversão e habitual reticência tinham tido o pior efeito possível na expressiva e espontânea casa Elliot.

---

13 Jim Elliot para Betty Howard, 22 de setembro de 1949.

"UMA IMPRESSÃO UNIVERSALMENTE HORRÍVEL"

Ela escreveu para Jim humildemente, mas com determinação — suas habilidades de debate em ação.

"Eu certamente esperava que você ouviria 'o pior' de mim depois que eu fosse embora, mas não esperava um relato detalhado das críticas. [...] Mas não tema ter 'traído' seus pais — bastou um dia lá para que eu percebesse o sentimento deles em relação a mim.

"As críticas que você fez de mim são justas. Preciso muito ser mais aberta a fazer novos amigos. Mas, oh, Jim — se você soubesse o desânimo que tomou conta de mim quando percebi isso com tanta força em sua casa, pois parecia que, neste verão, Deus havia vencido tantas batalhas por mim nesta mesma área [...] [E]le havia me dado um acesso tão maravilhoso aos corações e um amor tão avassalador pelas pessoas de Patience — por que o amor dele não teve livre curso em Portland?"[14]

Mesmo enquanto sofria por suas próprias falhas, ela também deixou claro para Jim que não conseguia entender por que seus pais lhe fariam suas críticas tão abertamente. "Acho que, se meus pais *odiassem* uma pessoa, eles não diriam tais coisas sobre ela a alguém que a amasse, supostamente. Além disso, não consigo imaginar seus pais falando assim sobre ninguém."

"Você disse que esperava me ajudar, no fim das contas, ao mencionar-me as acusações. Examine-as melhor, Jim. Nada disso pode ser remediado. [...] Você disse que cabe a mim fazer o resto. Não há nada que eu possa fazer. Minha imagem está selada na mente deles, mesmo que eu melhore, o que pela graça de Deus me propus a fazer. Cartas não teriam nenhum efeito agora — eu seria a farsante que escreve cartas pomposas, mas, na realidade, é uma pessoa totalmente diferente. De todo modo, não espero que sua mãe volte a me escrever."[15]

A carta de resposta de Jim assegurava a Betty que ele havia conversado longamente com sua mãe, e ela havia comentado: "Bem, devemos tê-la aqui de novo, eu julguei mal".[16]

Ele passou a lembrar Betty de que suas famílias eram muito diferentes. Embora ambos praticassem devoções familiares à noite, por exemplo, os Howards o faziam em sua perfeita sala de visitas, depois que os pratos do jantar haviam sido devidamente lavados e guardados. Os Elliots simplesmente empurravam

---

14 EH para JE, 27 de setembro de 1949.
15 Ibid.
16 JE para EH, 7 de outubro de 1949.

seus pratos para o centro da mesa, sobre a toalha de plástico, afastavam as migalhas e pegavam suas Bíblias. Enquanto os Howards observavam silenciosamente os eventos elaborando suas reações particulares, os Elliots "dariam vazão a seus sentimentos bem na mesa de jantar". No entanto, duvidosamente reconfortado, Jim também informou Betty que, apesar de quaisquer objeções, "se eu optar por seguir em frente e me casar com você, eles estarão a postos para ajudar".[17]

O drama continuou quando o irmão de Betty, Dave, escreveu uma carta forte para seu melhor amigo e ex-colega de quarto. Ele alertou a Jim que este inequivocamente arruinaria Betty se não tivesse cuidado, e o exortou a parar de insinuar-se para ela, escrevendo-lhe, se não tivesse intenção de se casar com ela. Betty escreveu de volta aos dois, para que ambos soubessem que ela não era nenhuma mosca-morta e que, por favor, parassem de tratá-la como uma criança indefesa. "Você fala de *sua* liberdade, *suas* escolhas (por exemplo, 'Se eu escolher casar-me com você...'), *suas* decisões. Fique tranquilo, Jim, meu consentimento para nos correspondermos foi baseado na liberdade que o Senhor *me* deu. Não se preocupe se eu posso 'aguentar'. Este é um negócio bilateral. Se você pode, eu posso. Eu não sou uma coisinha tão frágil quanto você e Dave imaginam."[18]

Ao longo dos anos, alguns têm questionado a busca de Jim Elliot pela vontade de Deus, perguntando-se se talvez a vontade de Deus tenha mudado convenientemente quando o Homem-Borracha chegou a certos pontos em seu próprio desenvolvimento. Como certo historiador escreveu: "Para Elliot, as especificidades da vontade de Deus pareciam ser um alvo em movimento, muitas vezes confundindo-se com suas convicções internas em um dado momento".[19]

É uma crítica compreensível quando examinamos de fora a volumosa trilha de cartas e registros de diário que cobrem o caminho do cortejo de cinco anos entre Betty e Jim. Muitas de nós teríamos corrido para bem longe após o primeiro ano, ou um pouco depois disso.

Porém, como biógrafa de Betty, ao me arrastar pelos torturantes dias, semanas e meses de espera por aquele fruto resultante que já há muito parecia pronto para a colheita, totalmente dentro do sorriso de Deus, eu mesma me lembro de

---

17 Ibid.
18 EH para JE, 14 de outubro de 1949.
19 Kathryn Long, "Jim Elliot and Nate Saint: Missionary Biography and Evangelical Spirituality," manuscrito inédito do capítulo 3, Narrativa [rascunho] 2, p. 114, *God in the Rainforest* (New York: Oxford University Press, 2019). Capítulo não publicado, copyright 2015, Kathryn T. Long, usado com permissão.

como é difícil para *qualquer* uma de nós estarmos certas de que esta ou aquela é a direção de Deus para nós. Dentro dos limites da sabedoria revelada das Escrituras, a direção particular do Espírito às vezes pode ser difícil de explicar a outra pessoa. O fato principal, e a grande verdade transferível que vem dessas pessoas às vezes irritantes, é o seguinte: Betty e Jim estavam determinados a obedecer à direção de Deus tal como eles a discerniam, a despeito de qualquer custo.

Em algum momento de sua jornada, Betty havia determinado que Jim Elliot era único e que estava disposta a esperá-lo do outro lado. Talvez ela se lembrasse de seu idealista registro de diário lá em Wheaton, quando ansiava por "nada menos do que uma completa e linda união de alma". Agora, ela estava descobrindo que viver tal união em tempo real, em um relacionamento real, não era gloriosamente etéreo, mas simplesmente difícil. "Jim é incorrigível", escreveu ela em seu diário. "Bendito seja!"

Ela continuou: "E inimitável. Nunca fui tratada assim antes — especialmente por um homem! O que me preocupa é que pareço me *empolgar* com isso. Eu poderia me sentar e responder. Mas devo esperar um pouco. Ó disciplina, és uma joia incômoda!".

CAPÍTULO 12
SENTADA E CALADA

"Buscar seus próprios interesses é a porta pela qual uma alma se afasta da paz; abandonar-se totalmente à vontade de Deus, aquela pela qual ela retorna."
— Madame Guyon

O ano de 1951 começou com Betty morando na casa de seus pais em Moorestown. Ela passara os últimos meses ensinando oratória na Hampden DuBose Academy, onde multidões de azáleas ainda floresciam, musgo espanhol balançava levemente na brisa, e os alunos ainda poliam prata e confessavam seus pecados quando a necessidade surgia. Agora, em Nova Jersey, Betty tutoreava moças do ensino médio, liderava a escola dominical infantil e os clubes bíblicos da tarde e trabalhava em uma loja de departamentos feminina na Filadélfia.

Betty sabia que nenhum desses empreendimentos era o chamado de sua vida. Onde Deus queria que ela servisse? Ela revirava as possibilidades em sua mente. Ficava pensando naquelas pessoas cujos passos pareciam ser como paralelepípedos, cada um iluminado pelo Senhor como um caminho brilhante, pessoas que experimentavam "milagres", "surpresas", "portas abertas" e outras indicações claras da vontade de Deus se desdobrando em uma sequência organizada.

A tentação, dizia ela, era esperar que Deus a guiasse do mesmo modo como guiava outras pessoas que ela conhecia. Mas a Bíblia "está repleta de exemplos de como ele conduz suas ovelhas individualmente. Para mim, ele não escolheu dar aqueles sinais que pode manifestar a outrem. Ele não me guiou de nenhum modo espetacular, ou por passos que pudessem servir de evidências a outros. Em vez disso, meu Pai abriu silenciosamente o caminho, tantas vezes depois de a sua filha ficar muito tempo 'sentada e calada'; de repetidas decepções; de 'esperanças adiadas'; e, finalmente, vinha a revelação de algum plano que de modo nenhum correspondia às minhas expectativas".

Enquanto Betty esperava pelo plano de Deus, ela se sentia despojada das coisas que lhe davam propósito e significado. Ela escreveu em seu diário: "Realmente creio que há um momento, no progresso da alma que de fato deseja se conformar à imagem de Cristo, no qual Deus arranca dela não apenas os adereços terrenos — na forma de amigos, possessões, talentos ou tudo o mais que ela tenha fora de Deus —, mas no qual o onisciente e todo-amoroso Pai arranca dessa alma até a consciência e evidência de suas próprias bênçãos e dons".

Estas bênçãos e dons incluíam coisas como alegria, senso da proximidade divina, os frutos do ministério de alguém... Porém, quando alguém é despojado de todas as evidências externas das bênçãos de Deus, há um conforto mais profundo. "A alma que ama a Deus só por causa dele mesmo, independentemente de suas dádivas, conhece paz indizível."

Talvez Betty estivesse lendo Jonathan Edwards, que acertou precisamente o mesmo pensamento em suas famosas distinções entre várias formas de gratidão. Ou talvez não, e o Espírito Santo a levou à mesma conclusão do grande pregador.

Edwards escreveu em seu livro *Afeições religiosas* que os seres humanos mais ponderados possuem um senso de gratidão pelas dádivas de Deus: a vida, a saúde, um dia limpo e azul-celeste. Ele chamou isso de gratidão *natural*. Tal sentimento, embora um bem comum, não é suficiente para nos incitar a um amor verdadeiro e profundo pelo Doador. Se as pessoas amam a Deus apenas pelo que ele dá, Edwards aponta que este "é um princípio que até os animais exercem: o cão ama o dono que o trata bem".[1]

Como Betty Howard escreveu, há um senso de gratidão mais profundo, mais misterioso e mais sustentador: ações de graças a Deus não pelo que ele dá, mas por quem ele é. Edwards denominou isso de gratidão *sobrenatural* e disse que é a marca do Espírito Santo na vida do crente. Essa gratidão radical e graciosa pode prosperar mesmo em meio a momentos de dor, problemas e angústia. É relacional, em vez de condicional, atraindo o ser humano que conhece a Deus para uma intimidade mais próxima com ele.

Mesmo em seus vinte e poucos anos, Betty Howard já praticava essa forma radical de gratidão.[2] Nos anos de seu relacionamento epistolar com Jim Elliot, seu isolamento em Oklahoma, sua perseverança em Patience, sua aventura na

---

1 Jonathan Edwards. *Afeições religiosas* (São Paulo: Vida Nova, 2018), p. 162.
2 Cf. Ellen Vaughn, *Radical Gratitude* (Grand Rapids: Zondervan, 2005). Quando escrevi este livro há quinze anos, eu não havia mergulhado, como agora mergulhei, nos escritos de Elisabeth Elliot; porém, dei um sorriso ao encontrar tal congruência em nossas conclusões sobre o poder da gratidão radical.

SENTADA E CALADA

Flórida e seu cansativo trabalho em Nova Jersey, ela tinha um fundamento que era mais forte do que seus sentimentos.

No início de 1951, encontramos Jim Elliot em uma pequena cidade chamada Chester, no rio Mississippi, não muito longe de Saint Louis. Ele e seu amigo de Wheaton, Ed McCully, dividiam o aluguel de 40 dólares de um apartamento de dois cômodos e lançavam um ministério de rádio e ensino, enquanto viajavam e falavam em várias igrejas. Jim estava considerando o trabalho missionário na Índia e recebera uma oferta de emprego como professor do sétimo e oitavo anos no Canadá. Mas ele também se correspondia com um missionário britânico no Equador, Wilfred Tidmarsh. O Dr. Tidmarsh era oriundo dos Irmãos de Plymouth, como Jim e Ed. O doutorado de Tidmarsh era em filosofia, não medicina, embora ele fosse treinado em homeopatia. Ele estava à procura de jovens dedicados e competentes que pudessem continuar seu trabalho entre os índios quíchua depois que ele finalmente se aposentasse.

No entanto, Ed não duraria muito naquela vida de solteiro. Em meio aos seus compromissos como palestrante, ele conhecera uma jovem brilhante chamada Marilou em uma igreja em Michigan. Ela e Ed noivaram e se casaram naquele verão.

Betty não desfrutaria de tal entusiasmo. Ela ainda estava na casa dos pais em Nova Jersey, passando muito tempo sozinha.

Seu diário de 1951 representa uma espécie de transição. Seus primeiros registros mostram uma conversa quase constante com Deus, oferecendo continuamente sua devoção e louvor a ele. Ela reflete longamente sobre a redenção da natureza e a natureza diária da fé. Enxerga o desvelar da vontade de Deus como um "'thriller de mistério' (embora muito melhor) [...] Não se tem ideia do que o próximo capítulo pode desvelar, e há nisso algo de um espírito aventureiro, embora, diferente do que "aventura" pode conotar, não haja nenhum elemento de incerteza. A própria palavra 'fé' exclui a possibilidade de dúvida".

Ela cita várias verdades extraídas de sua leitura constante e muitas vezes obscura, como a biografia de Frances Ridley Havergal, uma escritora de hinos britânica do século XIX. "A sua leitura fez o que outras biografias cristãs têm feito — aprofundou minha fome de conhecer a Cristo em sua plenitude, de viver inteiramente 'para aquele que por nós morreu.'"

Betty absorve livros como *The Life of Madame Guyon* ["A vida de Madame Guyon"]; *The Maxims of the Saints* ["As máximas dos santos"], de Fénelon;

e um livro do século XVII chamado *A vida de Deus na alma do homem*, de Henry Scougal. Ela lia Dostoiévski e Thomas Mann. Quando Amy Carmichael falece no início do ano, ela reflete sobre a grande influência de sua vida e seus escritos.

Naquela primavera, ela "seguiu o Senhor nas águas do batismo. Oh, aquilo foi doce". Ela orava com frequência por seu irmão mais velho, Phil, que estava passando por uma espécie de crise espiritual. Ela pensava em ir para um campo missionário no Pacífico Sul.

Então, na metade de 1951, Betty teve uma mudança de tom.

Seu diário ainda é espiritualmente sério, é claro, e narra uma vida comprometida com Cristo acima de tudo. Sua autora ainda é poderosamente intelectual em suas reflexões pessoais. Mas a tendência geral é diferente. As páginas mostram menos daquele senso de cristianismo meticuloso e mais das pulsações de um ser humano de carne e osso, apaixonado por Jesus... e por Jim Elliot. "Meu coração está em paz, mais do que tenho conhecido, quanto a Jim. Eu o amo de todo o coração, e parece que Deus mais uma vez nos guiou retamente."

Alguns meses antes, os Elliots haviam visitado a família Howard e as fortes ressalvas que tinham tido sobre Betty durante sua visita desastrosa a Portland pareciam ter diminuído. Jim lamentava profundamente sua crueldade ao revelar as críticas deles a Betty — "Realmente me espanto por ter sido capaz de escrever aquilo".[3]

No início de outubro de 1951, Jim e seu amigo Pete Fleming viajaram para a Costa Leste. Pete, também de uma tradição dos Irmãos de Plymouth, era um velho amigo de Jim vindo do Oregon; as famílias de ambos se conheciam. Pete estudara literatura na graduação, obtivera seu mestrado e inicialmente planejara fazer doutorado e lecionar em nível universitário. Depois, em vez disso, ele pensara seriamente em entrar no seminário. Agora, a influência de Jim o estava atraindo para o campo missionário. Juntamente com Jim, ele conversara longamente com o Dr. Tidmarsh quando o missionário veterano visitava o Pacífico Noroeste e, agora, eles acreditavam que Deus os estava chamando a trabalhar com Tidmarsh entre os índios quíchua no Equador. Como Jim, Pete também estava intrigado com a ideia de alcançar tribos que nunca tinham ouvido falar de Jesus — como os violentos waorani da selva amazônica.

---

3 JE para EH, 28 de novembro de 1950.

SENTADA E CALADA

Betty, Jim, Pete e Phil e Margaret (o irmão mais velho de Betty e sua esposa) passaram um tempo "glorioso" de caminhadas e alpinismo em New Hampshire.

Após a caminhada, Betty escreveu: "Desfrutar a natureza — toda a formosura que nosso Pai fez com as mãos — é uma alegria redobrada ao lado de Jim. Nossas mentes funcionam de modos semelhantes — complementando-se, combinando-se e encontrando-se. [...] O simples fato de estar com ele é paz — paz".

"Não há mais dúvida no meu coração — eu o amo. Eu o amo como nunca pensei que pudesse amar alguém. O pensamento de continuar sem ele quase me dá calafrios."

Porém...

"Jim tem certeza de que Deus o quer no campo [missionário] como um homem solteiro. Que o Deus de toda paz lhe conceda a imensa graça a qual será necessária, a força para suportar as tentações que abundam em tamanha fortaleza de Satanás."

Após a partida de Jim, Betty escreveu: "Sozinha. Jim se foi [...] Sinto-me absolutamente vazia, oca, doendo de solidão. Eu quero Jim. Eu o amo fortemente, profundamente, poderosamente. Ele é minha vida. [...] Nossas paixões e afeições naturais são despertadas, vivificadas, canalizadas pelo amor de Deus".

Mesmo que Jim tivesse falado com Betty sobre a possibilidade de noivado, embora soubesse que "ainda não é o tempo do Senhor", ele também estava confuso, questionando-se em seu diário sobre "transpor todas as velhas barreiras que levantei contra o casamento. Há de ser, afinal, aquela vida convencional de tapetes, eletrodomésticos e bebês? Será que o exemplo d[o apóstolo] Paulo em sua intensidade solteira está além do meu alcance? Será, enfim, que não estou entre aqueles que se tornam eunucos por causa do reino?"[4]

"Não há uma resolução em minha mente, num ou noutro sentido", escreveu o miserável Jim, "embora eu sinta fortemente que, para a minha própria estabilidade, para o alívio de Betty e para a língua de muitos, eu deveria comprar um anel".

"Senhor, qual o caminho? [...] O que direi acerca de toda a liberdade que me foi dada para pregar a adesão ao método paulino — até mesmo aos homens solteiros que trabalham no campo, ilustrando-a com a minha própria intenção e

---

4 Elisabeth Elliot (ed.), *The Journals of Jim Elliot* (Old Tappan, NJ: Fleming H. Revell Company, 1978), p. 349.

a de Pete? Em vez disso, o que pensarão os homens que me ouviram dizer: 'Vou solteiro, na vontade de Deus', quando, se eu realmente ficar noivo, meus planos forem de outra maneira? Bem, está nas mãos de Deus. Ele me dirigiu a falar daquela maneira. E, além do mais, um homem noivo ainda está solteiro, mas com a intenção de se casar. E Paulo queria que eu estivesse livre de preocupações... Será que ele alguma vez amou uma mulher?"

"Eu a quero mais hoje do que jamais a quis desde que a deixei. Preciso dela para purificar meus desejos, para me elevar acima da lascívia. Preciso de seu conselho, sua atitude, sua força, seus dedos, sua fronte e seus seios. Meu Deus do céu, como é a minha natureza! Oh, que eu jamais houvesse provado uma mulher, de modo que a sede por ela agora não fosse tão intensa, ao lembrar-me. Não é bom que o homem esteja só — não este homem, de maneira alguma."[5]

---

5 Ibid.

CAPÍTULO 13
"NÃO ME SINTO MUITO COMO UMA MISSIONÁRIA"

"O segredo é Cristo em mim, não eu em um conjunto diferente de circunstâncias."
— Elisabeth Elliot

Mesmo enquanto Jim lutava com sua infeliz percepção de que ele não era nenhum apóstolo Paulo, seus planos de ministério estavam se delineando. Ele e Pete Fleming em breve navegariam para o Equador e começariam a estudar espanhol para que pudessem trabalhar com seu correspondente, o Dr. Tidmarsh, entre os índios quíchua.

Ao mesmo tempo, o coração de Betty também estava se voltando para o ministério latino-americano. E no outono de 1951, a comunidade de fala espanhola dos Irmãos de Plymouth no Brooklyn, Nova York, convidou-a para morar na cidade, aprender espanhol e trabalhar no escritório do ministério ali.

À medida que seu relacionamento com Jim Elliot crescera, também crescera a exposição de Betty à tradição dos Irmãos de Plymouth[1]. Os Irmãos se originaram na Grã-Bretanha durante o início do século XIX como pequenos grupos que cultuavam nos lares e procuravam replicar a pureza da igreja primitiva no primeiro século. Eles se viam como simplesmente cristãos e rejeitavam as estruturas e divisões do denominacionalismo.

Embora Betty houvesse sido introduzida aos Irmãos através de Jim, em 1951 ela mesma aderiu àquela tradição. "Fui persuadida pela verdade daquilo [...] a ideia de que era uma tentativa literal de imitar a igreja do Novo Testamento", disse ela a um entrevistador muitos anos depois. "Eu li *The Pilgrim Church* ['A igreja peregrina'], de E. H. Broadbent" e "[fui] completamente convencida por ele [...]. Eu gostava da sua forte ênfase bíblica, e os Irmãos de Plymouth que eu conhecia conheciam suas Bíblias de trás para frente, até melhor do que eu. [...] Aquilo me impressionou."[2]

Mais tarde, ela escreveu em uma carta a uma amiga: "Carol, você mal pode imaginar a diferença entre as assembleias [como eram chamadas as reuniões dos Irmãos] e a típica 'igreja' denominacional ou fundamentalista. A reunião de partir o pão no domingo de manhã é especialmente abençoada. É um culto puramente de adoração, diferente de qualquer outra coisa que eu conheço. Nós chegamos ali para entregar, não para 'pegar a bênção'. É simplesmente para derramarmos nosso coração em louvor a Deus — tudo muito simples, muito bíblico. [...] Como eu ficaria feliz em saber que você também

---

[1] Betty Howard não era uma pessoa particularmente apegada a denominações. Por ter crescido no contexto do trabalho de seu pai com o *Sunday School Times*, ela se conectara com missionários e líderes leigos de todas as variedades dentro do amplo contexto do evangelicalismo.

"Evangelicalismo" é uma palavra que não tem tanta expressividade ou significado hoje como tinha na primeira metade do século XX. Em sentido amplo, naquele contexto ela designava cristãos que aderiam a uma visão elevada da exposição bíblica, enxergando as Escrituras como o único padrão dotado de autoridade para a teologia e para a vida fiel de um seguidor de Cristo. Os evangélicos tiveram suas raízes nos avivamentos de Charles e John Wesley, George Whitefield e Jonathan Edwards, e priorizavam a evangelização, com grande entusiasmo tanto pelas missões globais como pelo "compartilhar o evangelho" individualmente.

Alguns evangélicos, como os da tradição fundamentalista, se afastavam do resto do mundo, rejeitando bebidas alcoólicas, fumo, filmes, danças ou outras atividades "mundanas". Outros se envolviam com a cultura, buscando levar as implicações do evangelho a questões de justiça social — como na fundação do Wheaton College por abolicionistas tementes a Deus, assim como na receptividade daquela escola a estudantes negros e mulheres no século XIX.

No século XX, o movimento se fragmentou um pouco à medida que muitos evangélicos começaram a suspeitar do "ativismo social" dos modernistas que rejeitariam as crenças bíblicas ortodoxas. Muitos evangélicos (certamente não todos) se fecharam, criando bastiões de pureza dentro de uma cultura decadente. E então, nas décadas de 1970 e 1980, alguns depositaram suas esperanças em reviver a cultura por meio do processo político. Com o ressurgimento dessa postura nos últimos anos, a palavra "evangélico" é hoje utilizada por muitos secularistas como sinônimo de seguidores raivosos de um determinado partido político ou candidato.

As primeiras percepções de Betty Howard sobre a vida cristã não vieram apenas de seus pais e do foco do seu lar sempre arrumado e temente a Deus, mas do livro *Taking Men Alive* ["Apanhando homens vivos"], escrito por seu tio Charley Trumbull e publicado em 1912. Seus temas focam na "vida cristã vitoriosa", centrando-se na crucificação da carne e no encontrar uma nova vida no Cristo ressuscitado. O amor precoce de Betty por Amy Carmichael reforçou esses mesmos refrões, especialmente a visão de Carmichael de que a vida missionária tinha tudo a ver com "uma chance de morrer", expressão que Betty utilizou mais tarde para intitular a biografia de sua heroína.

[2] Entrevista de Elisabeth Howard Gren por Robert Shuster, 26 de março de 1985, coleção 278, fita T2, arquivos do Wheaton College, https://www2.wheaton.edu/bgc/archives/transcripts/cn278t02.pdf.

tivesse encontrado uma comunhão semelhante. Orarei para que Deus torne a vontade dele muito clara".³

Então, quando Betty Howard finalmente fosse para o Equador, ela o faria como missionária dos Irmãos, tendo recebido uma "recomendação" da assembleia. A mentalidade dos Irmãos sobre o levantamento de recursos se encaixava na visão que ela própria tinha de finanças, a visão baseada na fé que ela praticara durante toda a faculdade e depois dela. Assim, Betty — como Jim Elliot e Pete Fleming, é claro — navegaria para o trabalho de missões no Equador sem salário fixo ou garantia de apoio financeiro. Eles receberiam dinheiro sempre que as assembleias dos Irmãos na América do Norte se sentissem movidas a enviá-lo, qualquer que fosse a quantia indicada por Deus aos crentes em sua terra natal.

No outono de 1951, enquanto orava pela direção de Deus, Betty lhe pediu: "Que eu possa estar preparada em corpo, mente e espírito para a tarefa de uma missionária, uma 'enviada'". Dentro de algumas semanas, ela escreveu: "Como Deus parece estar me guiando, planejo ir a Nova York na terça-feira, onde trabalharei com uma assembleia [dos Irmãos de Plymouth] de fala espanhola. Eles têm um apartamento pronto para mim, e o Sr. Montaloo vai me ensinar espanhol".

Naquela mesma manhã, depois do culto, uma jovem que Betty não conhecia bem se aproximou dela e enfiou uma nota de dez dólares em sua mão. "Ela é uma pessoa que não tem muito, e aquilo significou muito para mim", escreveu Betty mais tarde, tocada por aquela sacrificial oferta para seu primeiro posto missionário em Nova York. Lá, ela trabalharia com a *Voices from the Vineyard* [Vozes da Videira], a revista de missões dos Irmãos, e receberia da Assembleia de Hasbrouck Heights, nas proximidades de Nova Jersey, sua recomendação para servir no exterior.

Em 28 de novembro, ela havia se mudado para seu apartamento em Nova York, alugado por 17 dólares por mês, com direito a aquecimento esporádico, água quente rara, uma cervejaria ao lado que abençoava a vizinhança com aroma de cerveja, além de enormes ratos negros. Mas suas anotações no diário mostravam uma mentalidade mais animada: "Imagine — eu morando em um cortiço no Brooklyn! Mais diversão!". Ela estava "sozinha em um pequeno apartamento na seção espanhola. O Senhor está aqui também, e eu estou feliz".

---

3 Carl E. Armerding, *Brethren Historical Review*, vol. 11, 2014, seção de obituários, "Elisabeth Elliot (1926–2015): Accidental Brethren Missionary?", p. 115–16, citando Elisabeth Howard Carol Smith Graham, 17 de outubro de 1952.

Os dias que se seguiram foram uma mistura de culinária latina picante, encontros com outros missionários e o inevitável colapso que se segue a um começo exultante.

"Solitária. O que fazem os missionários que vão sozinhos a um campo estrangeiro?" Ela tinha amigos por perto, mas se sentia isolada e lúgubre. Estava congelando o tempo todo, usando seu casaco de inverno para se sentar em sua cama dura e escrever em seu diário. O apartamento era imundo, escuro e dava para um pátio úmido com varais esticados entre as janelas sujas de outros apartamentos.

Ela espiava pela sua pequena janela; só se via uma fresta de céu cinza. Bandos de pombos sobrevoavam, até que ela se sentiu tonta ao observá-los — "criaturas adoráveis e graciosas no voo, estúpidas e pedantes a pé".

Talvez ela visse os pombos como uma metáfora. Uma coisa era voar nas grandes alturas do amor de Deus, outra era servi-lo no chão, no campo. "Não me sinto muito como uma missionária", concluiu. "Senhor, socorro."

Deus a socorreu. Elisabeth acabou por conhecer uma missionária dos Irmãos de Plymouth chamada Katherine Morgan, que se tornaria uma amiga para toda a vida, uma inspiração e um exemplo para ela.

Katherine Morgan, uma mulher jovial e de cabelos negros, estava de período sabático em Nova Jersey na mesma época em que Betty morava no Brooklyn, em 1951. Ali, Katherine ensinava uma classe de Bíblia para mulheres sul-americanas todas as quartas-feiras. Betty amava seu humor, sua determinação, seu cuidado com as mulheres, sua fluência em espanhol e seu profundo conhecimento das Escrituras.

Já viúva quando Betty a conheceu, Katherine havia tido um feliz casamento com um tal de Lester Morgan. Durante seu ministério inicial na Colômbia, Lester plantara cinco igrejas pioneiras no sudoeste da Colômbia. Os Morgans tiveram quatro filhas pequenas; a vida era desafiadora, agitada e doce. Então, misteriosamente, Lester decaiu e ficou gravemente doente em meados de 1940. Havia rumores de que aqueles que eram hostis ao seu ministério o envenenaram. A família voltou para sua casa em Nova Jersey e, apesar dos cuidados médicos avançados, Lester morreu em dezembro de 1940.

Katherine Morgan lamentou sua perda, orou... e então arrumou suas quatro filhas e voltou para a Colômbia em 1941.

Sua casa servia como uma clínica para os doentes, pobres e doentes mentais de sua comunidade. Ela realizava procedimentos odontológicos de rotina.

"NÃO ME SINTO MUITO COMO UMA MISSIONÁRIA"

Cavalgava pelos Andes para cuidar de pessoas necessitadas; remava canoas no rio Amazonas, nas profundezas da selva, para pregar o evangelho e plantar novas igrejas.

Em abril de 1948, o popular presidente da Colômbia foi morto a tiros em uma rua de Bogotá. O assassino em fuga, um jovem volátil de vinte e poucos anos, foi despedaçado por uma multidão indignada. Multidões encheram as ruas, incluindo um jovem Fidel Castro, então um estudante que participava de uma Conferência Pan-Americana que acontecia na cidade. Os tumultos provocaram confrontos políticos e iniciaram um período da história da Colômbia conhecido como *La Violencia*, durante o qual cerca de trezentas mil pessoas seriam mortas em todo o país.

Levou um tempo até que a agitação chegasse à cidade de Katherine Morgan, Pasto, cerca de oitocentos quilômetros a sudoeste de Bogotá. Uma enorme multidão se reuniu, gritando entre outras coisas: "Matem os protestantes!". A casa dos Morgans foi cercada.

Uma das filhas de Katherine, Lois, tinha cerca de oito anos na época. "Lembro-me de pensar: 'Este é o último dia da minha vida'", disse ela anos depois. E: "Eu não sabia se ia para o céu, e disse à minha mãe: 'Não estou pronta para morrer'. Ela me perguntou se eu queria orar. Enquanto ela orava comigo, uma sensação de paz tomou conta de mim".[4]

Depois de orar com a filha, Katherine saiu para a varanda, olhou para a multidão abaixo e hasteou uma enorme bandeira colombiana. "A próxima palavra que vocês disserem, ou a próxima pedra que jogarem, será contra sua bandeira e seu país", gritou. Primeiro em pequenos números, depois em grupos, os desordeiros se esvaneceram pela escuridão.[5]

Fosse em tempos tão tumultuados, fosse no trabalho diário de dar aulas de Bíblia e cuidar dos doentes, Katherine vivia pela fé. Em alguns dias, ela e suas quatro filhas tinham pouca comida em casa, mas os colombianos de quem Katherine cuidava lhes traziam ovos e frutas. Seu carro parava de funcionar, e ela não tinha dinheiro para o conserto. Katherine orava, ia ao correio, e lá estava um cheque vindo dos Estados Unidos, com a exata quantia de que ela precisava.[6]

---

4 http://ourlifecelebrations.com/2015/05/hospice-pioneer-traces-family-line-faith/.
5 Correspondência por e-mail com Lois Bechtel em 28 de fevereiro de 2020.
6 Ibid.

Ao longo dos anos de sua longa vida e serviço na Colômbia — ela morreu lá com mais de noventa anos — a "Señora Catalina" se tornou uma lenda nos Andes. Acadêmicos que estudavam a cultura colombiana na universidade se hospedavam na casa dela, assim como missionários visitantes e vizinhos necessitados. Sempre havia discussão vigorosa na mesa de jantar, com muitas risadas. Katherine construía relacionamentos com todos e com qualquer um. Como disse um historiador: "Embora sua vida tenha sido gasta com o trabalho missionário dos Irmãos, nos últimos anos ela emergiu como uma figura muito pública, embora controversa [...] celebrada como uma mãe espiritual tanto para padres católicos quanto para evangélicos carismáticos".[7]

Katherine Morgan não apenas encorajou Betty especificamente para o ministério na América do Sul; ela também era "um ícone do que uma verdadeira missionária deveria ser", disse Betty mais tarde. "Tremendo senso de humor, uma das pessoas mais engraçadas que já conheci na minha vida e, ainda assim, alguém profundamente espiritual e muito poderosa."[8]

Ela também era fisicamente vigorosa. Alguns anos depois de Betty a conhecer, Katherine sofreu um acidente de ônibus em um desfiladeiro na Colômbia. O motorista dormiu no volante e o veículo caiu de um penhasco de 450m de altura. O primeiro rochedo estilhaçou o ônibus, arremessou para fora todas as pessoas e lançou o motor para um furioso rio lá embaixo. Quando o resto do ônibus bateu na direção do rio, colidiu com árvores e rochedos, esmagando vários passageiros a uma grande distância. Katherine recuperou a consciência e se viu presa em um rochedo a cinquenta metros abaixo da estrada, machucada da cabeça aos pés, uma costela quebrada, um pulmão machucado, sangue escorrendo de um corte profundo na cabeça. Dois homens mortos jaziam despedaçados no rochedo ao lado dela. Ela desmaiou duas vezes antes de conseguir subir a colina. Levou vinte e quatro horas de agonia para ela chegar de volta ao local de onde partira. Sendo Katherine Morgan, fizeram-lhe os curativos e ela voltou ao trabalho.[9]

Betty admirava — e encontrou um espírito semelhante ao seu — o comprometimento pé-no-chão de Katherine para com uma obediência persistente,

---

7 Armerding, "Elisabeth Elliot (1926–2015: Accidental Brethren Missionary?", p. 118.
8 Entrevista de Elisabeth Elliot com Bob Schuster, 26 de março de 1985, coleção 278 – Documentos de Elisabeth Elliot, CN 278; arquivos do Billy Graham Center, https://archives.wheaton.edu/repositories/4/resources/484; acessado em 27 fev. 2020.
9 Carta de EE à família, 24 de setembro de 1955.

em vez de focar-se em como estava se sentindo. Muitos anos depois, Betty citou uma carta de Katherine em um de seus livros, em um capítulo apropriadamente intitulado "A Disciplina dos Sentimentos".

"Concordo com você que os sentimentos não são confiáveis", escrevera Katherine para Betty. "Nossos sentimentos conduziam à dúvida quanto às razões pelas quais nossos maridos foram tomados, mas nós sabíamos no íntimo que tínhamos que fazer o que o Senhor havia ordenado. Na minha opinião, não havia nenhuma virtude especial no que fazíamos. Tínhamos recebido nossas ordens, e tínhamos de viver com base nelas e enfiar os nossos sentimentos no bolso. Muitas vezes, meus sentimentos teriam me levado a jogar a toalha aqui em Pasto. Eu 'sentia' que as pessoas permaneciam indiferentes [...] e o esforço era infrutífero. Eu 'sentia' tudo, menos o desejo de ficar aqui e trabalhar. No entanto, o plano de Deus tinha de ser levado a cabo. Essa é uma lição difícil de aprender, uma que leva a vida inteira."[10] O que Betty não sabia durante aquele último mês de 1951 era que o exemplo inflexível de Katherine Morgan seria exatamente aquilo de que ela precisava, considerando o que a aguardava no Equador.

Betty deixou seu apartamento cinza no Brooklyn para um Natal festivo em casa, em Birdsong, com sua família. No final de dezembro, Ed Torrey, um médico de trinta e poucos anos que frequentava a igreja dos Howards, morreu de ferimentos sofridos em um acidente de carro, a caminho de casa, depois de uma reunião de oração. "Tenho tentado imaginar como é para Ann, sua esposa", escreveu Betty. "Será que o Senhor pode trazer paz a uma alma tão abalada? Certamente, oh, certamente ele pode, mas isso vai além do que se pode imaginar."

"Mais uma vez, vejo que não pode haver amor sem sofrimento."

---

10   Elisabeth Elliot Gren, *Discipline, the Glad Surrender* (Old Tappan, NJ: Fleming H. Revell, 1982), p. 141.

CAPÍTULO 14
"ÀS VEZES ME PERGUNTO SE É CERTO SER TÃO FELIZ"

> "Pois a qualidade especial e empolgante da amizade deles estava em sua completa rendição. Como duas cidades abertas no meio de alguma vasta planície, a mente dos dois estava aberta uma para a outra. E não era como se ele cavalgasse à mente dela como um conquistador, armado até os dentes e não vendo nada além de uma palpitação alegre e aveludada; nem como se ela entrasse na mente dele como uma rainha andando sobre pétalas macias. Não, eles eram viajantes zelosos e sérios, absortos na tarefa de compreender o que estava ali para ser visto e de descobrir o que estava escondido — aproveitando ao máximo essa extraordinária e absoluta oportunidade que ele tinha de ser totalmente verdadeiro com ela, e que tinha de ser totalmente sincera com ele."
> — Katherine Mansfield

Jim Elliot e Pete Fleming partiram para Guayaquil, uma cidade portuária na costa sudoeste do Equador, em fevereiro de 1952. Depois de uma longa e pitoresca jornada, eles se conectaram com o Dr. Tidmarsh e se estabeleceram em Quito, na casa de uma família equatoriana. Lá eles mergulharam no espanhol e aprenderam medicina homeopática em preparação para o trabalho na selva entre os quíchuas.

Betty Howard começou 1952 sentindo-se "sozinha outra vez" em seu pequeno e cinzento apartamento em Nova York. Ela se sentia inútil, à beira das lágrimas e longe de Deus. "Sei que, ao ler este registro no futuro, direi: 'Que maneira de começar um novo ano.'" Mas o tempo não significa nada para Deus, pensou ela, e o fato era: "Meu desejo para 1952, a oração do meu coração: unidade com o Senhor".

Dentro de uma semana, uma colega missionária chamada Dorothy Jones se mudou para o pequeno apartamento de Betty; Betty não estava mais sozinha com os pombos. Cerca de uma semana depois, ela se encontrou com uma entusiasmada missionária britânica, Doreen Clifford, que estava num tempo sabático da selva equatoriana. Betty ouvia, fascinada, Dorothy lhe contar sobre sua preocupação com "a ainda intocada tribo dos índios waorani no Rio Napo. Humanamente, seria impossível esse trabalho ser feito por mulheres. Homens tentaram e foram mortos". Doreen disse a Betty acreditar que Deus lhe dera um amor pela tribo com algum propósito, nem que fosse o de orar. "Ou talvez ela seja um primeiro passo para outra pessoa entrar. [...] Ela me pediu para orar sobre se ele quer que eu vá com ela."

"[Eu] dificilmente ousaria mencionar isso para outros", escreveu Betty. "Parece fantástico e visionário demais [...]. Se ele me conduzir nessa direção, estou pronta [...] há mais de seis anos, quando busquei a vontade dele quanto ao curso da minha vida, senti que ele me queria em um trabalho pioneiro, especialmente com vistas ao trabalho linguístico. Se isto é um vislumbre de seu propósito final para comigo, fico feliz."

Então, embora alguns tenham pensado depois que o desejo de Betty de ir para os waorani emergira do malfadado encontro de seu marido com eles, tal desejo começou muito mais cedo... em uma conversa em Nova York com uma exuberante missionária britânica que se atreveu a sonhar, como Betty, que mulheres conseguiriam fazer um trabalho pioneiro onde os homens não tinham conseguido.

Betty voltou suas atenções para o Equador. Ela trabalharia lá com os missionários dos Irmãos. Durante as semanas seguintes, ela falou com vários grupos de mulheres dentre os Irmãos em Nova York e Nova Jersey. Ela se esforçou para encontrar um modo de articular o chamado missionário em termos realistas, em vez de apenas usar os conhecidos clichês cristãos. O que *realmente* significava ser uma "testemunha" de Cristo? "Há tanta coisa que se mostra, mas que não é verdade, e tanta coisa que é verdade, mas que não se mostra. Anseio por ser como uma completa criança, por ser uma verdadeira filha de Deus, comungar de plena filiação. E a qualidade da verdade é fundamental para tal estado."

Ela sentiu aquela dor sobre a qual havia lido nos escritos de Amy Carmichael. "Oh, uma coisa é declarar, ao dar um corajoso testemunho, que não existe sacrifício à luz da eternidade e de suas recompensas; mas é outra coisa crer, no íntimo do meu coração, que isso não é um sacrifício."

"ÀS VEZES ME PERGUNTO SE É CERTO SER TÃO FELIZ"

Ela ansiava por Jim, pelo conforto de seus braços e a força de seu corpo. Ansiava por um filho, um menininho que pudesse entregar ao serviço de Deus, como Ana no Antigo Testamento. "Já passei dos vinte e cinco", escreveu. Ela havia lido que a melhor época para uma mulher ter filhos é entre vinte e vinte e cinco anos. "Esse auge da vida já se foi para mim", gemeu. Perdido para sempre.

Não, disse ela a si mesma com firmeza. Nada está perdido. As coisas de que ela sentia falta estavam armazenadas em estoques celestiais. Algum dia ela veria a glória de Deus na eternidade, em vez das aparentes perdas que sentia tão intensamente nesta terra.

Além disso, todos os pensamentos se inclinavam para o lado escuro naquele apartamento cinza de Nova York, com a minúscula e quadrada vista do céu e as ponderações filosóficas de pombos de pés rosados. Quando março chegou, Betty havia dado à sua Alcatraz um grato "adeus sem lágrimas". Depois de algum tempo em Moorestown com seus pais, ela navegou em um grande navio de carga e passageiros chamado *Santa Margarita*, com destino ao Equador.

Foi a típica despedida missionária daquela época. Os membros da família se amontoaram no cais. A buzina do navio soou. Uma última rodada de despedidas. O lento e dramático soltar das amarras do navio, o levantar da âncora, o gradual progresso para longe da cidade, os rostos dos entes queridos ficando cada vez menores à distância cada vez maior. Em seguida, o endireitar dos ombros e o virar do rosto em direção ao oceano aberto, em direção às desconhecidas aventuras que vêm pela frente. Depois de dois dias de mar agitado e chuva, Betty exultou nos dias ensolarados de céu azul e mares serenos e tranquilos através do Canal do Panamá e em direção a Buenaventura, Colômbia. Em 14 de abril, às 2h45 da manhã, Betty chegou a Guayaquil, Equador. Lá, ela teve de esperar dez dias pela chegada e descarga de sua bagagem, uma ocorrência comum em 1952. Ela vagou pelas ruas da "cidade miseravelmente pobre" e observou os homens desovarem a carga nas docas.

"Esta foi uma excelente experiência", Betty relatou filosoficamente em uma carta para a família. "A mente equatoriana parece não compreender a pressa e, a cada dia, ao perguntar sobre a chegada das minhas coisas, eu recebia a mesma resposta: '*Mañana*.'" Amanhã.

Milagrosamente, a *mañana* finalmente chegou, e Betty e sua bagagem pegaram um voo da Pan American para Quito. Ela ficou sem fôlego com a beleza da capital. "Situada a quase três mil metros acima do nível do mar, ainda parece um grande vale em comparação com as grandes colinas ao redor, e os picos brutalmente

Betty Howard navegando para o Equador, 1952

grandiosos à distância. [...] As casas são de barro caiado de branco [...] não é incomum ver burros, vacas, cães, pôneis montanheses e lhamas vagando pelas ruas, junto com Cadillacs e carrinhos de mão, ônibus e centenas de índios quíchuas, cada um com seu grande fardo, caminhando de um lado para o outro a pés descalços. Todas as mulheres usam saias longas, cheias e tecidas à mão, chapéus fedora e xales."[1]

Refletindo sua influência espanhola, Quito mantinha uma certa graça do Velho Mundo: "[...] ruas estreitas de paralelepípedos sobre as quais se projetavam varandas esculpidas em adorável madeira escura e adornadas com gerânios. Havia delicados portões de ferro forjado com pesadas dobradiças e batentes de porta feitos à mão. As praças e parques verdes tinham fontes e estátuas e alguns eram cercados por graciosas colunatas".[2]

O Dr. Tidmarsh providenciara moradia para Betty e sua amiga missionária e colega de quarto em Nova York, Dorothy Jones. Elas se estabeleceram na casa

---
1 Elisabeth Elliot, *These Strange Ashes: Is God Still in Charge?* (Ann Arbor, MI: Servant Publications, 1998), p. 16.
2 Ibid.

"ÀS VEZES ME PERGUNTO SE É CERTO SER TÃO FELIZ"

de um casal equatoriano magro, de cabelos brilhantes e da alta sociedade, Señor e Señora Arias. Eles não falavam inglês; a facilidade de Betty com o espanhol cresceria enormemente no final da primavera e ao longo do verão. O quarto de Betty ficava acima da garagem. Duas mulheres quíchuas com longas tranças pretas cozinhavam e faziam as tarefas domésticas. Betty observou que elas estavam "fascinadas com a gigante e pálida estrangeira". E logo depois que a "estrangeira pálida" chegou — oh, dia feliz — Jim e Pete Fleming se mudaram para alojamentos do outro lado da rua.

Foi a primeira vez desde a faculdade que Jim e Betty podiam se ver todos os dias. Eles exploravam a cidade, praticavam espanhol, faziam piquenique e liam poesia um para o outro. Participaram até de uma tourada. Jim escreveu em seu diário: "Não sei por que amo touros. Parece-me que nada tem a mesma capacidade de agir com bravura do que um touro bem formado". Ele comparou o espetáculo a um rodeio do oeste americano, embora "um pouco mais sangrento [...], a coisa toda parece se encaixar na mente latina [...], fitas douradas e sangue [...], exultação na morte [...], bandeirolas e bandarilhas[3] [...], graciosidade e brutalidade [...], um touro e um par de sapatilhas de balé. Essas pessoas são extremistas".[4]

Jim e Betty, verão de 1952

---

3   N. T.: Hastes com pontas afiadas que são cravadas na pele do touro durante a luta, como parte do espetáculo.
4   Elisabeth Elliot, *Shadow of the Almighty* (New York: Harper, 1958), p. 55.

Uma noite, começando por volta das duas da manhã, Jim, Betty, Pete e alguns outros missionários homens subiram a encosta do Pichincha, um vulcão ativo. A lua brilhava intensamente. Às onze da manhã, chegaram ao cume de quase cinco mil metros. No caminho de volta, descansaram na grama quente e macia na encosta do vale. Jim supostamente cochilou, a cabeça no colo de Betty, enquanto ela "sorvi[a] da incrível beleza das vastas paisagens" à sua frente.

Durante esse período idílico, Jim e Betty pareciam ambos impressionados com os simples prazeres de estarem juntos. Em uma carta a um amigo em comum de Wheaton, Jim escreveu: "O Senhor trouxe Betty e eu a um terreno feliz. [...] Oh, Van, eu não poderia ter pedido mais do que isto com que Deus, em deliberada graça, me surpreendeu! Não pedimos para ser enviados para o campo juntos. Não pedimos para ser enviados a morar tão perto. Parecia irracional pedir tais coisas seis meses atrás. Sonhos são banais quando comparados com o caminho pelo qual Deus nos guiou. Betty e eu concordamos que a vontade de Deus é que não tornemos nossos sentimentos públicos por algum tempo, embora eles estejam claros para nós".

"Às vezes me pergunto se é certo ser tão feliz. Um dia segue o outro numa leve sucessão de maravilhas e alegrias — coisas simples e boas, como comer uma boa refeição, brincar com as crianças, conversar com Pete, ou receber a provisão de dinheiro para aluguel e alimentação poucas horas antes do prazo de pagamento. Graça sobre graça [...]."[5]

Do ponto de vista de Betty, ela e Jim estavam se conhecendo "de uma nova maneira. Ambos sentimos agora que há perfeita liberdade entre nós, no que diz respeito a compartilhar tudo o que nos diz respeito. Sinto que não apenas quero compartilhar, mas tenho uma grande necessidade de compartilhar. Eu o amo além do que se pode dizer. Eu o desejo mais do que qualquer coisa no mundo. Quando penso em sua masculinidade, sua força, sua gentileza, sua ternura e oh!, seu amor tão imerecido [...], fico prostrada de gratidão a Deus".

Ainda assim, ela sabia que aquele homem poderia lhe ser tirado a qualquer momento. Primeiro, Jim deixara claro que o trabalho missionário poderia exigir o preço definitivo. Ele conversou com Betty sobre seu desejo de ir para os waorani. Eles não eram conhecidos por receber estranhos com nada além de lanças e morte. Ela escreveu em seu diário: "Jim disse: 'Você percebe o que isso pode custar?'

---

5 Elisabeth Elliot (ed.), *The Journals of Jim Elliot* (Old Tappan, NJ: Fleming H. Revell Company, 1978), p. 400.

"ÀS VEZES ME PERGUNTO SE É CERTO SER TÃO FELIZ"

(falando da possibilidade de ele ir trabalhar entre os waorani). Sim, eu sei o que pode custar — morte".

Para ela, aquilo não era motivo para não noivarem e casarem. Ainda assim, Jim temia assumir menos riscos de obediência absoluta a Deus se estivesse encarregado de uma esposa e uma família. "Para mim", escreveu Betty em seu diário, "essa é uma diferença puramente formal". Ela já o amava de todo o coração.

Porém, como o angustiado Jim ainda não conseguia se comprometer com ela, ela se conteve para não deixar suas emoções inundarem o relacionamento deles. Sua acidez interna entrou em ação como um mecanismo de defesa. "De vez em quando, quando estou com muita vontade de segurar seu braço ou dizer que o amo, digo algo sarcástico, mordaz ou impensado, a fim de me conter. Foi o que aconteceu na quinta à noite. Ele me reprovou por minha atitude (era apenas uma atitude aparente, pois nada jamais reprime meus sentimentos em relação a ele) e, finalmente, em certa medida, cheguei a explicar as minhas razões. Ele pareceu entender em parte e quase me derreteu com sua gentileza. Ah, que agonia — agir desinteressada e distante quando estou quase dominada de ternura por ele. Quando serei livre para contar a ele???"

Nem tão cedo... Jim ainda acreditava que deveria ir para a selva solteiro e desvencilhado de qualquer compromisso.

Então, quando Betty recebeu a notícia do noivado de sua irmã Ginny, aquilo foi difícil. Ela escreveu estoicamente em seu diário: "6/8/52. Recebi hoje a notícia do noivado de Ginny [com Bud DeVries]. Estou atordoada — mas oh, tão feliz por ela — minha 'irmãzinha', 7 anos mais nova".

Sim, sim, ela estava devidamente feliz por sua irmãzinha, e devidamente feliz por seu irmão Dave, cujo novo bebê nasceu na mesma época. Mas o ganho deles trazia à tona o próprio sentimento dela de perda e, embora ela tenha conseguido controlar tudo o que escrevia apropriadamente em seu diário, não foi tão bem-sucedida em dominar suas emoções. Ela descarregou para a mãe. "Ah, às vezes sinto que simplesmente não aguento mais, o fato de eu literalmente não poder viver sem ele. [...] Choro com tudo e por nada. [...] Quando estou na cama, eu o quero desesperadamente. É como se cada centímetro do meu corpo agonizasse pelo dele."[6]

---

6 Betty Howard para "Mãe, queridíssima", 6 de agosto de 1952.

Ela caiu em lágrimas quando os dois saíram para uma caminhada naquela mesma noite. Ela lhe contou as notícias de seus irmãos, e então soluçou um pouco mais.

"É só que não consigo entender por que é assim com eles, e conosco é diferente", disse-lhe.

"Eu também chorei", escreveu o às vezes obtuso Jim, depois de passar horas estudando febrilmente os escritos do apóstolo Paulo no grego original, tentando discernir se estava sendo desobediente ou obediente em suas interações com Betty. Ele escreveu sobre "quere[r] ser leal com ela, querendo casar-me com ela, querendo muito" — mas não sentia "nenhuma direção de Deus, nem mesmo para o noivado".[7]

Betty pranteava. Ela estava num purgatório amoroso, sem nenhum compromisso público da parte de Jim. Tudo o que ela tinha eram "a censura e as sobrancelhas levantadas" de todos os que conheciam ou tinham ouvido falar de Jim Elliot e Betty Howard. Ela imaginava o que as pessoas estavam dizendo: "'Ela o perseguiu de um continente para outro', 'ela ainda vai pegá-lo', etc., etc.".[8]

Pete Fleming escreveu para a família sobre o turbilhão na vida de Betty: "Ela está mal-humorada, calada e, obviamente, sob tensão. Señora Arias diz que se deparou com Betty chorando sozinha à noite e quer que Jim faça algo a respeito. Jim disse que, ontem à noite, ele e Betty passaram mais tempo chorando do que conversando e fora realmente um momento deprimente. Betty recebera notícias do noivado de Ginny e do novo bebê de Dave e isso acabou com ela, eu acho. Todas essas alegrias sobrevieram ao seu irmão e à sua irmã, ambos mais novos do que ela, e ela ainda não tem nenhuma promessa *firme*, nenhum noivado e nenhuma perspectiva de casamento".[9]

Pete — um estudioso brilhante, amigo de Jim, seguidor comprometido de Cristo com conhecimento bíblico prodigioso e, às vezes, absolutamente perdido em sua própria vida romântica — talvez estivesse sensibilizado com as emoções de Betty por causa de percepções vindas de Olive Ainslie. Pete e Olive se conheciam desde a infância em Seattle e, na primavera de 1951, haviam concordado em se casarem. Alguns meses depois, Jim Elliot invadiu Seattle, contagiosamente

---

7 *The Journals of Jim Elliot*, p. 406.
8 Betty Howard para "Mãe, queridíssima", 6 de agosto de 1952.
9 Olive Fleming Liefeld, *Unfolding Destinies* (Grand Rapids, MI: Discovery House, 1998), 122.

empolgado com as missões no Equador e com uma visão de irmãos solteiros trabalhando juntos para Cristo. Jim exortou Pete a se certificar de que seu chamado era de Deus, não de Jim, mas a personalidade de Jim era bastante persuasiva. Pete decidiu ir para o campo missionário. Ele terminou com Olive para que ficasse desimpedido, como Jim.

Aquilo não foi apenas doloroso, mas confuso para Olive — especialmente quando ela gradualmente descobriu, ao mesmo tempo em que ficou claro para Pete, que Jim Elliot na verdade *não* era um homem livre. Pete agora enxergava que, embora Jim não estivesse formalmente comprometido com Betty Howard, seu coração estava entrelaçado ao dela. Jim sabia com *quem* se casaria, se chegasse a tal ponto. Mas, como vimos, ele estava em uma constante indecisão sobre se Deus queria que ele se casasse em primeiro lugar.

Quando Olive soube da chegada de Betty ao Equador e que ela havia se estabelecido em Quito para estudar idiomas, bem do outro lado da rua de Pete e Jim, o drama se intensificou.

Aquilo não era um subterfúgio da parte de Jim e Betty. Na cabeça de ambos — embora talvez estivessem um pouco em estado de negação — cada um estava buscando a obra missionária como *indivíduos*, e era apenas uma afortunada bênção o fato de ambos acabarem parando no Equador. Essa feliz coincidência, seu profundo amor um pelo outro e a incerteza de Jim sobre se Deus porventura o chamaria a se casar — tudo aquilo criava uma compreensível bagunça na mente de qualquer espectador.

No meio da bagunça, Pete começou a recuperar o juízo quanto ao seu próprio relacionamento com Olive. Ele restabeleceu o contato e, lentamente, começou a reconstruir a confiança que havia quebrado.

O verão de 1952 terminou. Jim e Pete agora estavam prontos para se mudar para a grande selva a sudeste de Quito e dar início ao trabalho em uma base missionária chamada Shandia, nas cabeceiras da bacia amazônica. O Dr. Tidmarsh havia estabelecido a estação alguns anos antes com uma escola para meninos quíchuas, mas as construções haviam caído em ruínas e a pista de pouso fora engolida pela vegetação voraz da selva. Os índios de lá receberiam Jim e Pete, que estavam determinados a construir relacionamentos com os quíchuas e trabalhar lado a lado com eles. Pete escreveu em seu diário: "A fim de alcançá-los para Cristo, teremos que ser como eles [...] capazes de enfrentar seus problemas junto com eles e ajudá-los a desenvolver a semelhança com Cristo no ambiente *deles* — não a lhes dar uma meta irrealista de semelhança com Cristo em nosso próprio ambiente controlado no meio deles".[10]

Quando Pete e Jim partiram, Betty havia se recuperado de sua desolação e lágrimas. Ela se despediu de Jim — mais uma vez — com equanimidade. Ela deu às orações fervorosas de sua mãe o crédito por sua mudança de atitude. "A sua simpatia é de um tipo que fortalece. Não é do tipo sorridente e que enfraquece. A senhora não faz ideia de que diferença faz, para mim, apenas saber que a senhora está ao meu lado no meio disso tudo. Tenho certeza absoluta de que foi sua oração na semana passada que fez isso por mim."[11]

Betty, sem espaço para planejar seu futuro *com* Jim, decidiu traçar um curso independente. Sua colega de quarto, Dorothy, estava comprometida em trabalhar com os índios colorados, no Equador, mas não tinha treinamento em linguística. Betty poderia ser uma imensa ajuda nessa área. Ela orou sobre isso e gradualmente sentiu que Deus a estava chamando para os colorados, longe, ao oeste [...] na direção exatamente oposta à da selva oriental onde Jim Elliot estaria.

---

10 Liefeld, *Unfolding Destinies*, p. 129.
11 Betty Howard para "Mãe, queridíssima", 15 de agosto de 1952.

CAPÍTULO 15

OS COLORIDOS COLORADOS

"Há graves dificuldades por todos os lados, e muitas outras estão à espreita. Portanto, devemos seguir em frente."
— William Carey

Atualmente, a viagem de Quito até o povoado de San Miguel de los Colorados leva cerca de três horas de carro. Em 1952, no entanto, as estradas eram perigosas ou inexistentes. A viagem de Betty e Dorothy levou vários dias. Elas partiram cedo de manhã, empoleiradas na caçamba de uma caminhonete dirigida por um crente equatoriano chamado E. T. Depois de entrecruzarem Quito por várias horas, buscando uma peça de veículo aqui, ou uma carta a ser entregue acolá, elas finalmente tomaram a estrada estreita e sinuosa a oeste, descendo em direção à selva.

A estrada permitia o tráfego em apenas um sentido, o que fazia com que a rota de viagem mudasse ao longo do dia de acordo com regras desconhecidas e imprevisíveis. Isso ocasionalmente resultava em tensão entre os motoristas — *"Caramba! Você não vê que estou descendo?" "Caramba! Você não vê que estou subindo?"*

Então os motoristas desciam de seus carros, gritando e dando patadas no chão como touros. Transeuntes intervinham com opiniões apaixonadas sobre quem deveria ter o direito de passagem. Cachorros latiam. Penas de galinha flutuavam sobre os motoristas. E no final, todos voltavam para seus veículos e, de alguma forma, chegavam aonde estavam indo, embora não em tempo hábil. E. T. seguiu em frente, atravessando cachoeiras, rios rasos e descendo, descendo, descendo, até lavouras de cana-de-açúcar e banana, e então a selva densa e enevoada.[1]

---

1 Elisabeth Elliot escreveu sobre seu trabalho entre os índios colorados em um pequeno volume intitulado *These Strange Ashes* ["Estas estranhas cinzas"], publicado em 1975. Considero-o um dos seus melhores livros; suas excepcionais habilidades descritivas como escritora e sua seca perspicácia estão ali em plena exibição, e a narrativa não tem o tom professoral que marcou alguns de seus livros posteriores.

A picape chegou a Santo Domingo, que parecia um "cenário para um filme hollywoodiano de faroeste", no final da primeira noite. Betty e Dorothy deslizaram pela parte de trás da caçamba, sacudiram seus traseiros amassados e ajudaram E. T. e sua esposa, Vera, a descarregarem a caminhonete. Eles passariam a noite na pequena casa de E. T. antes de viajarem para San Miguel no dia seguinte.

A casa era de "uma madeira sem pintura que havia escurecido com a umidade e o mofo", observou Betty. "Havia quatro crianças que pareciam ser filhos de E. T. e Vera, embora nenhuma apresentação tenha sido feita. [...] Uma ou duas outras pessoas que aparentemente vivam na casa não falavam inglês. Onde toda aquela gente dormia permanecia um mistério [...], a casa era mobiliada com o mínimo do mínimo, mesas e cadeiras ou bancos de má qualidade, e Vera cozinhava em um *fogon*, uma espécie de caixa de areia com pés e um fogareiro aceso dentro. A fumaça enchia a casa [...], estava tudo escuro e corpos não identificados se esticavam pelo chão da mistura de sala de estar com cozinha. O lugar cheirava mal. Era uma combinação de gordura queimada, cebola, fumaça, mofo, pessoas sem tomar banho" e dejetos humanos.

"Havia uma latrina usada pela família, um alpendre loucamente alto que emitia o mais letal eflúvio, mas um desfile constante de gente da cidade usava o terreno vazio ao lado como banheiro. Ninguém estava à procura de privacidade — isso estava bem claro — mas apenas de espaço; e a julgar pela cautela com que pisavam, já não havia muito disso sobrando."[2]

"A depressão [que a casa] me trouxe me fez sentir culpada, pois, naquela época, eu pensava que a feiura, a sujeira e a falta de privacidade eram sacrifícios apropriados para uma serva do Senhor. Se eu não gostava da atmosfera, aquilo devia significar que eu ainda não estava preparada para oferecer minha vida tal qual havia prometido."[3]

Depois de uma noite desanimadora, Betty e Dorothy se levantaram na manhã seguinte, alugaram dois cavalos pequenos — à tarifa de 90 centavos a diária — e cavalgaram por cerca de três horas para o sul, em direção a San Miguel. A trilha era profunda e larga; em alguns pontos, a lama quase chegava à barriga dos cavalos. As árvores gigantes, as samambaias e orelhas-de-elefante da selva se aglomeravam "em exuberância inimaginável, cobertas de trepadeiras e plantas

---

2 Elisabeth Elliot, *These Strange Ashes: Is God Still in Charge?* (Ann Arbor, MI: Servant Publications, 1998), p. 24-26.
3 Ibid.

OS COLORIDOS COLORADOS

com flores que exalavam aromas inesperadamente doces. O grande pé de fruta-pão esparramava suas folhas enormes, escuras e brilhantes ao lado da trilha e jogava seus pesados globos marrons na lama".[4]

No início da tarde, as duas mulheres chegaram a San Miguel de los Colorados — uma clareira da largura de dois campos de futebol americano, com algumas casas dispersas. Elas guiaram os cavalos em direção a uma elegante estrutura de armação com uma cerca, e uma jovem mulher em um vestido florido de algodão veio em disparada, saudando-as com uma torrente de inglês britânico... "Oh, deixem-me dizer! Bem-vindas a San Miguel-pé-na-lama!"

Aquela era Doreen, a enérgica missionária britânica que, enquanto estava em tempo sabático em Nova York, sonhara junto com Betty sobre a possibilidade de algum dia alcançarem os waorani. Doreen trabalhava entre os índios colorados há vários anos. A colega de Doreen, Barbara, morava em uma pequena casa sobre palafitas do outro lado da clareira. As duas britânicas convidaram Betty e Dorothy para almoçar: sopa de espinafre, arroz, ovos fritos e, claro, chá. Apropriadamente, havia um bule com leite fervido e resfriado para o chá, coberto com uma toalhinha bordada e pesada nas bordas com contas de vidro. Civilização no meio da selva.

"Ali estávamos nós, bebendo chá juntas sobre a toalha de mesa verde e laranja, discutindo o trabalho que todas faríamos", escreveu Betty anos depois. "Até que enfim, até que enfim, pensei. Sob a direção de Deus, certamente faríamos proezas."[5]

Wilfred Tidmarsh, o missionário que primeiro encorajara Jim Elliot e Pete Fleming a irem para o Equador, começara o trabalho missionário em San Miguel. Seu foco principal eram os índios quíchua em Shandia, a leste, mas ele tinha esperanças de que San Miguel pudesse ser um ponto de partida para o trabalho evangelístico entre os índios colorados ali na floresta tropical ocidental. Os índios viviam espalhados pela selva; a pequena clareira era o mais próximo de seu habitat a que os missionários poderiam esperar chegar.

Àquela altura, havia um pequeno grupo de congregantes não-índios que se reuniam para os cultos de adoração, juntamente com cães, cusparadas e crianças chorando. Mas o grupo focal da missão, os índios colorados, permanecia pacífico, tolerante com os estranhos, e totalmente indiferente.

---

4 Ibid., p. 35.
5 Ibid., p. 39.

Mas Betty tinha uma forte sensação de que Deus a havia enviado, assim como suas colegas. Tudo ficaria bem. Afinal, a Grande Comissão ordenava que o evangelho fosse por todo o mundo. "As Boas-Novas [...] são destinadas a todos, e os colorados da selva do Equador tinham o direito de ouvi-las."[6]

Ela também acreditava "que Deus abençoa aqueles que lhe obedecem" e dirige os eventos de "lindas e demonstráveis maneiras para aqueles que se entregaram para fazer a sua obra. [...] Eu, até onde sabia, estava ali em obediência e meu propósito era fazer a obra de Deus. Havia todas as razões para esperar que Deus nos concedesse sucesso".[7]

Suas palavras soam ingênuas. Afinal, ela lera biografias missionárias; ela conhecia as histórias de homens e mulheres que perderam a vida, como John e Betty Stam, ou perderam a saúde, ou perderam o juízo, no serviço de Cristo. Ela estava pronta para pagar qualquer preço para ser obediente à direção do Senhor.

Porém, como tantos outros, ela acreditava que Deus certamente tomaria seus sacrifícios e os transformaria em *sucessos* por causa do seu nome — vitórias gloriosas que os seres humanos pudessem *ver*, que pudessem ser relatadas aos apoiadores em sua terra natal, trazendo glória a Deus.

Mas, na verdade, o tempo de Betty entre os índios colorados a despojou, de algumas maneiras chocantes e violentas, de suas suposições asseadas sobre a vontade de Deus. Entre os colorados, ela enfrentou, talvez pela primeira vez, o monolítico, impenetrável mistério dos caminhos de Deus.

---

6 Ibid., p. 51.
7 Ibid.

CAPÍTULO 16
A PRIMEIRA MORTE DE ELISABETH ELLIOT

"Os favoritos de Deus, especialmente os favoritos de Deus, não estão imunes aos momentos desconcertantes em que Deus parece estar em silêncio. Onde não há mais oportunidade para dúvidas, também não há mais oportunidade para a fé. A fé exige incerteza, confusão. A Bíblia inclui muitas provas de que Deus se importa — algumas bastante espetaculares — mas nenhuma garantia. Uma garantia, afinal, excluiria a fé."
— Paul Tournier

Certa noite na selva negra, Betty estava dormindo profundamente quando acordou com o som de alguém batendo na porta da frente. "Señorita! Señorita!"

Um homem agitado andava em círculos pela varanda. Sua esposa estava dando à luz e prestes a morrer. Do outro lado da clareira, Barbara, uma parteira, foi avisada. Ela pediu ao homem para acordar Betty também. Barbara havia feito o parto do último filho do casal, aproximadamente o décimo primeiro de uma longa série de nascimentos. Na ocasião, ela implorou ao homem que levasse sua esposa a um hospital; qualquer gravidez além daquela seria de risco muito alto. Contemplativamente, ele acendeu um cigarro, balançou a cabeça, e ignorou o pedido. Agora a esposa, Maruja, estava em condições desesperadoras.

Quando Betty e Barbara chegaram à casa, Maruja estava se contorcendo em uma cama ensanguentada cercada por poças de sangue no chão. Betty ouviu um fungado e se virou para constatar que o bebê havia nascido e estava deitado em uma pilha de trapos imundos em outra cama. Alguém — talvez, dos dois homens presentes, aquele que fosse o pai — enrolara um trapo em torno dele, sem qualquer cuidado, e o depositara ali para que pudesse morrer em paz.

Doreen examinou Maruja. Ela tinha um útero em prolapso e estava em estado de choque, quase sem pulso. "Eu não vou aguentar, me ajude, estou enlouquecendo", ela ofegava. "Ó Deus! Ó santa Virgem! Ó santíssima Virgem, tem piedade! Estou morrendo!"[1]

Ela se calou, depois começou a falar novamente, despedindo-se de sua família, depois caiu em ruídos guturais, sua mandíbula movendo-se para frente e para trás e finalmente se acomodando em um sorriso arrepiante. O marido voltou, uivando.

Ela estava morta.

Um ou dois dias depois, os homens trouxeram o bebê para Barbara e Betty. Estava magro como um esqueleto, mostrava sinais de sífilis e logo morreu. Seus "dois pais" não lhe deram nada além de água.

Mesmo enquanto Betty lamentava tais perdas, seu trabalho específico ali era transpor a linguagem colorada à forma escrita. Para tanto, ela precisava de um "informante". O termo pode ser chocante; soa como um delator que divulga informações confidenciais para que o governo possa processar mafiosos ou traficantes de drogas. Porém, no mundo das missões, a palavra designa uma pessoa nativa de quem um missionário obtém aquelas informações sobre idioma, dialeto e cultura que, de outro modo, não se poderiam conhecer.

Betty esperava contratar um índio colorado que se sentasse com ela por horas, revisando as palavras do vocabulário e repetindo-as lentamente várias vezes para que ela pudesse acertar a fonética e escrevê-las em seus organizados cartões. Era um trabalho tedioso, mas certamente um dos colorados, precisando de dinheiro, aceitaria o trabalho.

O primeiro índio que Betty conheceu causou uma impressão indelével.

"Ele parecia estar usando um capacete com viseira vermelho-escarlate [...] em cima disso, um círculo de algodão branco. Seu rosto, braços e tudo o que eu conseguia ver de seu corpo estavam pintados de vermelho brilhante. Havia listras horizontais pretas que começavam na testa e iam até os dedos dos pés, e entre as listras, bolinhas pretas. Ele usava uma saia listrada de preto e branco [... e] várias echarpes de algodão amarelo e turquesa brilhantes. Ele sorriu, revelando dentes e língua manchados de preto. Seus lábios também estavam manchados de preto azulado. Apertamos as mãos, e se as mãos dele pareceram pequenas e duras para mim, as minhas devem ter lhe parecido surpreendentemente grandes e sem calos."[2]

---

1 Elisabeth Elliot, *These Strange Ashes: Is God Still in Charge?* (Ann Arbor, MI: Servant Publications, 1998), p. 94-95.
2 Ibid., p. 60.

A PRIMEIRA MORTE DE ELISABETH ELLIOT

Em particular, Betty perguntou a Doreen por que ele precisava de um capacete.

"Capacete?", Doreen gritou. "Isso é o *cabelo* dele!" Ela explicou que os homens colorados emplastravam seus cabelos com uma mistura espessa de vaselina e *colorau*, um corante vermelho feito da semente de uma árvore da selva.

O homem foi educado, mas não estava nem um pouco interessado em ajudar a Señorita Betty a aprender sua língua. Assim como nenhum dos outros índios que cruzaram seu caminho. Eles eram orgulhosos, independentes e um pouco desdenhosos acerca da presença de mulheres brancas em seu mundo.

Betty se irritava com o distanciamento dos índios. Eles não pareciam sentir aquelas necessidades que o evangelho poderia suprir. Mas ela "não tinha dúvida de que Deus estava do meu lado. [...] Eu iria dominar a língua, torná-la minha, organizá-la em um alfabeto e transformar os índios em leitores e escritores".[3]

Assim Betty orou. "A obra que eu esperava realizar era a obra de Deus [...] Eu era obreira dele. Tudo estava claro e simples. Minha oração estava tão livre de motivos egoístas ou impuros como eu jamais havia orado. Eu tinha as promessas escritas do auxílio de Deus, como aquela de Isaías 50.7: 'Porque o SENHOR Deus me ajudou, pelo que não me senti envergonhado.'"[4]

Sua oração foi respondida. Um equatoriano chamado Don Macario havia crescido em uma fazenda com crianças coloradas e era completamente bilíngue em espanhol e colorado. Ele era um crente. Não tinha emprego. Estava disposto a trabalhar pelo que Betty pudesse pagar.

Incrível! Deus havia providenciado um informante ainda melhor do que Betty jamais poderia imaginar.

Don Macario ensinou a Betty que os índios chamavam sua própria língua de *Tsahfihki*, "a língua do povo". Ele a ensinou a pronúncia das vogais, inflexões, estrutura de sentenças, verbos, substantivos, prefixos. Ele era o sonho de qualquer linguista. Nas semanas que se seguiram, uma Betty extasiada e organizada fez tabelas, cartões e listas de ortografia, utilizando símbolos fonéticos que representavam os sons do *Tsahfihki*. O trabalho estava indo bem.

Ela oportunamente reportava seu progresso em cartas para Jim, as quais circulavam lentamente — muito lentamente — pelas longas distâncias entre eles.

---

3 Ibid., p. 62.
4 Ibid., p. 63.

Trabalhando arduamente em Shandia, Jim ficou empolgado ao saber que seu velho amigo Ed McCully havia chegado ao Equador em dezembro de 1952. Assim como Jim e Betty, Ed e sua esposa, Marilou, eram missionários dos Irmãos de Plymouth, ávidos para servir as tribos da selva. Eles estavam estudando quíchua em Shandia, vivendo em uma cabana perto de Jim.

Em uma manhã quente de janeiro de 1953, Betty estava sentada em seu quarto, lendo uma passagem bíblica em 1 Pedro sobre os crentes passando por um "fogo ardente". Ela ouviu tiros nas proximidades. Aquilo não era incomum; homens costumavam caçar nas redondezas. Mas então houve gritos, o som de cascos de cavalos e pessoas correndo, e então a voz britânica de Doreen gritando por sobre o barulho: "Mataram Don Macario!".

Betty correu para fora.

"Macario foi baleado!", gritavam as pessoas. "Assassinado!"

Um amigo chegou correndo à clareira, sem fôlego. Ele estava limpando mato com Macario quando um grupo de homens apareceu, alegando que a terra pertencia a um deles. Macario insistiu que a propriedade era dele. Um dos homens sacou uma arma e atirou várias vezes em sua cabeça.

A colega de Betty, Barbara, correra para o local do tiroteio. Agora, ela e um grupo de homens chegaram, carregando o corpo em um grande poncho que seguravam entre si. Colocaram-no na varanda da casa de Barbara.

Betty e o resto da multidão olharam em silêncio por um longo tempo. "Havia um grande buraco na testa de Macario — ele fora baleado à queima-roupa. [...] O rigor mortis já havia tomado conta, o braço rigidamente erguido de um dos lados, o dedo indicador apontando para o espaço em tom acusatório. [...] Moscas rastejavam ao redor da ferida, assim como da boca e dos olhos ligeiramente abertos."

Alguém saiu galopando, dirigindo-se à próxima cidade para alertar as autoridades. Poucas horas depois, chegaram dois homens do gabinete do xerife, acompanhados por um missionário chamado Bill. Eles anunciaram que o perpetrador não poderia ser processado a menos que uma autópsia fosse realizada e as balas, recuperadas.

Estava bastante claro onde as balas haviam entrado. Bill, o missionário, se voluntariou para fazer a autópsia, já que o legista mais próximo provavelmente estava em Quito. Doreen disse que ajudaria. Ela correu para sua casa, vestiu roupas cirúrgicas britânicas totalmente brancas que, aparentemente, estavam separadas para uma ocasião como aquela, e pegou uma serra de carne. Ela e Bill examinaram o corpo. A multidão se apertava ao redor. Após alguma hesitação, Bill começou a serrar o crânio do cadáver. Não é uma tarefa fácil. As mães chamavam os filhos para virem assistir, Bill suava e, enfim, o crânio, que havia sido rachado pela explosão da bala, se desfez em vários pedaços. Bill extraiu fragmentos de bala esmagados, os investigadores os pegaram e a multidão se dispersou.

Bill e Doreen tentaram juntar o que sobrara do pobre Macario, improvisando uma espécie de turbante para ele usar até à sepultura. Ele não tinha família por perto, então a pequena comunidade cristã realizou um velório, cantando hinos e bebendo café durante a noite enquanto o cadáver apodrecia. Fizeram um caixão, pregaram a tampa e o levaram para o sepultamento.

Betty Howard escreveu aos pais que aquele tinha sido o dia mais apavorante de sua vida. Ela não conseguia entender o horror repentino da morte de seu amigo, a grande injustiça de tudo aquilo, e o que a sua perda significava para a tradução da Bíblia para o colorado.

Macario tinha sido a resposta de Deus à oração, a chave para todo o trabalho linguístico, provavelmente o único ser humano em todo o planeta que falava tanto colorado quanto espanhol com a mesma facilidade. Será que Deus não se importava com a salvação e o discipulado dessa tribo da selva?

O poncho em que haviam realizado a autópsia improvisada de Macario estava pendurado na cerca adjacente à casa de Betty, para que a chuva lavasse as manchas de sangue. Toda vez que Betty o contemplava, o poncho zombava dela. Ela pensava "na visão daqueles cérebros derramados, os únicos cérebros no mundo que continham as línguas" de que ela precisava. Acaso ela havia abandonado tanta coisa para chegar àquele local remoto da selva equatoriana e terminar em um beco sem saída?

Ela não conseguia encontrar significado nos pedaços estilhaçados da cabeça de Macario, tampouco em sua própria missão despedaçada. Ela havia prometido obedecer a Deus e sabia que tal obediência poderia muito bem levar à "tribulação". Afinal, isso era bíblico. E ela havia orado por santidade. Mas aquele tipo de "resposta" lhe era alarmante e repugnante.

"Eu desejara o próprio Deus, e ele não apenas não me deu o que pedi, mas também arrancou o que eu tinha. Eu fiquei sem nada, e vazia."[5]

Algumas noites depois — enquanto ainda se recuperava dos acontecimentos bizarros da morte de Don Macario — Betty estava sentada à sua escrivaninha, revisando tristemente suas anotações de linguagem, quando ouviu o som de cascos de cavalo.

---

5 Ibid., p. 127.

Ela pegou a lanterna e correu para fora. Um amigo da cidade de Santo Domingo entregou-lhe um telegrama. Ela rasgou o envelope para o abrir.

Era de Ed McCully. Betty sabia pela correspondência que Jim havia conversado com Ed sobre o casamento em geral e sobre o noivado em particular.

"Jim virá para Quito na sexta-feira", Ed telegrafou. "Venha."

Aquilo só podia significar uma coisa.

Betty entrou em ação. No início da manhã seguinte, cavalgou até Santo Domingo, depois pegou uma carona até Quito em um caminhão de bananas. A jornada de dez horas de solavancos parecia uma eternidade. O motorista a deixou em uma parada de caminhões em Quito, onde ela chamou um táxi e foi para a casa dos amigos onde Jim estava hospedado.

Após anos de discussão, expectativa, dúvida e saudade; após resmas de diários, cartas e orações escritas, a documentação sobre o noivado em si é surpreendentemente escassa. Betty escreveu aos pais:

a. Uma lareira,
b. Um tapete macio no chão à frente dela,
c. O pedido de casamento,
d. O beijo. Sim, absolutamente o meu primeiro. Descrevê-lo? Sim — 'quando maçãs crescerem num pé de jacarandá',
e. A enorme surpresa do anel.[6]

Em seu diário, no entanto, Betty escreveu sobre o beijo: "Ó Deus das estrelas e das flores [...] O alívio de poder falar-lhe de meu amor, de me sentir livre pela primeira vez, é simplesmente indizível. Eu literalmente sofro de amor por ele e anseio pelo dia em que ele será meu marido. Oh, eu quero ser dele. Eu o desejo, e o desejo dele é para comigo — "perfeito amor, além do entendimento".

Jim escreveu a seus próprios pais sobre sua própria alegria com o noivado, com apenas um toque de eufemismo: "Certamente não foi feito com pressa".[7] Ele também escreveu aos pais de Betty, agradecendo-lhes por "trazer Betty ao mundo e edificar nela tudo o que agora a torna uma companheira tão deleitosa com quem posso compartilhar tudo o que tenho". Ele também reconheceu o longo período de incubação de relacionamento deles e agradeceu aos pais dela pela "paciência e sabedoria que vocês demostraram durante todo o caso".[8]

---

6 Carta de EH para "Queridíssimos Pais", 1º de fevereiro de 1953.
7 Carta de JE para seus pais, 2 de fevereiro de 1953.
8 Carta de JE para "Meus queridos Sr. e Sra. Howard", 1º de fevereiro de 1953.

A PRIMEIRA MORTE DE ELISABETH ELLIOT

Jim, sendo Jim, disse a Betty que não tinha certeza de quando seria o casamento. Mas ele sabia de uma coisa: ela precisava aprender quíchua antes que pudessem se casar. Se ela esperasse até que eles se unissem, poderia haver distrações que impediriam o estudo dela, e então ela não conseguiria ser uma parceira completa em seu trabalho.

Ela concordou. Ela estava pronta a pagar qualquer preço por esse homem [...] e quão difícil seria aprender quíchua?

Os próximos dias provavelmente estiveram entre os mais felizes da vida de Betty. Seus registros abreviados no diário apenas dão uma pista da alegria e libertação esmagadoras que ela sentia, depois de cinco anos amando Jim sem poder expressar quase nada *a* Jim.

> 1º de fevereiro: Igreja, partir do pão e HCJB, à noite. O coral inteiro irrompeu, cantando "I Love You Truly" ["Verdadeiramente, te amo"] quando entramos no estúdio![9]
>
> 2 de fevereiro: Transmissão: anunciamos nosso noivado a quem quer que estivesse ouvindo. [Na época, a HCJB tinha uma audiência de milhões de ouvintes em toda a América Latina, nos EUA e muito além.]
>
> 3 de fevereiro: Almoço na bodega [um apartamento que os missionários haviam alugado para armazenar seus volumosos bens e suprimentos vindos dos Estados Unidos] com toda a gangue. McCullys, Cathers, Barbara e Emma, Jim e eu. Jantar na casa de Bill e Marie.
>
> 4 de fevereiro: Jantar na casa de Betty e Joe, com os McCullys.
>
> 5 de fevereiro: Algumas compras e andanças pela cidade; jantar juntos no Wonder Bar; noite na bodega.
>
> 6 de fevereiro: Tarde na bodega; jantar com os McCullys no Colon Hotel. Aperitivos, sopa de alcachofra, filé mignon, purê de batatas, cogumelos, beterraba, cenouras, torta com sorvete, café! [Betty sempre foi boa em relembrar o que tinha comido.]
>
> 7 de fevereiro: Mais compras, cartas escritas, almoço com Arias e, à noite, ficamos de babás enquanto Gwen ia a uma reunião.

---

9   Essas citações, ajustadas e anotadas, são do diário de Betty de fevereiro de 1953.

8 de fevereiro: Jim pregou na igreja, eu cantei, reunião na casa de Gwen; Jim jantou com o comitê do Acampamento de Jovens, me encontrou na bodega, fomos a um segundo culto na igreja e depois voltamos para casa.

9 de fevereiro: Fizemos compras juntos ao longo do dia. Jantar com a família anfitriã de Jim. Correspondência lá de casa. Nossas famílias receberam nossas cartas. Todos ficaram emocionados com a notícia.

10 de fevereiro: Jantamos juntos na bodega perto da lareira. Sanduíches de presunto tostado, sopa de creme de cogumelos, ervilhas, chá.

11 de fevereiro: Fui à bodega por apenas alguns minutos após o jantar. Jim queria ir para casa e escrever cartas. Acabamos em uma colina no topo da cidade.

12 de fevereiro: Dia inteiro em fontes termais com Gwen, Jimmy, McCullys e Emma. Muita diversão. Queimaduras do sol. À noite, bodega novamente, e uma garrafa de vinho.

Sexta-feira 13: Otavalo (uma cidade conhecida por seus têxteis indígenas, vulcões e cachoeiras) com os McCullys. Ficamos no Hotel Imperial. Marilou e eu tínhamos um quarto e os homens, outro.

14 de fevereiro: De volta de Otavalo após um grandioso tempo no mercado. Jim me comprou um lindo cobertor.

15 de fevereiro: O Dr. Fuller me informou hoje que estou com uma lesão tuberculosa num dos pulmões. Jim estava comigo quando ele me contou, e enfrentamos isso juntos. Nunca fiquei tão arrasada por nada em minha vida. Isso pode significar ter de retornar aos Estados Unidos e passar três meses de repouso absoluto. Como posso deixar Jim? Não posso ser um empecilho para ele. Tenho que fazer exames esta semana.

16 de fevereiro: Acordei chorando. Jim e eu recebemos de Dave e Gibby uma carta de congratulações pelo nosso noivado, o que nos fez cair em lágrimas. Mal sabem eles desta última nuvem escura que surge no horizonte.

19 de fevereiro: A 'tuberculose' provou ser apenas uma sombra, a qual desapareceu na terceira radiografia. [Ou havia sido um erro de diagnóstico ou, como Jim acreditava, Deus a tinha curado da sombra em seu pulmão.] Na noite do dia 18, a última que passamos juntos, estávamos na casa da Gwen. Ó paixão

ardente, [...] e às 6h da manhã de quinta-feira, ele entrou no meu quarto no escuro para me dar um beijo de despedida. Foi um dia sombrio sem ele. Oh, Deus! Quanto tempo posso suportar? Eu preciso dele, preciso tanto. E meu anseio por um lar ao lado dele nunca se afrouxa. Como preciso de sua força e amor, seus braços ao meu redor, seu querido rosto contra o meu.

Betty fez a longa e sacolejante viagem de volta a San Miguel. "Ah, como é solitário", escreveu ela depois de chegar. "Não aguento mais. <u>Como</u> posso colocar meu coração e alma no trabalho com os colorados? <u>Como</u> vou aprender quíchua aqui?"

Uma coisa de cada vez. Ela aplicou sua mente formidável à tarefa de completar os alicerces para a tradução do idioma colorado. Com a morte de Don Macario, ela dedicou todo o tempo que podia em contato com todos e qualquer um que pudesse lhe dar um fio de ajuda. Samuel, irmão do líder da tribo, concordou em se encontrar com ela, fazendo-lhe a gentileza de permanecer sóbrio por tempo suficiente, aos sábados, para dar a Betty uma melhor compreensão da língua. Ele era "um índio bonito, mais bem pintado, besuntado e perfumado do que qualquer outra pessoa que eu conheça, e falava espanhol excepcionalmente bem".[10]

Samuel, informante de Betty no idioma colorado, 1953

---

10 Carta de EH para "Queridos Amigos", julho de 1953.

Com a ajuda de Samuel, Betty conseguiu completar um alfabeto fonético de Tsahfihki. Caracteristicamente preocupada com a possibilidade de outras pessoas exagerarem os seus próprios feitos, ela escreveu para amigos: "Agora, por favor, não saiam por aí dizendo que eu 'completei' o alfabeto da língua indígena colorada! Não estou nada satisfeita com algumas de minhas conclusões, pois elas tiveram que ser baseadas em hipóteses em vez de pura ciência em uma instância ou outra".[11]

Aquele material produzido a duras penas poderia ser usado por Doreen, Barbara e quaisquer outros missionários como uma base para entender e se comunicar com os colorados. Linguistas poderiam se basear nele para porventura traduzir o Novo Testamento. Desejando que pudesse ter feito mais, ou melhor, Betty cuidadosamente arquivou toda a sua papelada linguística, cartões, tabelas e anotações, em uma mala, pois seria fácil para outras pessoas acharem tudo em um só lugar. Barbara e Doreen consultavam os materiais com frequência e começaram a progredir um pouco na língua colorada.

No início do verão, Betty se mudou de San Miguel para Dos Rios, uma base missionária da Christian and Missionary Alliance [Aliança Cristã e Missionária] na selva oriental, perto da cidade de Tena. Os missionários de lá graciosamente a convidaram para vir e estudar a língua quíchua.

Ela fez uma imersão entre os falantes de quíchua. Embora não fossem tão coloridos em aparência ou personalidade quanto os colorados, os índios locais estavam dispostos a ajudá-la de todas as formas possíveis. Ela estudou, praticou, ouviu, leu, comeu, bebeu e sonhou em quíchua. Depois do *Tsahfihki*, aquilo foi incrivelmente fácil. Logo ela estava começando a compreender e conversar no novo idioma.

Então, ela recebeu uma carta de Doreen. Ela ansiosamente rasgou o envelope e se sentou atordoada, incapaz de respirar.[12]

Doreen relatou que a bagagem de Barbara havia sido roubada da traseira de um caminhão. Isso incluía a mala de Betty, cheia de seus cadernos manuscritos,

---

11 Ibid.
12 Mais tarde, quando Betty escreveu sobre esses eventos traumáticos, parece que ela os fundiu em nome da clareza e do fluxo narrativo. Em *These Strange Ashes*, ela escreveu que os materiais estavam em uma mala que havia desaparecido do topo de um ônibus, e que recebera a notícia por carta no verão de 1953. Em seus diários e correspondência, no entanto, parece que a carta de Doreen chegou em 7 de abril de 1954, e contava que a mala com todos os materiais linguísticos de Betty havia sido roubada da traseira de um caminhão. De uma forma ou de outra, a perda daqueles muitos meses de trabalho linguístico meticuloso moldou a compreensão de Betty sobre a soberania de Deus pelo resto de sua vida.

caixas de arquivo, tabelas e laboriosas notas linguísticas sobre o idioma colorado. Absolutamente tudo.

Não havia cópia de nada. De uma só vez, tudo o que Betty havia feito em nove meses em San Miguel havia desaparecido. Seu trabalho único e insubstituível decodificando o idioma colorado para uma eventual tradução do Novo Testamento [...] *Não*! Aquilo não podia acontecer. Deve haver alguma maneira de recuperar tudo. Ela relia a carta de Doreen repetidamente, como se o seu conteúdo pudesse mudar numa próxima leitura.

O que Deus estava fazendo? Não fazia sentido. Ele não queria que os colorados tivessem a Bíblia em sua própria língua? Por que ele tão casualmente permitiria a perda de nove meses de trabalho meticuloso por seu reino?

Assim como suas perguntas após a morte de Don Macario, não havia respostas.

Muitos anos depois, Betty se referiu aos primeiros nove meses de sua experiência oficial como missionária no Equador — do final de 1952 até meados de 1953 — como um "ano escolar".

Durante o curso daquele "estudo", ela certamente adquiriu muitas informações novas. Aprendeu dois idiomas. Aprendeu muitas habilidades práticas que eram essenciais para o trabalho missionário.

Porém, aquele ano escolar não era apenas sobre fatos e habilidades. Nele, Deus começou a ensinar-lhe verdades que ela examinaria cada vez mais profundamente nas décadas seguintes, aspectos multifacetados da vontade divina que não podiam ser mapeados, categorizados ou listados em um índice. A vontade soberana de Deus era um mistério que não podia ser dominado, uma experiência que não podia ser classificada, o extraordinário que não tinha fim. Nessa vontade soberana, Deus tecia fios de vida, morte, graça, dor, alegria, humilhação e deslumbre.

Em suma, o "ano escolar" de San Miguel trouxe a primeira de quatro mortes distintas ao longo da longa vida de Elisabeth Elliot, cada uma das quais chegou ao ponto de esmagar a alma dela. A morte de Macario, e o subsequente roubo das notas linguísticas, abriram um rombo decisivo na superfície tipicamente lisa de suas respostas cristãs corretas, ao mesmo tempo que criaram um dilema para a obediente, devota, curiosa e perfeccionista nova missionária. A pergunta "por quê?" não apenas permanecia sem resposta em termos práticos, mas também não podia ser impecavelmente solucionada por um hábil rearranjo dos fatos que produzisse a resposta "espiritual" adequada. Aquela morte, aquela perda, desafiava a fórmula religiosa mais comum: *Bem, tal evento ruim aconteceu para que Deus pudesse fazer x, y e z, muito além do que poderíamos ter pedido ou imaginado.*

É claro que Betty conhecia os gloriosos e estupendos temas da vida superando a morte no final, como no triunfo de Jesus sobre a sepultura. Sua visão do fim da história, do novo céu e da nova terra, da vitória final de Jesus, permanecia inalterada. Mas em sua experiência de vida, esses eventos terrenos específicos simplesmente pareciam um ineficiente desperdício para o reino de Deus, sem nenhuma explicação que pudesse fazer alguém, particularmente Betty, se sentir melhor — que dirá "vitorioso".

Aquela foi para Betty a "lição número um" na escola de pós-graduação da fé: "Minha primeira experiência de ter que me curvar diante daquilo que eu não podia explicar. Normalmente, não precisamos nos curvar. Podemos simplesmente ignorar o inexplicável porque temos outras coisas para ocupar nossas mentes. Varremos para debaixo do tapete. Evitamos as perguntas. Os testes mais severos da fé não vêm quando não enxergamos nada, mas quando vemos uma impressionante série de evidências que parecem provar que nossa fé é vã. Se Deus era Deus, se ele era onipotente, se ele se importava, será que isso teria acontecido? Será que isso que estou enfrentando agora é a ratificação do meu chamado, a recompensa da obediência? Alguém se volta com incredulidade, diante das circunstâncias, e olha para dentro do abismo. Mas no abismo há apenas negrume, nenhuma luz se vislumbra, nenhuma resposta ecoa".[13]

"Levou muito tempo até que eu percebesse que é em nossa aceitação do que é dado que Deus dá a si mesmo. Até mesmo o Filho de Deus teve de aprender a obediência pelas coisas que sofreu. E a sua recompensa foi a desolação, a crucificação."[14]

Amy Carmichael escreveu a respeito de um crente que perguntava a Deus por que as esperanças de alguém se tornariam cinzas. "Mas essas cinzas estranhas, Senhor, esse nada/ Essa sensação desconcertante de perda?", à qual o Senhor pergunta, em troca, "a angústia de me despir foi menor/Sobre a cruz torturante?"[15]

Betty ponderava sobre tudo aquilo. "Podemos aprender a aceitar cada distinta experiência de despojamento individual como um fragmento do sofrimento que

---

13 Elliot, *These Strange Ashes*, p. 125–126.
14 Ibid., 127.
15 Citado em *These Strange Ashes*, 127.

Cristo suportou quando levou tudo sobre si", escreveu ela. "Essa dor, essa tristeza, essa perda total que esvazia minhas mãos e parte meu coração, eu posso, se quiser, aceitar; e, ao aceitá-la, encontro em minhas mãos algo a oferecer. E assim eu dou de volta a Deus, o qual, em misteriosa permuta, <u>dá de si mesmo a mim</u>."[16]

Betty via uma lição semelhante em uma história apócrifa contada sobre Jesus e seus discípulos. Caminhando por uma estrada rochosa, Jesus pediu a cada um de seus amigos que carregasse uma pedra para ele. João escolheu uma grande; Pedro, uma pequena. Todos escalaram um caminho íngreme pela montanha. Enquanto descansavam no topo, famintos, Jesus ordenou que as pedras se tornassem pão. Quando Pedro ficou ainda com fome após comer sua pequena porção, João compartilhou um pouco da sua.

Um tempo depois, o grupo seguiu pelo caminho novamente, e Jesus pediu a cada homem que carregasse uma pedra para ele. Desta vez, Pedro escolheu a maior. Depois de uma longa caminhada, Jesus os levou a um rio e os instruiu a jogarem suas pedras na água.

Eles olharam para ele, perplexos e suados.

Jesus perguntou: "Para quem vocês carregaram a pedra?".

Pelo resto de sua vida, Betty se lembrou das tristes perdas de 1953; elas lhe serviriam de presságio de outras mortes mais terríveis. Mas ela começou a aprender o mistério e o segredo de sua antiga fé: o que importava não eram os desfechos, os resultados inspiradores, a realização pessoal ou mesmo as respostas coerentes. O que importava era obedecer àquele cuja pedra ela carregava.[17]

---

16 *These Strange Ashes*, 127, ênfase acrescida.
17 Deus realiza sua vontade de maneiras misteriosas. Mais de quarenta anos depois, Betty visitou sua querida velha amiga Doreen e seu marido equatoriano, Abdon. Doreen e Abdon ainda estavam trabalhando fielmente com os colorados. Alguns destes se tornaram crentes dedicados e eram membros de uma pequena igreja. O Novo Testamento fora traduzido para o idioma colorado por Bruce Moore e sua esposa, Joyce, tradutores do Summer Institute of Linguistics. Bruce e Joyce ajudaram a discipular líderes colorados dentro da igreja, incluindo um ex-bruxo curandeiro que decidiu seguir a Jesus, com um enorme efeito cascata no resto da comunidade. Depois de uma vida de serviço fiel a Cristo, os Moores faleceram em 2013 e 2014 e agora podem ser encontrados residindo no céu junto com Elisabeth Elliot... e o ex-bruxo curandeiro.

CAPÍTULO 17
FINALMENTE!

"O amor não é tudo: não é carne nem bebida,

Não é abrigo da chuva nem do cansaço, renovo;

No mar tempestuoso, não é bote salva-vidas,

O qual um homem, segurando-o, afunda e emerge de novo;

O amor não pode encher um pulmão de ar,

Não purifica o sangue nem emenda osso fraturado;

Contudo, muitos escolhem a própria morte beijar

Neste exato momento, pela falta de alguém amado.

Pode ser, sim, que em hora de grande dificuldade,

Gemendo pelo livramento, oprimido pela dor,

Pressionado por uma grande e premente necessidade,

Talvez eu seja levado a vender por paz o teu amor,

Ou trocar a memória desta noite por pão.

Poder ser que eu o faça. Estou convencido que não."

— Edna St. Vincent Millay

Enquanto Betty estava em San Miguel, elaborando meticulosas ferramentas de tradução para o *Tsahfihki*, Jim estava trabalhando duro na base missionária da selva oriental em Shandia. Ele havia cortado e aplainado à mão quinhentas peças de madeira, o que representava centenas e centenas de horas de trabalho. Com grandes esperanças, ele havia consertado três construções antigas e construído duas novas na propriedade. Tudo pela obra do Senhor.

Então, no início de agosto de 1953 — mais ou menos na mesma época em que Betty descobriu que seus nove meses de trabalho de tradução haviam sido roubados —, uma chuva começou a cair um dia após o outro em Shandia. O rio abaixo da estação missionária subia cada vez mais alto. Vilas situadas a três horas de distância podiam ouvir o som das águas correndo. Rochas do tamanho de casas inteiras tombavam na feroz correnteza. Árvores inteiras corriam rio abaixo. Vinte e dois índios morreram no acampamento logo abaixo de Shandia. O rio continuava subindo.

Jim, Pete e seus amigos quíchuas trabalhavam freneticamente durante a noite enquanto o rio ameaçava cada uma das construções na comunidade. A casa dos McCullys ficava mais perto da área da enchente, então os homens tiraram dela tudo de valor; camas, móveis, telhas de alumínio e materiais de cozinha. Um índio adolescente arrastou a geladeira. À medida que as águas subiam, ouviu-se um grande *crrrrec*, e a varanda da frente desabou e colidiu com o rio agitado abaixo... seguida pelo resto da casa.

Nas trinta e seis horas seguintes, o grupo trabalhou freneticamente para esvaziar prédio após prédio antes que cada um fosse engolido pelas águas selvagens. Quatro índios saíram durante noite para desenterrar seu pai, a quem haviam sepultado alguns meses antes. Eles o levaram para um local mais alto e o enterraram novamente, pensando que certamente o rio não chegaria tão alto. Mais rápido do que poderiam ter sonhado, o rio subiu e a força do redemoinho arrancou o corpo do pai deles da nova sepultura, arrastando-o abaixo para a inundação.

A certa altura, Jim ficou preso em uma das casas que os trabalhadores estavam tentando salvar; o penhasco abaixo da estrutura deslizou, em câmera lenta, para dentro da água.

"Ele se foi!", os índios gritaram. Mas Jim, com grande presença de espírito, usara um facão para abrir e atravessar o telhado da casa e conseguira rastejar para fora dela antes que tudo caísse no abismo.

Após vários dias de inundações, Jim e Pete dormiram exaustos às 3h da manhã na casa de um índio que ficava longe, bem longe, do rio. Eles acordaram de repente antes do amanhecer; o rio estava subindo novamente.

No final, todas as edificações se foram. Betty, estudando quíchua loucamente em Dos Rios, ouviu as notícias pela frequência de rádio missionária. Ela e um grupo de índios caminharam por horas, passando a noite na selva, e chegaram a Shandia na manhã seguinte. Jim e Pete estavam imundos, exaustos, dormindo em uma tenda, com uma máquina de lavar roupas que haviam resgatado no lamaçal ao lado deles, bem no meio da pista de pouso que se tornara um atoleiro.

Depois de dormirem, comerem, orarem e conversarem, os missionários locais passaram a crer que talvez Deus estivesse indicando, pela enchente

FINALMENTE!

excepcionalmente elevada, que deveriam estabelecer outra base missionária menor em uma nova área. Eles também reconstruiriam a escola, a igreja e os outros edifícios de Shandia. Jim, Ed e Pete foram enviados para "espiar a terra" em uma expedição de canoa de vinte e um dias; eles deveriam sondar os índios nas margens do Rio Bobonaza e ter uma noção das suas necessidades, da sua receptividade e de possíveis locais para evangelização. (A essa altura, Pete havia pedido a sua namorada Olive em casamento, por carta, cerca de cinco semanas após o noivado de Jim e Betty. Pete e Olive se casariam em junho de 1954.)

Ed McCully, Pete Fleming e Jim Elliot, outono de 1953

Na junção dos Rios Pastaza e Puyo — um lugar chamado Puyupungu — um índio com quinze filhos implorou que os homens viessem morar entre eles e estabelecessem uma escola. Aquele tipo de abertura, ainda mais um convite vindo de um líder da tribo, era sem precedentes. Jim, Pete e Ed concordaram que deveriam aceitar o pedido. Mas Ed e sua esposa, Marilou, iam reconstruir Shandia, e precisavam da ajuda de Pete lá. Então, que casal missionário poderia estabelecer a nova missão em Puyupungu?

Ed e Pete olharam para Jim e ergueram as sobrancelhas.

"Então", disse Jim enquanto contava a Betty sobre a expedição e as conclusões de seus amigos. "Quão rápido você pode se casar comigo?"

O tão esperado evento ocorreu às 9h30 da manhã do dia 8 de outubro de 1953, em Quito. Era o vigésimo sexto aniversário de Jim. Nem ele nem Betty tinham qualquer interesse em um casamento "convencional" com cetim branco, lantejoulas, longas entradas dramáticas ou marcha nupcial. Ainda assim, alguns meses antes, a implacavelmente frugal Betty escreveu para sua mãe que, por acaso, ela trouxera dez metros de organdi suíço branco quando veio pela primeira vez ao Equador, para fazer *cortinas* — por que não o usar para fazer um vestido longo de noiva, algo muito simples, com uma saia cheia, mangas compridas e cintura estreita? Ela talvez acrescentasse "o adereço de cabeça mais simples possível — nada de véu". Daquela forma, ela eliminaria "toda fanfarra e tolice, economizaria uma grande quantidade de despesas e ainda usaria um vestido branco".[1]

Porém, quando o grande dia chegou, Betty estava vestida com um terninho comprido. Jim escreveu em seu diário: "Nós nos casamos sem alarde no Registro Civil" em uma "sala encardida, de pé-direito alto, em um antigo edifício colonial", por "um funcionário apropriadamente solene que lia, apressado e monótono, várias páginas de espanhol, pontuadas aqui e ali pelo nosso '*si*'".[2]

O Dr. e a Sra. Tidmarsh serviram como testemunhas oficiais; Ed e Marilou McCully eram os únicos convidados. "Assinamos nosso nome em um imenso livro de registros e nos tornamos marido e mulher", concluiu Jim. A cerimônia, a culminância de anos de anseio angustiado, levou menos de dez minutos.[3]

De lá, o novo casal levou seus amigos ao Hotel Colon para tomar café e comer bolo. De alguma forma, Jim havia juntado dinheiro suficiente para seis dias de extravagância no El Panama, então o hotel mais luxuoso da América Latina. Os Elliots então voaram do Panamá para a Costa Rica, aparecendo casualmente onde Dave e Phyllis, o irmão de Betty e sua esposa, estavam servindo como missionários — surpreendendo-os ao ponto de entrarem em colapso. Por fim, eles voaram para Quito para comprar suprimentos para seu trabalho de evangelização pioneira em uma área intocada na selva oriental do Equador: *Puyupungu*, traduzido grosseiramente como a "boca da nuvem".

---

1 EE para "Queridíssima Mãe", 17 de março de 1953.
2 Elisabeth Elliot, *Shadow of the Almighty* (New York: Harper, 1958), p. 212.
3 Ibid., 212.

FINALMENTE!

A vida de casados oficial de Jim e Elisabeth Elliot começou em um ninho de amor tão incomum quanto sua história de amor. Para chegar a Puyupungu, eles fizeram uma viagem selvagem pelo Rio Pastaza, liderada por índios que habilmente conduziam as grandes canoas através de corredeiras incríveis a cada 120 metros. Os índios desciam das canoas, com a água até a cintura, arrastando-as e empurrando-as sobre, ao redor e através das rochas.

"Nós passávamos crepitando através de uma estreita passagem nas pedras, éramos jogados no poço abaixo da corredeira e conseguíamos voltar a ziguezaguear a poucos centímetros de um muro de pedra sólida na nossa frente", relatou Betty. "No meio de uma corredeira muito perigosa, nosso *puntero*, o homem que rema na posição da frente, quebrou seu remo e, com uma habilidade magnífica, conseguiu guiar a canoa com o próprio pé enquanto ela deslizava descontroladamente pelas rochas."[4]

Todos os pertences dos recém-casados — quase quinhentos quilos, incluindo um fogão, um tambor de aço, cama, baú, banheiras, um espremedor de mão, ferro e tábua de passar a gás, mesa, cadeiras, uma barraca de quarenta e cinco quilos, chaminé de fogão, sacos de farinha, açúcar, sal, arroz, feijão — todos, embora selados em sacos de borracha e cobertos de plástico, acabaram encharcados. Mas nada se perdeu. Os Elliots chegaram perto da foz do rio por volta do pôr do sol. Atanasio, o chefe da tribo que convidara os missionários, e várias canoas cheias de amigos apareceram como uma flotilha. Eles pararam, sorrindo e gritando para Jim: "Olha só! Você é um homem de palavra!" e os guiaram no caminho em direção ao seu assentamento.

As canoas rasparam sobre a praia arenosa. Betty olhou para os penhascos acima para ver a família de Atanasio — "duas esposas e um verdadeiro batalhão de crianças, espiando timidamente através das árvores".[5]

As crianças correram pela trilha íngreme, pegaram caixas, pacotes, panelas e sacolas das canoas e subiram a colina para empilhá-las na nova casa dos Elliots: uma estrutura de madeira podre e cheia de baratas usada pelo padre católico quando visitava os índios Puyupungu uma vez por ano. Não era o sonho de infância de Betty, de viver em uma cabana na África mais profunda, mas era primitivo o suficiente para se encaixar no perfil.

---

4 EE para "Queridíssima Família", 19 de novembro de 1953.
5 Elliot, *Shadow of the Almighty*, p. 214.

Os índios forneciam a Jim e Betty madeira, água, ovos frescos, mamão, peixe defumado e banana-da-terra. Jim e Betty realizaram uma reunião de "igreja" quase imediatamente. Dez adultos e um bando de crianças vieram, prontos para ouvir. Quase no mesmo dia, Lucas, um índio que os Elliots trouxeram de Shandia, começou uma nova escola cristã, com sete pupilos matriculados.

Depois de alguns dias úmidos na cabana mofada das baratas, os Elliots foram promovidos para uma pequena tenda em que mal cabia a sua cama de solteiro inclinada, o que lhes dava a cruel garantia de que pelo menos um deles se molharia quando chovesse. Às vezes, eles discutiam sobre qual dos dois seria. Fora da tenda, Betty tinha uma pequena cozinha: um telhado feito de pequenas chapas de alumínio para proteger seu pequeno fogão, enferrujado e amassado das viagens, no qual a esposa de primeira viagem assava pãezinhos para o desjejum da primeira manhã. Havia uma latrina, povoada por toda sorte de criaturas rastejantes, a alguns quilômetros de distância.

De sua residência no topo do penhasco, Jim e Betty podiam ver El Sangay, à época o vulcão mais ativo do mundo. "Ele cospe fumaça quase o tempo todo e muitas vezes, à noite, vomita enormes pedregulhos vermelhos que rolam pelas laterais", escreveu Betty. À sua direita estava o "cume de neve mais magnífico [do Equador], El Altar" e, à direita daquele, "outro vulcão ativo, Tungurahua, a montanha que causou o terrível terremoto em 1949".[6] Quilômetros de selva ondulante, montanhas, pores do sol, rio: a paisagem era tão selvagem e dramática quanto a aventureira Betty poderia jamais ter desejado.

O piloto missionário Nate Saint entregava suprimentos e correspondências de vez em quando, ao mesmo tempo que Jim e os índios trabalhavam para limpar uma pequena pista de pouso. Betty mandava fotos para casa. Sua mãe inexoravelmente atenciosa (muitas vezes perguntando-se por que não recebia mais cartas, ou se Betty estava cansada das cartas que ela mesma mandava) reagia a cada detalhe. Nesse subtexto, pode-se sentir a tensão que às vezes marcava o relacionamento delas. "Lamento que não goste do penteado, Mãe. Nem eu. Estou desesperada com este problema de cabelo na selva. Permanentes deixam o cabelo frisado; se deixo o cabelo liso, parece uma vassoura."[7]

---

6 EE para "Queridíssima Família", 19 de novembro de 1953.
7 EE para "Queridíssimos Pais", 5 de dezembro de 1953.

FINALMENTE!

Jim na cabana, 1954

A mãe insistiu, então Betty respondeu: "Por que não uso meu cabelo [em um certo] estilo? Não é longo o suficiente e, além disso, meu rosto é muito redondo. Não bastasse isso, nenhum chapéu caberá em uma cabeça com esse estilo de cabelo (não que chapéus estejam em voga em Puyupungu!)".[8] "Seu próximo comentário — eu pareço tão magra. Eu não perdi um único quilo desde que a senhora me viu. [...] Eu peso [...] o mesmo que tenho pesado nos últimos doze anos. É o penteado."[9]

Crises capilares não eram o único desafio da selva. Jim matou uma tarântula perto da cama inclinada deles. Seu corpo era do tamanho de um rato; suas pernas, grossas e peludas, tão grandes quanto a envergadura da mão de um homem. Uma noite, Betty acordou sentindo algo frio e úmido nas costas nuas, estendeu a mão e achou uma minhoca longa e pegajosa. A tenda vazava a noite toda, mas apenas quando chovia, o que acontecia quase todas as noites.

---

8 EE para "Queridíssima Família", 17 de dezembro de 1953.
9 EE para "Queridíssimos Pais", 5 de dezembro de 1953.

Os índios traziam de presente coxas de tatu, pato selvagem e flancos de capivara (um roedor de tamanho incomum). No forno, na panela de pressão e em água fervente, Betty cozinhava praticamente qualquer coisa, grata pela generosidade dos índios.

Ela também bebia o que eles bebiam. Chicha. Os índios colhiam raiz de mandioca, dividiam-na entre si e todos se sentavam em torno de uma tigela de madeira no chão, mastigando mandioca e depois cuspindo numa tigela compartilhada. Quanto mais tempo o líquido descansava ali, mais forte era a fermentação.

Betty e os outros missionários tinham a ousadia de bebê-la antes que o teor alcoólico aumentasse muito. "Ao mesmo tempo que lhe entregam a cuia na qual se bebe, a mulher índia coloca a mão dentro dela, dá um aperto macio no chumaço de polpa de mandioca, e depois o coloca em seus lábios. É um fluido leitoso, com grumos e fibras, um gosto muito azedo, para não falar da ideia estética que eu, pelo menos, não consigo esquecer! [...] [Mas] é o costume, e seria uma séria ofensa recusar."[10]

Um dia, em dezembro, Jim e um amigo estavam carregando um longo caule de palmeira pela floresta, quando Jim tropeçou e caiu em um lamaçal escorregadio na beira da trilha. Ao cair, uma vara afiada o perfurou sob o braço esquerdo. O corte expôs músculos e tendões e sangrou profusamente. Se a vara, grossa e semelhante a uma lança, tivesse perfurado seu peito, aquilo o teria matado.

Porém, em dezembro de 1953, ainda não era a sua hora.

"Somos muito gratos pelos anjos da guarda", concluiu Betty.[11] À medida que o Natal se aproximava, Jim contou às crianças da escola a história bíblica da vinda de Cristo. "Alguns dos índios que moram rio acima virão, e será a primeira vez que ouvirão por que os brancos celebram o Natal."[12] No dia seguinte, Jim e Betty deixaram Puyupungu para se juntarem a seus companheiros missionários em Shell para sua própria celebração. Eles deixaram seus pertences aos cuidados de Atanasio. "Confiamos 100% nos índios e não nos preocupamos com eles de maneira nenhuma, mas há pessoas brancas que passam por lá ocasionalmente."[13]

O caminho lamacento era profundo; os rios, espumantes; os penhascos, íngremes e escorregadios. Depois de uma árdua caminhada de dez horas, Jim e

---

10 EE para "Queridos Pais", 13 de março de 1954.
11 EE para "Queridíssima Família", 17 de dezembro de 1953.
12 Ibid.
13 Ibid.

FINALMENTE!

Betty chegaram a uma pequena clareira, e lá estava Marj Saint, esposa do piloto Nate Saint, como um sublime anjo da trilha e de nome muito apropriado. Ela estava esperando por seus amigos exaustos com uma caminhonete, coca-colas geladas e generosas e bem recheadas fatias de bolo de chocolate que acabara de sair do forno.

A cidade de Shell, às margens do Rio Pastaza, nos limites da floresta amazônica, havia sido estabelecida em 1937 como base para a companhia de petróleo Shell. O governo equatoriano estava empolgado para ver a mata virgem se abrir para um possível desenvolvimento e receber infraestrutura de transporte. Concedeu à Shell permissão para estabelecer uma base em um território remoto que era ambiental e sociologicamente hostil. A empresa construiu estradas, abriu caminhos explodindo rochas de granito e limpando pântanos. A Shell construiu pequenas casas, cabanas de estocagem e uma pista de pouso de 1.500 metros.

Mas em 1949, índios da selva como os waorani haviam matado trabalhadores da Shell em demasia. Com um foco crescente no petróleo de outros lugares, como o Oriente Médio, a Shell Oil abandonou seus esforços naquela parte do Equador.

A recém-formada Mission Aviation Fellowship [Associação de Aviação Missionária] aproveitou o acesso rodoviário de Shell a Quito, bem como sua pista de pouso, e fez do posto avançado sua base de operações para o ministério na selva. Outros ministérios, como a Gospel Missionary Union [União Missionária Evangélica], beneficiaram-se com a retirada da Shell, comprando edifícios e terras da Shell para usar no ministério. A antiga cidade petrolífera se tornou um centro de atividades missionárias em meados do século XX.

Nate Saint servira nas forças armadas durante a Segunda Guerra Mundial, recebendo treinamento de voo através do Army Air Corps [Corpo Aéreo do Exército]. Após sua dispensa em 1946, ele estudou no Wheaton College por um semestre, mas estava ansioso para chegar ao campo missionário. Ele ingressou na Mission Aviation Fellowship em 1948, quando, junto com sua esposa, Marj, se estabeleceu em Shell. A casa que eles construíram ali se tornaria o Centro de Controle da Missão para muitos missionários da selva de várias denominações.

Quando Nate e Marj chegaram a Shell em 1948, cerca de doze missionários serviam em seis estações na selva. (Até o final de 1954, haveria vinte e cinco missionários em nove estações.)¹⁴ Enquanto Nate voava, levando suprimentos para esses missionários dispersos que evangelizavam grupos populacionais dispersos, Marj Saint era o seu extremamente bem-organizado elo de uma pessoa só ali na base. (Nate a chamava de sua "parceira com um cérebro de arquivo ambulante".)¹⁵

Vestida com o habitual traje feminino de meados do século — um vestido bem engomado, cabelos encaracolados e arrumados e um grande sorriso —, Marj sentava-se diante dos equipamentos de rádio de Nate e passava o dia todo nas ondas de ar. Nate ligava com relatórios de progresso e condições climáticas; ela passava suas informações para os vários postos missionários. Ela também transmitia notícias rápidas do dia e pedidos de oração; a mulher da tribo morrendo no parto, o homem na trilha mordido por uma víbora, a necessidade de evacuar um menino desesperadamente doente.

Enquanto os Elliots descansavam, riam e aproveitavam o Natal com a família Saint, Betty escreveu para a família. "Estou mais feliz do que jamais fui em minha vida e muito grata a Deus. Não posso pedir nada mais do que o que o Senhor me deu, mostrando-me sua vontade, guiando-me e me dando Jim."¹⁶

Mas de volta à selva, no início de 1954, Betty *pedia* a Deus mais uma coisa. Os Elliots pararam de usar controles de natalidade, e Betty ansiava por conceber uma criança. Ela ansiava por um menino, anotando em seu diário suas esperanças e decepções em relação à gravidez.

Jim ocupava seus dias aconselhando os jovens de que era mentor e gerenciando e trabalhando em projetos de construção, como uma cerca para evitar que as vacas vagueassem pela nova pista aérea. Ele resolvia conflitos entre índios quíchua, os quais, embora normalmente impassíveis e tranquilos, podiam explodir em violência brutal se sentissem que alguém havia violado seus direitos. Betty às vezes lamentava que Puyupungu ainda não fosse exatamente uma igreja do Novo Testamento, na qual os membros eram compassivos e perdoavam uns aos outros. Aquilo só poderia vir com graça — e tempo.

Betty escreveu com admiração sobre a paciência, sabedoria e bondade de Jim. Conhecendo seu amor por flores, ele plantou meia dúzia de variedades de

---
14 Russell Hitt, *Jungle Pilot* (Grand Rapids, MI: Discovery House, 1959), p. 160.
15 Ibid., legenda na seção de fotos.
16 EE para "Queridíssimos Pais", 5 de dezembro de 1953.

orquídeas para ela, cuidando delas com grande interesse. Ele era leve, alegre e maduro, embora "apenas infantil o suficiente para ser muito divertido". Parecia que ele estava em seu hábitat natural, e Betty escreveu sobre si mesma: "Ninguém poderia pedir mais da vida do que ser amado como eu sou amada".

Logo Atanasio convidou Jim para se tornar o "chefe" em Puyupungu. Jim poderia ficar com a nova canoa que ele acabara de fazer, e os outros índios ficariam felizes em manter os Elliots abastecidos de comida. Ele estava tão grato por eles terem vindo. "Antes", disse Atanasio, "eu vivia como um burro. Não sabia de nada.[17] [...] Agora, ouvindo seus ensinamentos, foi como ter acordado. Antes, o padre costumava vir apenas três dias por ano. Ele fazia algumas missas, rezava algumas orações, cobrava-me quarenta sucres, e então... zap! Para longe ele ia, de volta para Puyo... Como alguém pode aprender alguma coisa em três dias por ano? Queremos que você fique para sempre".[18]

Na Páscoa, Jim escreveu para sua família que Atanasio lhe havia dito que, embora fosse velho — cerca de quarenta e sete anos —, seus olhos estavam começando a se abrir para a fé. Um bebedor inveterado, ele vivera "como um burro e um selvagem" até agora. "Oramos fervorosamente por sua conversão", escreveu Jim. "Orem para que a família aceite de todo o coração o reinado de Cristo e que o trabalho se espalhe para os outros índios que moram a um ou dois dias de distância, longe demais para que os alcancemos por enquanto."[19]

"Eu realmente amo este lugar", escreveu Betty. "O Senhor nos deu tanta felicidade aqui. [...] Os índios são tão gentis e atenciosos. [E]les me presentearam com meia dúzia de ovos e, quando Atanasio voltou de uma viagem de caça, mandou cerca de cinco ou seis quilos de anta defumada! Oh, que eles possam conhecer a Cristo! Senhor, mais uma vez os trago a ti."

Em abril, o pai de Jim chegou do Oregon — tendo passado uma semana em Quito para receber seus equipamentos e ferramentas de construção através da alfândega — para ajudar em várias obras, tanto no posto avançado de Puyupungu quanto na reconstrução da base de Shandia. Ele ficou "boquiaberto" com a selva. "Papai não consegue parar de se impressionar", escreveu Betty, "balançando a

---

17 É interessante que Atanásio, que não sabia nada da Bíblia na época, basicamente citou o Salmo 73.22 em sua descrição de si mesmo sem Deus. "Eu estava embrutecido e ignorante; era como um irracional à tua presença" (Sl 73.22).
18 Citado em EE para "Queridíssimos Pais", 15 de abril de 1954.
19 Elliot, *Shadow of the Almighty*, p. 214.

cabeça constantemente, dizendo: 'Meu Deus, ó meu Deus, ó Deus. Que país. Que país. Bem, pelo amor de tudo! Você já? Eu nunca. Você não está falando sério? É mesmo? Meu Deus, ó meu Deus, ó Deus'".[20]

Um dos índios, Ushpalito, matou um tatu e o trouxe para Betty. "Papai Elliot estava aqui", escreveu Betty, "e não tenho certeza se ele ficou apetecido com a coxa que lhe servimos, com pé, garras e tudo, mas ele comeu bravamente! A carne se parece com frango" — é claro — "mas depois de eu ter que limpar e tirar a carcaça da besta, a carne perdeu algo de seu apelo para mim".[21]

No final de junho de 1954, Jim e Betty fizeram uma pequena cerimônia de "formatura" para as crianças da escola e seus pais em Puyupungu. Eles, ou outros missionários, dariam sequência ao trabalho mais tarde. Por enquanto, porém, os Elliot precisavam estar em Shandia para que Jim e Ed McCully pudessem trabalhar em tempo integral em projetos de construção com o pai de Jim, antes que ele tivesse de retornar aos EUA.

Jim e Betty moravam em uma pequena casa de bambu que Pete Fleming construíra. Pete deixara o Equador para se casar com sua graciosa noiva, Olive. Eles voltariam dos EUA em setembro para estudar idiomas em Quito.

A bênção adicional pela qual Betty havia orado se concretizou. No final de julho, Betty escreveu em seu diário: "Tenho certeza de que estou grávida. Jim e eu estamos tão felizes com isso [...] pedimos a Deus um filho e ele me tem dado versículos que me asseguram de que ele concedeu o que pedimos".

Jim passava seus dias em trabalhos de construção pesados e exaustivos. Ele limpou a selva, arrastou areia e pedras, despejou concreto e supervisionou outros trabalhadores. Trazendo uma jarra de limonada gelada no meio da tarde, Betty o encontrava parado ao lado da pequena batedeira de cimento, sem camisa, bronzeado e brilhando de suor enquanto levantava baldes de areia e dirigia os índios que estavam trabalhando com ele.

Ele voltava para a casa dos McCully perto do pôr do sol e se banhava nas águas frescas do rio antes do jantar. Ele e Betty passavam as noites escrevendo cartas, discutindo questões de tradução, preparando estudos bíblicos ou conversando com os McCullys. Era uma época simples, e Betty e Marilou sorriam ao ver seus maridos trabalharem juntos. "Suas mentes se encontravam, ao que

---

20 EE para "Queridíssimos Pais", 8 de maio de 1954.
21 EE para "Queridíssimos Pais", 30 de maio de 1954.

FINALMENTE!

parecia, em quase todos os pontos", escreveu Betty, "e eles descobriram que a antiga irmandade de Wheaton [...] não havia perdido nada de sua alegria; na verdade, trabalharem juntos no campo missionário havia fortalecido imensamente o vínculo".[22]

Claro, o progresso em qualquer campo missionário é muitas vezes tênue. Betty lamentava o modo como Satanás podia usar velhas táticas e velhas tentações para afastar a população local de Jesus. Uma noite, Jim e Betty foram convidados para uma festa e, embora tenham chegado bem cedo nos trabalhos, os índios estavam em estado muito pior que os normal. "Todas as mulheres, assim como os homens, estavam completamente bêbadas, cambaleando, tentando manter o equilíbrio com bebês amarrados em volta dos ombros [...] homens deitados gemendo e chorando, mulheres cambaleando com blusas encharcadas de licor e cabelos escorrendo."

Embora Jim às vezes tivesse tido conversas decentes com homens que estavam bebendo, uma vez que o álcool os deixava mais abertos, aquela noite em particular foi muito além do ponto. Ele apartou algumas brigas, protegeu várias mulheres que estavam sendo arrastadas pelos cabelos e ajudou o melhor que pôde.

Vários índios decidiram levar uma briga para a frente da casa dos Elliots. "Jim também conseguiu mediar as dificuldades ali", relatou Betty em uma carta para a família. "Vocês nunca ouviram tamanha algazarra. Cães latindo, crianças gritando, mulheres berrando e puxando os braços e as pernas dos lutadores, homens xingando e rugindo um para o outro [...] aquilo me fez sentir como se o próprio Satanás estivesse no meio deles."[23]

Enquanto isso, Betty mantinha uma contagem de "baixas" missionárias que havia começado a trabalhar no campo com grandes esperanças, mas retornaram aos EUA. Alguns voltaram para se casar ou tiveram problemas de saúde, mas havia muitos casos de "ataques de nervos" ou desafios psicológicos. A certa altura, Betty contou trinta e quatro missionários que tiveram que deixar o campo. Se ela e Jim fizessem isso, "não consigo imaginar o que faríamos nos Estados Unidos", ela escreveu. "Este é o lugar para onde Deus nos enviou, e é a este lugar que pertencemos."

---

22 Elliot, *Shadow of the Almighty*, p. 220.
23 EE para "Queridíssima Família", 29 de novembro de 1954.

Em seu aniversário e no primeiro aniversário de casamento deles, 8 de outubro de 1954, Jim escreveu uma breve carta aos pais de Betty, concluindo: "Esta noite se completa o ano mais feliz da minha vida [...] [Betty] tem sido tudo e muito mais do que eu jamais quis em uma esposa, e louvo a Deus por ter nos guiado um ao outro".[24]

A gravidez de Betty se confirmou durante o verão, mas ela esperou até o outono para compartilhar a notícia com a família que estava em sua terra natal. Previsivelmente, aquilo feriu os sentimentos de sua mãe.

"Eu a amo muito, mãe, e peço mil desculpas por não ter contado antes sobre minha gravidez", Betty escreveu. "Acabamos de receber uma carta da Mãe E[lliot] nos dizendo o quão empolgada ela está com isso. [...] Ela disse que não contou à própria mãe até chegar ao quinto mês, e quando finalmente o fez, sua mãe não acreditou nela! [...] Bem, tenho certeza de que a senhora não teria feito isso, então eu certamente deveria ter lhe contado."[25]

Betty escreveu tristemente em seu diário. "Mamãe é uma mulher maravilhosa, maravilhosa, e nunca poderei ser grata o bastante por ela! Oh, que eu possa mostrar meu amor por ela. De alguma forma, está além de mim." Ela passou a se sentir melancólica com o fato de seus pais estarem envelhecendo e escreveu para sua mãe: "Deve ser uma dor incalculável para você e para o papai terem uma filha tão distante e envolvida em si mesma e em seu próprio mundinho quanto eu".[26]

Tendo se desculpado profusamente, Betty observou que ela estava, como de costume, "repugnantemente saudável". Ela e Jim decidiram que queriam manter as coisas simples. "Concordamos que o bebê não vai mandar na casa. Blocos, brinquedos, lixo, canetas de brincar, balanços, garrafas, carruagens, potes, chocalhos dominando todos os cômodos... Na verdade, não vamos dar à criança nenhum brinquedo comprado! Não soamos exatamente como todo pai de primeira viagem?"

No final de outubro, Jim e Betty se mudaram para uma nova casa em Shandia. (Os recém-casados Pete e Olive continuariam o trabalho em Puyupungu.) Jim, um desenhista talentoso, havia esboçado croquis arquitetônicos detalhados, e ele e sua equipe de construção trouxeram os planos à realidade. O local poderia

---

24 JE para "Queridos Pais", 8 de outubro de 1954.
25 EE para "Mãe", 19 de novembro de 1954.
26 EE para "Queridíssima Mãe", 11 de dezembro de 1954.

FINALMENTE!

servir como um espaço para reuniões, bem como um lar sólido e expansível para o que ele esperava ser sua família em crescimento. Tinha quatro quartos, um banheiro, uma grande cozinha, sala de jantar, sala de estar e várias varandas: muito diferente da cabana de baratas ou da tenda furada em Puyupungu. Ele colheu madeiras nobres e escuras da selva e amorosamente construiu à mão uma mesa lisa, estantes de livros, armários e uma mesa de centro criada a partir de uma única tora torneada de uma árvore enorme.

Casa dos Elliots em Shandia, 1954

Em uma incursão na selva, uma cobra esguia e mortal estava pendurada em um galho de árvore logo acima da trilha. Os índios — em geral, extraordinariamente alertas para tal perigo — não a viram. Jim, vestindo uma camisa de mangas compridas, mas arregaçadas nos antebraços, seguia logo atrás. Ao passar por baixo dela, a cobra surgiu como um raio e atingiu seu braço — bem na parte grossa e enrolada da manga. As presas não penetraram. Os homens seguiram em frente.

"Agradecemos ao Senhor por suas promessas de que nenhum mal pode nos tocar sem sua permissão", concluiu Betty.

Ela se concentrava nos atenciosos detalhes organizacionais de Jim em sua nova casa, maravilhando-se com o armário de roupas de cama, as prateleiras personalizadas que tinham as larguras certas para seus vários tipos de enlatados, a inteligente fruteira com gavetas com fundo vazado, bem como os luxos como as janelas com telas e o amplo espaço de armazenamento. Ela adorava os toques de decoração dos anos 1950, como sua colcha de chenile rosa escuro, o tapete de pelo de cabra branca e as cortinas — um padrão de folhas grandes e tropicais em "dubonnet, rose e chartreuse".[27]

Antes que se entusiasmasse demais com aqueles detalhes, no entanto, Betty se conteve:

> [...] quando olho para esta bela casa, com todos os seus confortos e conveniências, fico meio assustada. Mas tenho que lembrar que o Senhor nos deu, sem que tenhamos buscado ou pedido, e tenho lhe pedido que a use para si mesmo como bem quiser. Mas a tentação de ser cobiçosa em relação a tudo isso — de querê-la para mim mesma e temer que algo lhe aconteça — é perigosa. Não é fácil segurar as <u>coisas</u> sem apertar demais a mão. Tão logo as temos, queremos mantê-las.[28]

A vida de uma pessoa, no entanto, não consiste na abundância de bens, ela concluiu. Ela seria lembrada dessas palavras quando voltasse a Shandia para morar naquela casa novamente.

Porém, por ora, ela estava extremamente grata. Deus deu aquilo "para nós, e é tudo dele", escreveu em seu diário perto do final de 1954. "Quero que seja usado por amor ao seu nome e seja um lugar de paz para o povo do Senhor, bem como um farol para aqueles que vivem ao nosso redor. Será que vamos passar o resto de nossa vida aqui? Sonho com ela se enchendo de crianças e convidados — Senhor, que seja assim."

---

27 EE para "Queridíssima Família", 28 de outubro de 1954.
28 Carta da EE para a família, 8 de novembro de 1954.

CAPÍTULO 18
NA COMPANHIA DOS SAINTS

"Quando todas as outras dádivas de Deus não puderam prevalecer, ele finalmente fez uma dádiva de si mesmo, para testificar de sua afeição e conquistar a deles."
— Henry Scougal

Em fevereiro de 1955, os Elliots e seus obreiros quíchuas realizaram uma conferência em Shandia. Ed e Marilou McCully, assim como Pete e Olive Fleming, vieram ajudar Jim e Betty. Foram vários dias de palestras, com a presença de setenta a cem índios. Houve observadores também — índios que vinham para zombar ou porque estavam curiosos.

Os espectadores assistiram enquanto um grupo de crentes se reuniu na sala de aula para celebrar o partir do pão (comunhão). Uma pequena mesa estava no centro da sala simples, com seu telhado de palha e bancos sem encosto. Os índios se reuniram em silêncio e se sentaram, descalços e reverentes, em torno de um pão e um cálice de vinho. Um por um, os jovens participaram. Eles terminaram a reunião cantando sobre o retorno final de Jesus: *"kirikgunaga, kushiyanguichi — Cristo shamunmi!"* "Fiquem felizes, crentes — Cristo está voltando!".

Os missionários todos continuavam a trabalhar na tradução das Escrituras para o quíchua das planícies, uma vez que ainda não existia uma Bíblia nessa língua. Jim estava ansioso para que os índios em Shandia aprendessem a estudar as Escrituras por conta própria. Ele buscava treiná-los com um método de estudo bíblico que pudessem seguir quando nenhum missionário estivesse lá. Ele havia encontrado vários jovens crentes que mostravam discernimento espiritual e dons de ensino, e os treinou para se encarregarem das reuniões de adoração; tudo, desde liderar o canto até pregar um sermão.

Na época, era uma novidade para os índios ver um deles lá na frente. "Para eles, o evangelho era para *gringos* e apenas para pessoas instruídas. Um pregador índio? Absurdo!"[1]

Jim lhes mostrou na Bíblia que Jesus não escolheu bacharéis em teologia como seus discípulos. Seus primeiros seguidores eram trabalhadores comuns, das mesmas camadas da sociedade que os ouvintes deles. Não havia dicotomia entre clérigos e leigos. Jim determinou que em Shandia também não haveria. "Se os índios vinham às reuniões apenas para ouvir um estrangeiro, era até melhor que não viessem. Eles devem ver que a Palavra escrita é o oráculo de Deus — independentemente de quem a esteja pregando — ou o missionário trabalha em vão."[2]

E a igreja indígena, é claro, não poderia ser comparada aos padrões culturais da América dos anos 1950. Era muito menos abotoada.

Um dia, Betty olhou em volta durante o culto. O menino que liderava o canto estava vestido com uma camiseta de listras horizontais vermelhas e verdes, com uma jaqueta de cetim rosa e verde por cima. Três meninas se sentavam com as pernas enroladas em uma anágua laranja virada do avesso, para proteção contra moscas. Um dos homens mais velhos usava chapéu de feltro, cachecol de lã vermelha, casaco e calças, mas de pés descalços. Outro usava a camisa de um pijama de rayon azul e branco, bem ensacada nas calças. Outro usava apenas meias, sem sapatos, com as calças enroladas por dentro das meias. Nem um chapéu, gravata, paletó ou vestido à vista.

Ah, pensou Betty, ao notar sua própria reação condicionada. "As pessoas julgam pela aparência exterior, mas o Senhor olha para o <u>coração</u>."

Após a conferência quíchua, Jim e Betty foram para Shell. Jim tinha de ajudar na construção de um hospital que seria edificado em terras que Nate Saint havia comprado com o objetivo de servir os vários povos da selva. Betty, no final da gravidez, ficou de repouso na casa dos Saints. Ela escreveu em seu diário: "Tenho certeza de que tenho dificultado a vida do querido Jim. Não lhe tenho sido de nenhuma ajuda — espiritual, moral ou de qualquer outra forma que devesse ajudá-lo, e tenho me queixado muito da minha condição pessoal. Ele é um marido tão bom para mim, muito solidário e atencioso. Tenho vergonha de mim mesma. [...] Sinto uma verdadeira sensação de indignidade e responsabilidade.

---

1 Elisabeth Elliot, *Shadow of the Almighty* (New York: Harper, 1958), p. 223.
2 Ibid.

O casamento lhe tem custado muito, receio. A culpa é minha". Hoje, a casa de Nate Saint em Shell, Equador, é um destino turístico. Cristãos de todo o mundo vêm ver o lugar onde o célebre piloto missionário iniciava seus voos para a selva. Vários cômodos são preservados basicamente como eram em 1955 e 1956, quando a casa era um ponto de encontro para missionários entrando e saindo de várias bases missionárias na selva.

O "museu" de hoje, no entanto, não consegue capturar o dinamismo da casa de Nate Saint quando estava cheia dos santos Saints. Betty se maravilhava com a flexibilidade de Marj: "Marj é [...] imperturbável, sempre pronta para alimentar duas ou vinte pessoas por refeição, e não parece importar se ela fica sabendo cinco minutos antes ou não". E a empenhada Marj não queria que os convidados fizessem uma refeição leve. "Os missionários geralmente estão com fome", dizia ela. "Então, eu apenas planejo o que as pessoas normais comem e, em seguida, dobro a quantidade."[3]

Em meados dos anos 1950, Nate escreveu: "Nossa família tem ocupado apenas um quarto. [Nossa filha] Kathy agora dorme em um catre num armário debaixo da nova escada que corta um canto do nosso quarto. Recentemente, tivemos dezenove pessoas hospedadas conosco numa mesma noite, [...] missionários estrangeiros, trabalhadores nacionais, um professor e família, e alguns índios! Acredito sinceramente que alguém poderia contar nos dedos de duas mãos os dias em que estivemos sozinhos como uma família recentemente".[4]

Quando Marj deu à luz seu terceiro filho, Philip, em dezembro de 1954, ela o fez na sala escura do andar de baixo que Nate usava para revelar seus filmes fotográficos. Por quê? Bem, o resto da casa estava cheia de hóspedes, e Marj não queria incomodar mais ninguém.[5]

Alguns meses depois, quando Betty estava para dar à luz, ela teve um quarto de verdade. Aquilo foi sorte, pois havia ali vários observadores. "Jim estava ao meu lado a cada minuto, o que significou para mim mais do que ele jamais saberá", relatou Betty mais tarde. O Dr. Fuller e sua esposa Liz, uma enfermeira,

---

3 Elisabeth Elliot, *Through Gates of Splendor* (Carol Stream, IL: Tyndale, 2005), 59. Publicado em português sob o título *Através dos portais do esplendor: a história que chocou o mundo, mudou um povo e inspirou uma nação* (São Paulo: Vida Nova, 2013).
4 Russell Hitt, *Jungle Pilot* (Grand Rapids, MI: Discovery House, 1959), p. 160.
5 Isso de acordo com Phil Saint, com quem visitei a casa de Nate Saint em Shell — e os Waorani na selva — em julho de 2019.

administraram os procedimentos; Marj Saint e uma visitante que Betty não conhecia (a qual havia perguntado a Betty se poderia comparecer), encheram a festa natalícia.

A estoica Betty havia imaginado que aguentaria dar à luz sem medicações. Mas o trabalho de parto prosseguia interminavelmente, e a dor era "inimaginável". Graças a Deus pela anestesia espinhal. O bebê Elliot nasceu às 5h40 da manhã do dia 27 de fevereiro de 1955. Jim, que havia dito a seus pais que talvez ficasse desapontado se o bebê não fosse um menino, pegou sua filhinha em seus braços, cheio de absoluta alegria e admiração. "O nome dela é Valerie", proclamou.

Os Elliots ficaram mais uma semana com os Saints. Todos ficavam acordados até tarde, tomando xícaras de chocolate quente na pequena cozinha e conversando, mesmo enquanto ninavam seus novos bebês à noite. O avião amarelo brilhante de Nate, fabricado pela Piper, estava aninhado na grande garagem perto da casa. A pista de pouso — porta de entrada para a selva oriental — fica bem do outro lado da estrada estreita. Nate conhecia o oceano aparentemente interminável da floresta tropical além daquela pista mais do que qualquer um, tendo medido sua amplitude, profundidade e mistérios por anos. Jim e Betty, Nate e Marj sonhavam que mais e mais pessoas não alcançadas sob aquele dossel verde tivessem a oportunidade de ouvir o nome de Jesus — incluindo, é claro, a tribo mais evasiva de todas, os sombrios waorani.

CAPÍTULO 19
O QUE PODERIA TER SIDO

"Ensina-me a nunca deixar a alegria do que foi empalidecer a alegria do que é."
— Elisabeth Elliot

Após o nascimento de Valerie, os meses passaram rápido, embora os dias parecessem lentos. Valerie era uma bebê raio de sol, e seu pai se deleitava em cada fase de seu desenvolvimento. Com o passar das semanas, Jim passou a afirmar que ela se parecia com o [então presidente] Dwight Eisenhower, com seu sorriso largo e a cabeça quase careca.

De sua parte, Betty escreveu: "Como sou grata ao Senhor por me dar um marido e uma bebê tão queridos. Quanto significado a vida agora tem — viver para eles, entregar a mim mesma por eles, sentir que sou necessária para eles. De todas as pessoas irremediavelmente egoístas, eu teria sido a pior, se tivesse permanecido solteira".

Ainda assim, como em qualquer nova estação da vida, havia novos desafios. Os dias de Jim estavam absolutamente cheios enquanto ele continuava a trabalhar com a escola e a igreja de Shandia, desenvolvendo liderança indígena em ambas. Ao mesmo tempo, ele estava montando um sistema de água para a casa dos Elliot, derrubando o antigo depósito de lenha e viajando com frequência para liderar conferências de doutrina para índios em outros locais.

Todas as vezes que ele partia, Betty sentia um pouco de tristeza pós-parto, mas, normalmente, culpava a si mesma. "Ultimamente, tenho sentido que Jim não deseja compartilhar as coisas comigo. Deve ser porque eu não lhe tenho mostrado aquele amor que não pede nada em troca. Ó Senhor, dá-me um amor mais puro por ele."

No final de março, os Elliots souberam de um ataque waorani não muito longe da base missionária em Arajuno.

Em abril, Jim se alegrou por Deus estar dando frutos no ministério. "Eu nunca vi tantos índios abertamente receptivos à Palavra", escreveu a seus pais. "Na conferência da semana passada em Dos Rios, havia mais de vinte; em Pano, quase o mesmo número; e aqui em Shandia, cerca de uma dúzia. Agora, ao trabalho de prepará-los para a vida em Cristo."[1]

Durante esse tempo, Betty e Jim tinham um casal, Eugenia e Guayaquil, lhes ajudando nos afazeres domésticos. Ela tinha talvez dezessete anos e ele, cerca de doze. Tentando não se questionar muito sobre aquele arranjo conjugal, Betty estava grata pela ajuda. O menino ainda estava na escola, mas podia cortar lenha, capinar mato e sair para resolver pequenas pendências. Enquanto isso, Eugenia podia ajudar pela casa cozinhando e limpando, tudo por cerca de cinco dólares por mês.

Eugenia, Betty e Val

---

1 Elisabeth Elliot, *Shadow of the Almighty* (New York: Harper, 1958), p. 225.

O QUE PODERIA TER SIDO

Eugenia era tão diferente de Betty Elliot quanto duas personalidades podiam ser. Seus hábitos culturais também eram diferentes. Certo dia, um índio trouxe a Eugenia algumas larvas pálidas e gordas, com cerca de cinco centímetros de comprimento e da espessura de um polegar. Embora Betty já as tivesse comido fritas, era árduo ver sua doméstica chupar entusiasticamente as entranhas delas, cruas, e quebrar entre os dentes a sua cabeça dura e com mandíbula. Já Eugenia quase vomitou quando Betty lhe deu um pouco de sopa de legumes e achou repulsivo o gosto de fudge inglês. Bem, Betty concluiu, aquele era apenas mais um vívido lembrete de que não se podia assumir que todos pensavam e se sentiam como os norte-americanos.

Em maio, um dia depois de Betty ter realizado sua habitual reunião de oração de mulheres, frequentada por cerca de vinte quíchuas, uma das jovens veio até ela, chorando. Catalina, de cerca de quinze anos, disse a Betty que seus pais estavam furiosos por ela estar indo às reuniões cristãs. Como punição, eles iriam forçá-la a se casar com um pequeno homem velho — e muito feio — que tinha uma doença que havia tornado sua pele azul. Ela precisava de um lugar seguro para ficar.

Sentindo que nenhuma mulher deveria ser forçada a se casar com um velho homem azul, Betty se solidarizou com Catalina. Ela sentiu que, se os pais da moça estavam determinados a puni-la por causa de seu interesse na fé, então Betty deveria lhe dar asilo, pelo menos até que sua família aparecesse para resgatá-la. Então, ela e Jim poderiam compartilhar o evangelho com eles.

Uma semana depois, os pais ainda não haviam aparecido. Betty tentou persuadir Catalina a se casar com um dos crentes locais em Shandia, um bom jovem viúvo de cerca de vinte e dois anos que não era azul e estava procurando uma esposa. Mas Catalina e os outros índios não aceitaram. "É *'sasi'* [tabu] para uma virgem se casar com um viúvo", disseram a Betty.[2]

Betty nunca viu o velho homem azul, nem foi capaz de resolver o dilema da moça. Mas ela levou Catalina consigo quando desceu o rio com Jim, Valerie e Eugenia para tratar um caso de picada de cobra a pouco mais de uma hora de distância.

Eugenia carregava Valerie na trilha estreita, logo atrás de Betty. De repente, ela gritou em um tom que Betty nunca tinha ouvido antes. Betty gelou. Uma

---

2 Carta de EE para "Queridíssima Família", 25 de maio de 1955.

cobra pequena e mortal estava pendurada no pé descalço de Eugenia, suas presas afundadas na carne dela.

Jim voltou correndo, desalojou a cobra, puxou seu canivete, agarrou o pé enlameado de Eugenia, cortou a área mordida e sugou o veneno. Eles a arrastaram para o rio, encharcando o pé e apertando a perna para manter o sangue fluindo. Catalina olhava para o chão e segurava Valerie bem alto em seus braços. Eugenia estava histérica. "Deixem-me em paz!", gritava. "Deixem-me morrer bem aqui!"

Jim ainda precisava continuar sua urgente missão de cuidar da vítima de picada de cobra no final da trilha; então, Betty fez um torniquete e de alguma forma conseguiu levar Eugenia para casa. Catalina carregava Val.

Quando eles entraram na casa, tropeçando, o marido de Eugenia — o menino de doze anos — deu uma olhada e começou a soluçar. "Você vai morrer!", gritou.

Aquilo não era de muita ajuda.

Betty lutava com Eugenia, que resistia a Betty e a arranhava, tirando sangue com as unhas. De algum modo, Betty lhe deu uma injeção de soro antiofídico e administrou um comprimido de codeína para acalmá-la.

Um ou dois dias depois, Eugenia ainda não conseguia andar, mas iria sobreviver. Um milagre. Betty pensava em como ela não estava a mais do que três passos na frente de Eugenia na trilha frondosa, com Jim na frente de Betty. Eles devem ter caminhado direto por cima da cobra.

"Jim sente que temos boas razões para interpretar muito literalmente as palavras do Senhor de que pisaremos serpentes e escorpiões sem que nos causem dano. Deus certamente tem cuidado de nós, e não há nada a fazer senão confiar que ele continuará a fazê-lo."[3]

Certa vez, Jim estava fora de casa, com alguns índios, perto de uma piscina fluvial. Um garotinho estava na água, mergulhando alegremente. De repente, ele gritou: "O que está agarrando meu pé?". Todos se viraram para ver, enquanto ele desaparecia sob a água lamacenta. Os adultos mergulharam no rio. Duas horas depois, os índios encontraram seu corpo. Não havia nenhuma marca nele. Aparentemente, uma jiboia se entrelaçou em torno de seu pé, puxou-o para baixo, achou-o grande demais para engolir, e então o soltou.

---

3 Ibid.

O QUE PODERIA TER SIDO

Na selva, não havia ilusões sobre a brevidade da vida.[4]

Numa tarde, Betty acabara de se acomodar para desfrutar a correspondência da família quando uma índia chegou para lhe dizer que sua cunhada estava "morrendo". Sabendo que aquilo poderia significar qualquer coisa, desde uma unha encravada até malária cerebral, Betty e a mulher correram para a selva — por debaixo de cipós, por cima de troncos, ao redor de bambus e através de riachos — o mais rápido que puderam. Chegaram suando e encontraram a casa cheia de crianças uivando, parentes chorando e idosas frenéticas reunidas em torno de uma jovem no meio de um parto pélvico. A cabeça ainda estava presa. Uma vovó estava sacudindo o bebê com tudo o que podia; ao mesmo tempo, tinham amarrado um cordão bem apertado na cintura da mãe para "impedir que o bebê saísse pela boca dela".

Betty tirou todos da sala e fez a mulher se deitar. Colocou uma luva de borracha e inseriu a mão no canal do parto. Ela encontrou a boca do bebê e puxou o queixo para baixo, em direção ao peito, enquanto aplicava pressão externa com a mão esquerda, como havia sido instruída em uma aula de enfermagem obstetrícia. Ela se esforçou o máximo que pôde por uma hora, mas, como a escuridão estava caindo, tinha de voltar para casa para Valerie e Eugenia. Ela disse aos homens que trouxessem a mulher para sua casa.

Betty correu para casa. Os homens chegaram com a mulher moribunda. Betty deu à mãe uma injeção de maleato de ergometrina (um medicamento que causa contrações uterinas). O feto morto não se moveu. Talvez houvesse gêmeos, pensou Betty. Outra dose finalmente provocou algumas fracas contrações, e Betty acabou conseguindo extrair a cabeça... a qual mostrava que o único bebê era hidrocéfalo, com uma cabeça tão grande quanto a de uma criança de dez anos. Incrivelmente, a mãe sobreviveu.[5]

À medida que Valerie crescia, Jim ficava ansioso para ter outro bebê o quanto antes. Betty inicialmente pensara, após o parto, que nunca mais passaria por aquilo outra vez. Mas agora ela estava animada por outro; seria ótimo para Valerie ter alguém com quem brincar na selva. "Eu confio que o Senhor tem outros filhos para nós", escreveu Betty aos pais. "Estamos ficando velhos, vocês sabem. Em breve farei 29 anos. Que horror!"[6]

---

4 Esses eventos de 1955 são narrados, não necessariamente em ordem cronológica, com o objetivo de dar uma ideia da vida e do ministério dos Elliots na selva.
5 EE para "Querida Família", 28 de outubro de 1955.
6 EE para "Queridíssima Família", 5 de junho de 1955.

Pete Fleming e sua esposa, Olive, ainda viviam na antiga cabana dos recém-casados Elliots em Puyupungu, trabalhando com o crescente corpo de crentes ali. Olive vinha passando uma temporada difícil desde sua chegada ao Equador. Além dos ajustes normais da vida de casada, ela teve que aprender espanhol, depois quíchua. Teve que se adaptar a cobras venenosas, insetos enormes e falta de privacidade. Teve que desenvolver engenhosa capacidade de improvisação para viver a vida na selva. Além de tudo o mais, ela teve um aborto espontâneo em seu primeiro Natal no campo missionário, e então mais um durante o verão de 1955.

Mas ela e Pete estavam animados com os desenvolvimentos espirituais em Puyupungu. "O Senhor escancarou as portas aqui", escreveu Pete à sua agência missionária. Ele havia pregado na igreja para "uma casa cheia, incluindo todos os adultos da aldeia, exceto a esposa do líder, que estava doente". Ele falara cuidadosamente sobre arrependimento e fé, não querendo que ninguém afirmasse uma crença em Jesus sem realmente calcular o custo de segui-lo.

Doze pessoas ficaram após o culto para conversar mais. Pete encorajou qualquer um que não estivesse realmente pronto para andar no caminho estreito que fosse embora. Ninguém o fez. Eles oraram em voz alta. "Um pediu perdão por um coração irado, um por uma vida corrupta, um por embriaguez, um por maus pensamentos. Todos pareciam absolutamente sinceros; o grupo incluía a mulher mais velha da comunidade, nossa lavadeira, o pior bêbado da aldeia, as duas filhas e os dois filhos do líder e várias crianças de 12 anos." Pete sentiu uma percepção incomum do Espírito Santo; havia vários outros que estavam, literal e figurativamente, à porta do encontro, perto de chegarem a Jesus.[7]

---

7 "Excertos da Carta de Peter Fleming, 26 de novembro de 1955", *The Fields*, fevereiro de 1956, a revista da organização Christian Missions in Many Lands [Missões Cristãs em Muitas Terras], Nova York, NY.

CAPÍTULO 20
ELENCO DE PERSONAGENS

"Aqueles que não conhecem o Senhor perguntam por que raios desperdiçamos nossas vidas como missionários. Eles se esquecem de que também estão gastando suas vidas [...] e quando a bolha estourar, não terão nada de significância eterna para mostrar pelos anos que têm desperdiçado."
— Nate Saint

Embora as várias famílias missionárias estivessem baseadas em diferentes postos avançados na selva remota, eles não eram jogadores solitários. Estavam conectados a seus colegas missionários, amigos, familiares e agências de envio lá nos Estados Unidos. Um fluxo constante de cartas lhes assegurava que eles estavam sendo apresentados em oração. A teologia deles os lembrava de que faziam parte do corpo universal de Cristo, de todos os crentes "neste globo terrestre", como dizia o velho hino.[1] Não só isso, quem estava na torcida por eles era uma vasta "nuvem de testemunhas", os santos que haviam vivido, morrido e entrado na glória em uma cadeia ininterrupta de evangelistas desde que Jesus dera a Grande Comissão, dois mil anos atrás.

Apesar dessa mentalidade transcendente, a realidade diária podia ser solitária e isolada (como qualquer missionário moderno pode lhe dizer), e os homens e mulheres pioneiros de 1955 não tinham e-mail, telefones celulares ou internet.

Mas eles tinham sim uma conectividade que *seus* antecessores não haviam tido, graças à disponibilidade de pequenos aviões. Pilotos da selva como Nate Saint estavam transformando as missões modernas, trazendo remédios, correio, suprimentos e alimentos para lugares anteriormente inacessíveis, encorajando e abastecendo missionários que antes permaneciam isolados.

---

1 N. T.: Referência ao hino "All Hail the Power of Jesus' Name", escrito por Edward Perronet. As versões em português não contêm expressão semelhante.

Como diz a historiadora Kathryn Long: "Os voos diários para as estações na selva substituíram dias e até semanas de viagens terrestres. Mercadorias quase impossíveis de serem levadas ou conduzidas pelas trilhas da selva — telhados de estanho corrugado, geladeiras movidas a gás, fogões, bezerros, cabras e perus — podiam ser transportadas por via aérea. [Nate] Saint podia entregar remédios quando missionários ou povos tribais adoeciam; em emergências, ele também podia transportar os doentes ou feridos. As décadas futuras trariam debates sobre se a aviação representara mais um mecanismo de controle que os missionários exerceram sobre os povos tribais, mas, na década de 1950, os pequenos aviões representavam as bênçãos da tecnologia".[2]

O uso de aviões também apresentava um novo tipo de herói missionário: o piloto habilidoso que amava Jesus e levava suprimentos para a disseminação do evangelho a lugares de outro modo inacessíveis, pousando seu pequeno avião "em uma pista de pouso na selva que, do alto, não parecia muito mais larga do que um esparadrapo".[3]

No final de 1955, havia outros no palco da selva também.

Assim como Jim, Pete e Ed, o Dr. Wilfred Tidmarsh era de origem dos Irmãos de Plymouth. À medida que a sua idade de aposentadoria se aproximava, o muito britânico Dr. Tidmarsh passou a procurar homens mais jovens para assumirem seu trabalho com os índios quíchua em sua base missionária em Shandia.

O Dr. Tidmarsh servira no Equador por cerca de vinte anos como homem solteiro. Ele era esbelto, com cabelos castanhos e testa alta. Usava bermudas cáqui e meias britânicas compridas e grossas com seus tênis de lona Keds de cano alto, ou calças compridas com as barras enfiadas em seus Keds, para não pegar bicho-de-pé. Tinha uma bainha no quadril para carregar seu facão e, é claro, um chapéu estilo capacete colonial. Ele aparentaria estar vestido mais para um safári na África do que para a floresta tropical do Equador.

No fim das contas, uma viúva americana foi arrebatada pelos encantos do Dr. Tidmarsh, e ele se tornou seu marido e padrasto dos seus jovens meninos. Betty Elliot o via descer a trilha pela manhã para visitar os índios quíchua e não voltar até à tarde — bem a tempo do chá.

---

2 Kathryn Long, "Jim Elliot and Nate Saint: Missionary Biography and Evangelical Spirituality," manuscrito inédito do capítulo 3, Narrativa [rascunho] 2, p. 114, *God in the Rainforest* (New York: Oxford University Press, 2019). Capítulo não publicado, copyright 2015, Kathryn T. Long, usado com permissão.
3 Ibid.

ELENCO DE PERSONAGENS

"Gwen, querida", ele gritava para a esposa em sua voz alta e estridente; "você pôs a chaleira para ferver?"

Ela era americana e ainda não se acostumara às tradições britânicas.

"Oh, não, Wilfred, você quer chá?"

"Deixa para lá, querida", ele respondia, retirando o chapéu. "Eu mesmo vou fazer."

Ele era excêntrico, charmoso, enlouquecedor. Um dia, Jim Elliot parou em frente à casa deles e um dos enteados, um garotinho de cerca de quatro anos, lhe abriu a porta. Foi só Jim entrar e o menino explodiu em angústia: "Oh, Jimmy, eu tenho MICRÓBIOS no meu sangue!". Evidentemente, seu padrasto o informara desse infeliz acontecimento. À noite, o Dr. Tidmarsh instruía os dois meninos mais novos a colocarem todos os seus bichos de pelúcia em sua cesta de brinquedos, pois "se vocês deixarem aqueles pequenos animais selvagens à solta, eles vão sair atacando por todo lado!"[4] Certa vez, Betty, a mímica, ouviu e anotou as palavras do Dr. T enquanto ele tentava fazer com que seu filho menor comesse o jantar. "Come-come, Jimmyzinho. Se Jimmyzinho não come-come, papai come-come tudinho! Ooolha o ovinho 'gotoso', a galinha 'gotosa'... Vamos lá, Jimmyzinho, agora tome o leitinho 'gotoso.'"[5]

Betty notaria mais tarde que o trabalho linguístico não era o ponto forte do Dr. Tidmarsh.

"Sentei-me com ele em várias ocasiões quando eles supostamente estavam fazendo uma tradução da Bíblia, mas de fato ele não conseguia pronunciar as palavras muito bem [...] ele mesmo não era de fato um linguista, mas fez o melhor que podia."

"Eu costumava enlouquecer com o modo pelo qual ele simplesmente assassinava a língua [...], mas, por outro lado, a gente via que ele tinha um grande ministério, um ministério espiritual com muitas pessoas. E ele certamente sabia falar inglês!"

"Ele era um homem brilhante", concluiu Betty. "Aprendera muito sobre vários tipos de plantas medicinais [da selva]." Jim e os outros caras "o amavam, [mas] nem sequer consideravam incluí-lo em seu [eventual] plano para alcançar os waorani [...] ele era tão excêntrico, eles simplesmente sabiam que ele arruinaria tudo".[6]

---

4 Elisabeth Elliot Gren, entrevistada por Kathryn T. Long, 27 de junho de 2001, Magnolia, MA, acessão 19–15, Documentos de Kathryn Long, 1949– 2018, arquivos do Billy Graham Center, Wheaton, IL. Usado com permissão.
5 Carta da EE para "Queridíssimos Pais", 15 de maio de 1961.
6 Elisabeth Elliot Gren, entrevistada por Kathryn T. Long.

Como Jim Elliot escreveu em seu diário: "Esse estimado irmão tem um grave defeito: ele fala — rápido demais, precipitado demais, simplesmente demais".[7]

Rachel Saint era outra personagem forte no palco da selva. Ela era nove anos mais velha que seu inventivo irmão Nate, e era a única garota da família ao lado de sete irmãos homens. De acordo com eles, ela era mandona. Tinha olhos azuis sérios, uma covinha ocasional, uma testa larga e cabelos longos e escuros geralmente arranjados em um coque. Ela havia entretido o jovem Nate com as histórias missionárias de David Livingstone, o médico escocês que penetrara nas selvas da África; Adoniram Judson, o primeiro missionário protestante a levar o evangelho para a Birmânia (agora Myanmar); e John Paton, que viveu e trabalhou entre membros de uma tribo canibal no Pacífico Sul.

Rachel estudou na Philadelphia School of the Bible [Escola Bíblica da Filadélfia][8] e depois trabalhou por doze anos na Keswick Colony of Mercy [Colônia da Misericórdia de Keswick][9], em Nova Jersey. Lá, ela gerenciava o refeitório com mão de ferro, tocando o sino do jantar precisamente no horário. Keswick era — e é — um centro cristão para retiros e um próspero ministério para homens que lutam contra o abuso de substâncias. Em Keswick, Rachel conheceu a jovem Betty Howard, a qual passou muitos verões na casa de retiros, onde seu pai frequentemente falava em conferências cristãs que ocorriam ali.

Quando era jovem, Rachel se tornou companheira de viagem e auxiliar de uma senhora mais velha e abastada. Durante uma viagem de verão à Europa, a mulher, sem sua própria família, disse-lhe que havia decidido deixar sua fortuna considerável para Rachel. A única condição era que Rachel cuidasse dela pelo resto da vida.

Àquela altura, Raquel sentia um claro impulso de Deus para se tornar missionária. Ela não podia passar a vida atendendo às necessidades — reais ou imaginadas — de uma mulher rica e idosa. "Não posso fazer isso", disse ela à benfeitora. "Dediquei minha vida ao Senhor Jesus."

A mulher rica, desacostumada a não conseguir o que queria, ficou furiosa. Rachel se retirou do elegante salão para a proa do barco, contemplando o oceano.

---

7 Elisabeth Elliot (ed.), The Journals of Jim Elliot (Old Tappan, NJ: Fleming H. Revell Company, 1978), p. 451.
8 Atualmente denominada Cairn University.
9 Keswick foi fundada em 1897 por William Raws. Libertado de seu vício em álcool, Raws decidiu passar o resto de sua vida ajudando os outros a escaparem da escravidão que outrora o acorrentava. Embora tivesse um total impressionante de 1,87 dólares no bolso, ele sonhava grande. Pela graça de Deus, mais de 120 anos depois, Keswick ainda segue firme e forte.

ELENCO DE PERSONAGENS

Estranhamente, ela se perguntava se tinha tomado a decisão correta. *Será que cometi um erro terrível? Se eu herdasse essa riqueza, poderia dar o dinheiro à minha família; poderia ajudar com os estudos de todos eles...* mas então lhe veio outro pensamento de maior peso. Na verdade, foi uma imagem, talvez uma visão. Rachel viu pessoas com pele mais escura que a dela. Elas estavam contra o pano de fundo de uma selva profunda e verde. Foi apenas um lampejo... e então ela teve uma sensação de Deus: "Se fores fiel, permitirei que leves minha Palavra a um povo que nunca a ouviu".[10]

Rachel Saint nunca olhou para trás. Em 1948 — o ano em que Betty Elliot se formou em Wheaton — Rachel, aos trinta e quatro anos, participou do programa de treinamento linguístico de Wycliffe; no seguinte, recebeu treinamento de selva no sul do México; e depois trabalhou entre um povo tribal no Peru.

Em 1951, Rachel estava visitando seu irmão Nate no Equador. Enquanto eles zuniam acima da selva no pequeno avião de Nate, ela percebeu que Nate não estava seguindo uma linha reta até ao destino deles; em vez disso, ele fizera um elaborado desvio ao redor de uma certa faixa da selva. Ela perguntou ao irmão o porquê, e Nate lhe disse que aquela parte específica do Oriente era povoada por "waorani", uma tribo tão cruel que, se o avião deles tivesse problemas mecânicos e eles tivessem que pousar naquele território, os habitantes os matariam.

Poucos de nós reagiriam àquilo de maneira positiva. Mas Rachel Saint teve uma sensação imediata de afinidade e identificação. Aquele era o povo dela! Aqueles eram os de "pele morena" que Deus havia trazido à sua mente anos atrás! Embora continuasse trabalhando em outras atribuições para a Wycliffe, o coração de Rachel agora estava voltado para os waorani. Essa era "a tribo que o Senhor tinha para mim", escreveu ela em uma carta aos seus apoiadores em fevereiro de 1955.[11]

O sonho de Rachel começou a se tornar realidade quando ela conheceu uma jovem waorani chamada Dayuma.

Dayuma nascera por volta de 1930 no território waorani da selva oriental do Equador. Ela era uma garotinha quando muitos de seus familiares morreram

---

10 Rachel costumava contar ao sobrinho, Steve Saint, sobre seu chamado para trabalhar com os waorani. Entrevistas com Steve Saint, Dunnellon, Flórida, 22 a 26 de abril de 2019.
11 R. Saint, "Unreached... and Unreachable?" 9 de fevereiro de 1955, carta datilografada para amigos e apoiadores financeiros, não publicada, Edman Records, arquivos do Wheaton College, Wheaton, IL, citado por Long, *God in the Rainforest*, 49.

por lança. Em março de 1944, ela fugiu da tribo, arriscando-se em um mundo exterior que era quase tão ameaçador quanto os terrores que enfrentava entre seu próprio povo.

Nua, exceto pelo típico cordão waorani na cintura, ela foi acolhida por índios quíchua que lhe deram roupas. Acabou trabalhando como uma lavradora inexperiente em uma grande fazenda onde ela e os outros *peões* eram basicamente propriedade do *dono* das terras, Señor Carlos Sevilla. Ela assimilou a cultura quíchua e aprendeu a língua. Absorveu pedaços e fragmentos de ensinamentos católicos e os fundiu com suas perguntas de infância sobre Deus. Ela trabalhava duro na fazenda e, enquanto estava lá, teve um bebê (evidentemente, de Sevilla ou de um de seus filhos).

Uma década ou mais após sua fuga de suas raízes waorani, Dayuma atraiu a atenção de Rachel Saint e outros missionários que estavam ansiosos para aprender tudo o que pudessem sobre a misteriosa tribo waorani. Rachel começou a construir uma amizade com ela. Dayuma solicitamente começou a ensinar-lhe a língua.

Esse processo não foi tão simples quanto parece.

Nem Rachel nem nenhum dos outros missionários sabiam que *Wao tededo* não tinha relação com nenhuma outra língua na terra. Não tinha relação com o espanhol, o quíchua ou quaisquer outras línguas ou dialetos tribais. Ao longo dos anos desde que deixara sua tribo, Dayuma involuntariamente misturara sua língua materna com o quíchua que aprendeu na fazenda. Consequentemente, as palavras e frases que ela ensinava aos missionários não eram particularmente úteis sequer nas melhores circunstâncias, muito menos nas piores.

Quando perguntada por que os waorani matavam tão vorazmente, Dayuma tinha pouco discernimento sobre suas motivações. Sua única resposta era que eles eram assassinos.

"Nunca, nunca confie neles", ela dizia, pensando em sua própria infância sangrenta. "Eles podem parecer amigáveis, mas depois dão meia volta e matam."

Dayuma não era mais especialista do que qualquer um. Em meados da década de 1950, pouco se sabia sobre os waorani, exceto que eles matavam todos os estranhos que se aventuravam em seu território.

Sua violência era indiscriminada: eles matavam seu próprio povo também. Mais tarde, antropólogos os identificariam como uma das tribos mais homicidas já estudadas.

ELENCO DE PERSONAGENS

Eles viviam em uma região de mais de vinte mil quilômetros quadrados — cerca do tamanho do estado de Massachusetts — na selva oriental do Equador. É uma das zonas bióticas mais ricas do planeta — origem da metade dos rios que formam a Amazônia. As terras waorani eram delimitadas pelo sopé dos Andes, pelo Rio Napo ao norte e pelos Rios Villano e Curaray ao sul.

Talvez eles fossem descendentes dos incas originais que haviam sido traídos e subjugados pelos conquistadores espanhóis nos anos 1500. No final do século XIX e início do século XX, comerciantes de borracha penetraram profundamente na terra, sequestrando, torturando e matando os waorani por esporte. A tribo matou tantos invasores quantos pôde, embora nunca em guerra aberta. Seu ataque característico era uma emboscada explosiva que derrubava as vítimas insuspeitas desavisadamente. Forasteiros os temiam como fantasmas, xamãs ou demônios.

Aqueles que buscavam petróleo vieram depois dos comerciantes de borracha. Como vimos, a Shell Oil Company estabeleceu uma presença formidável no setor central do Oriente de 1938 a 1949. Mas, "[e]m 1949, depois de investir mais de 40 milhões de dólares e perder catorze de seus operários petroleiros para incursões de índios com lanças, a Shell abandonou suas operações no Equador sem bombear sequer um litro de petróleo comercial".[12]

Se era uma vitória para os indígenas, era algo temporário. Por quanto tempo seu modo de vida poderia permanecer intocado pelo mundo exterior? Aqueles que queriam desenvolver suas terras para obter ganhos econômicos retornariam, e havia rumores de que o governo equatoriano e as companhias de petróleo poderiam muito bem resolver o "problema waorani" usando os militares.

Os waorani viviam de modo parcialmente nômade como caçadores e horticultores. Eles caçavam macacos com longas zarabatanas e dardos entalhados. Os homens esfregavam a ponta do dardo com veneno, carregavam-no no tubo oco de madeira, apontavam e sopravam com precisão surpreendente. *Ffffft!* O macaco, no alto das árvores, tentava arrancar o dardo, quebrando sua haste e deixando a ponta tóxica alojada dentro. A paralisia logo atingia seu sistema nervoso central; era uma longa queda até o chão da selva. O caçador tomava sua presa e, antes que o rigor mortis se instalasse, colocava os braços do macaco sobre o ombro e vestia sua presa para casa, como se fosse uma bolsa peluda.

---

12 Wade Davis, *One River* (New York: Touchstone, 1996), p. 250.

Eles também caçavam e comiam vários tipos de porcos e os muitos peixes que floresciam em seus rios intocados. Viviam em cabanas compridas e oblongas, com pisos de lama batida, e dormiam em redes tecidas, mantendo fogueiras acesas durante as longas noites frias. Se o fogo apagava, eles se inclinavam para fora da rede, cutucavam as brasas e adicionavam mais gravetos, e ele se acendia novamente.

Eles comiam todo tipo de banana que a selva oferecia. Cultivavam mandioca, um tubérculo fibroso e rico em amido, um pouco parecido com o aipim, cheio de carboidratos. Como outras tribos, eles faziam *chicha*, a empelotada iguaria semelhante a iogurte que dava aos caçadores energia para seus longos dias na trilha. Quanto mais tempo a *chicha* fermentava, maior seu teor alcoólico, mas os waorani, ao contrário de outros grupos populacionais próximos, não tendiam à embriaguez.

Eles eram de baixa estatura, mas muito musculosos. Seus pés largos, os dedões dos pés abertos para os lados quase como dedos de uma mão, lhes davam poderosas habilidades de caminhada e escalada em árvores. Eles perfuravam os lóbulos das orelhas dos filhos, inserindo ao longo dos anos cavilhas de madeira de balsa de tamanho crescente para formar buracos grandes e redondos quando as crianças chegassem à adolescência. Eles usavam seus cabelos grossos e escuros com franjas curtas (cortadas com uma concha de marisco) e aparavam atrás das orelhas para mostrar os lóbulos. Os homens arrancavam a barba. As mulheres se casavam pouco depois de atingirem a puberdade.

Eles usavam apenas um *kumi*, ou fio dental feito de barbante. Usando aquilo, eles se consideravam vestidos, embora os de fora os considerassem nus. Chamavam os de fora de "estrangeiros", ou *cowodi*. Importunavam uns aos outros sem piedade e amavam dar risadas. Contavam histórias repetidas vezes, especialmente à noite. A maioria de suas histórias narrava ataques violentos a *cowodi* ou a outros grupos da família waorani. Os guerreiros se lembravam de cada movimento, cada golpe de lança, assim como as pessoas hoje podem contar a outras os lances memoráveis de uma partida de campeonato de futebol. Após um assassinato, eles zombavam e traspassavam os cadáveres ainda mais com suas lanças; seu insulto final era jogar o corpo no rio, onde ele permaneceria insepulto. Eles amavam seus filhos, mas às vezes inexplicavelmente seguiam o costume de enterrá-los vivos com um membro da família que havia morrido — ou estava prestes a morrer.

Ao contrário de muitos grupos tribais e das caricaturas que floresciam na cultura norte-americana, eles não tinham um cacique. Embora alguns mais tarde os caracterizassem como matriarcais, eles eram uma sociedade igualitária. Eram extremamente práticos. Viviam no presente. Não gastavam tempo refletindo sobre as origens, embora acreditassem em fortes forças espirituais em ação no mundo.

Viviam em grupos familiares. Lidavam com o conflito de forma cabal. Se um homem insultasse ou fizesse mal a outro, o único recurso do ofendido era ignorar o insulto ou traspassar o outro até à morte. Eles não se continham de traspassar mulheres e crianças. Em 1956, a tribo corria o risco de exterminar a si mesma. Seis ou sete de cada dez mortes entre eles eram causadas por lança; somando-se a isso sua taxa de mortalidade durante o parto e mortes por picadas de cobra, ataques de jiboia e outras ameaças, e os waorani estavam desaparecendo.

Os missionários da década de 1950 não sabiam muito sobre os waorani além do óbvio perigo de contato com eles. Tudo o que sabiam era que Deus havia despertado dentro deles um amor improvável por aquela tribo que estava em perigo de extinção. Mais tarde, críticos acusariam os missionários de estarem em conluio com empresas petrolíferas americanas ou com o governo; ou de serem idiotas determinados a impor a cultura ocidental a um povo indígena imaculado. Mas os cinco homens não foram até eles por lucro, fama ou imperialismo cultural ignorante, mas simplesmente porque sabiam que Jesus oferecia àquele povo a vida eterna, lá no céu, *e* uma maneira nova e não violenta de viver, ali naquela terra verdejante de Deus. Boas notícias. De graça.

CAPÍTULO 21
CONTAGEM REGRESSIVA PARA O CONTATO

"Todos os gigantes de Deus foram homens fracos que fizeram grandes coisas para Deus porque reconheciam que Deus estava com eles."
— Hudson Taylor

O sonho dos missionários de alcançar a tribo começou a se tornar realidade em 19 de setembro de 1955. Nate Saint tinha um pouco de tempo extra de voo em seu itinerário de entrega para as várias bases missionárias. Ele convidou Ed McCully para se juntar a ele e "dar uma olhada nos vizinhos" na imensidão da selva verde perto da casa de Ed em Arajuno.

Ambos contemplaram do alto do avião, examinando a vasta área abaixo. Nada além de um oceano de verde... mais verde... e então, olha lá, uma pequena variação marrom no chão da selva... uma clareira... um pedaço de terra cultivada... algumas casas de palha. Waorani!

Mais ou menos uma semana depois, Pete Fleming voou com Nate e ambos avistaram outro grupo de habitações. Na noite de 1º de outubro, Nate, Ed, Jim e o colega piloto Johnny Keenan examinaram um enorme mapa do Oriente. Conversaram até tarde da noite. Oraram. Eles acreditavam que era o tempo de Deus para que tentassem alcançar os waorani.

Todos os missionários tinham empregos diurnos, por assim dizer. Eles sabiam que suas agências missionárias provavelmente desencorajariam seus planos de ir para os waorani. Não era por conflito de interesses — afinal, todos queriam que o evangelho fosse por todo o mundo — mas por causa de sua preocupação com a segurança dos homens. Então, àquela altura, os planos e a própria missão seriam secretos.

Os homens estavam familiarizados com a incursão feita em 1943, quando cinco missionários na Bolívia viajaram para as profundezas da selva para fazer contato com o povo não alcançado ayoré. Nunca mais se ouviu falar deles, e seus corpos nunca foram encontrados. Nate, Jim e os demais discutiram a estratégia daqueles homens e o que poderiam aprender com o destino deles.

A principal deficiência dos missionários era a falta de conhecimento da língua waorani. Rachel Saint, irmã de Nate, era a pessoa que mais sabia sobre ela, por causa de seu relacionamento com Dayuma. Mas os homens sentiam que era mais prudente não incluir Rachel em seus planos.

Nate escreveu uma carta para Rachel e a guardou para algum momento futuro, quando lhe parecesse correto enviá-la.

> "Querida irmã [...] como você sabe, alcançar os waorani tem estado em nosso coração há muito tempo. Tem sido encorajador saber que o Senhor colocou um fardo específico também no seu coração, e que você está atualmente envolvida no trabalho com a língua deles. Por esta razão, foi difícil decidir não compartilhar com você os esforços que estamos prestes a iniciar para fazer contato com esse povo. [...]"
>
> "Em nosso entender, você pode se sentir obrigada a divulgar essas informações para me poupar dos riscos envolvidos. Diante desse fato, e uma vez que sabemos que você já está orando pelo contato com esse povo, confiamos que Deus nos levará adiante neste esforço, assim como conduzirá você em seus esforços, a fim de que Cristo seja conhecido entre eles. Carinhosamente, Nate".[1]

Quando Nate contou a Betty Elliot sobre sua decisão de não incluir Rachel, Betty ficou surpresa. Ela lhe perguntou se ele tinha certeza; não deveriam eles incluir sua irmã nos planos?

"Ah", respondeu Nate, "você não conhece minha irmã!"

Como Jim Elliot já havia conhecido Dayuma, a informante linguística de Rachel, ele caminhou quatro horas de Shandia até a fazenda de Don Carlos Sevilla para encontrá-la novamente. Ele lhe perguntou sobre uma variedade de

---

[1] A carta de Nate para Rachel, e o relato dos planos dos homens, são parcialmente extraídos de Russell T. Hitt, *Jungle Pilot*, publicado em 1959 pela Fundação Auca; edição atualizada lançada em 1997, Discovery House Publishers.

frases simples em waorani sem divulgar a Dayuma exatamente por que precisava delas. Anotou cuidadosamente as respostas em pequenos cartões de notas, pronunciando foneticamente palavras como *"biti miti punimupa"*, a qual Dayuma lhe disse que basicamente significava: "Eu gosto de você; quero ser seu amigo".

Os homens desenvolveram uma série de "lançamentos de balde" semanais, nos quais amarravam presentes em um balde ou cesta que era preso, com um mecanismo de liberação, a um longo cabo do avião de Nate. Ele mantinha uma mão no manche e deixava a cesta, presa a uma longa corda, fora do avião. Então voava em círculos apertados sobre o assentamento. Graças à gravidade e à força de arrasto, a cesta acabava pairando, quase imóvel, a um metro do chão.

O primeiro presente foi uma chaleira de alumínio brilhante, decorada com fitas coloridas para chamar a atenção. Enquanto Nate voava para casa, pensou: "Lá estava nosso mensageiro de boa-vontade, amor e fé seiscentos metros abaixo. Em certo sentido, entregamos a primeira mensagem do evangelho, por linguagem de sinais, a um povo que está a uns quatrocentos metros de distância, verticalmente [...] a oitenta quilômetros de distância, horizontalmente [...] e a continentes e amplos mares de distância, psicologicamente".[2]

Ao longo das treze semanas seguintes, Nate e os rapazes deixaram dezenas de presentes para a tribo. Os waorani reagiram confusos, no início. Mas na segunda semana, eles já corriam para o local da entrega; na sexta visita, começaram a enviar presentes de retribuição — como um papagaio de estimação, comida, um cocar emplumado e peças de cerâmica — de volta para os missionários, através do balde. Eles derrubaram árvores para que o avião tivesse melhor acesso visual; construíram a maquete rústica de um avião sobre uma plataforma, para que seus visitantes pudessem identificar sua localização. Os missionários, embora ainda cautelosos, receberam as reações da tribo como um encorajamento divino de que os waorani poderiam estar abertos a estranhos.

Em 29 de outubro, Jim Elliot usou um alto-falante e se inclinou para fora do avião de Nate para gritar algumas das frases amigáveis em waorani que aprendera com Dayuma. Em seu diário, Jim escreveu com otimismo que, nos limites do que ele e Nate podiam julgar a cerca de 450m de altura, o povo parecia entender o que ele estava dizendo.

---

2 Hitt, *Jungle Pilot*, p. 262.

Betty Elliot escreveu em seu próprio diário que Jim e os rapazes "conseguiram ver claramente os waorani, suas casas e canoas. Todos sentem que é hora de fazermos algum movimento concreto em sua direção. Tenho me perguntado se eu deveria ir — talvez a presença de uma mulher e um bebê ajudasse na impressão inicial. Senhor, eu sou tua".

Ao mesmo tempo que Betty e Jim continuavam seu ministério ordinário entre os quíchuas naquele outono, Nate Saint abordava o colega missionário Roger Youderian sobre ele se juntar à missão ultrassecreta dos homens para os waorani. Roger era um veterano da Segunda Guerra Mundial, um paraquedista condecorado que lutara na Batalha das Ardenas na Alemanha. Ele e sua esposa, Barbara, vieram para o Equador em 1953, com sua filha pequena, como parte de uma equipe da Gospel Missionary Union. Eles começaram trabalhando com o povo shuar — mais conhecido na época por suas habilidades em encolher cabeças humanas. Agora servindo uma tribo relacionada, o povo achuar, os Youderians viviam perto dos colegas missionários Frank e Marie Drown em Macuma, cerca de 160 quilômetros a sudeste de Shell. Roger ardia com um senso de urgência no trabalho missionário; ele abriu três postos avançados para a obra entre as tribos do Equador durante seus três anos lá.[3]

Nate sabia que Roger era engenhoso, conhecedor da selva e disciplinado. Certa vez, Roger correra trinta quilômetros — sobre os cumes da selva e por trilhas traiçoeiras, sem parar para comer, sua pele rasgada por espinhos e suas roupas em farrapos — para salvar um índio ferido. Nate concluiu: "Ele estava convencido de que a causa era nobre e valia a pena morrer por ela; e, portanto, não colocou nenhum preço ou valor em sua própria vida. Ele era treinado e disciplinado. Ele sabia da importância de conformidade inabalável com a vontade de seu Capitão. A obediência não é uma opção momentânea [...] é uma decisão entranhada que se toma de antemão".[4]

No entanto, o que ninguém sabia, exceto a esposa de Roger, era que ele estava lutando contra a depressão. Ele sentia que não estava vendo nenhum resultado de seu trabalho árduo entre o povo tribal. Ele se sentia um fracasso. Sua fé estava intacta. Ele amava a Deus. Amava sua família. Mas havia algo que ele não conseguia identificar, algum fracasso pelo qual ele assumia a responsabilidade, que o fazia acreditar que era hora de pendurar as chuteiras missionárias e voltar para

---

3 EE para "Queridos Mãe, Pai e família, bem como Mamãe e Papai Elliot e família", 27 de janeiro de 1956.
4 Hitt, *Jungle Pilot*, p. 232.

casa nos Estados Unidos. Mas, ainda assim, Roger estava determinado a buscar a vontade de Deus, e "[em] todos os pontos eu obedecerei a ela e a realizarei".⁵

E agora, tanto quanto Roger podia discernir, Deus o estava direcionando a se juntar à missão aos waorani. Assim ele fez.

Roger Youderian, janeiro de 1956

Entrementes, o velho amigo de Jim, Pete Fleming, escreveu em seu diário: "A situação waorani está evoluindo rapidamente. Uma tentativa concreta de contato está planejada para o início de janeiro. A atitude parece cada vez mais amigável à medida que os voos semanais são feitos [...] Haverá um encontro sobre isso em Arajuno durante o Natal. Ed, Jim e Roger definitivamente vão... Talvez eu complete o grupo".⁶

---

5 Conforme citado por Elisabeth Elliot em *Through Gates of Splendor* (Old Tappan NJ: Fleming H. Revell Co., 1978), 152–54. [Publicado em português sob o título *Através dos portais do esplendor: A história que chocou o mundo, mudou um povo e inspirou uma nação* (São Paulo: Vida Nova, 2013).]
6 Olive Fleming Liefeld, *Unfolding Destinies* (Grand Rapids, MI: Discovery House, 1998), p. 192.

Embora todos compartilhassem o desejo comum de que os waorani conhecessem o amor de Jesus, os sentimentos de cada um sobre o momento certo de fazê-lo variavam de acordo com suas personalidades.

Como Elisabeth escreveu mais tarde: "Pete, que constantemente conversava com os outros três, não achava que a próxima lua cheia fosse o momento certo para a primeira tentativa de contato. Era cedo demais para supor que um ódio de longa data aos homens brancos houvesse sido superado. [...] A reação de Ed foi que o próximo movimento não deveria ser necessariamente um esforço de contato, mas sim o estabelecimento de uma pista de pouso utilizável" num raio de cerca de oito quilômetros do assentamento waorani.

Enquanto isso, Jim Elliot, de acordo com sua esposa, "'roía as unhas' de ansiedade. Se houvesse um contato amigável, eu e o Jim estávamos prontos a deixar o trabalho em Shandia por um tempo e viver entre os [waorani]". Entrementes, Nate sentia que o grupo deveria continuar a fazer contatos regulares, mas ainda sem nenhum movimento repentino.[7]

Mas tensões fora da comunidade missionária pressionaram Nate a agir mais rapidamente. Como vimos, a matança de operários da companhia petrolífera pelos waorani impedira a exploração de petróleo na selva. Agora, os missionários ouviam que os executivos do petróleo haviam discutido a situação com o governo equatoriano; havia temores de que os militares encontrassem uma maneira de se livrar do problema waorani de uma vez por todas. Os missionários estavam ansiosos para alcançar o povo tribal em breve; do contrário, talvez não houvesse mais ninguém vivo para ser salvo.[8]

"Desde os recentes ataques Waorani", escreveu Nate, "tem havido rumores de uma expedição que entraria armada até os dentes. O mais provável é que eles nem sequer encontrem os índios, mas se o fizerem, certamente haverá derramamento de sangue e maior perigo para aqueles de nós que estão dispostos a trabalhar pacientemente por um contato amigável em nome Senhor".[9]

Em 26 de novembro, Jim Elliot fez seu segundo voo waorani com Nate. "Notei um aumento na [...] área desmatada desde a minha última visita. A segunda

---

[7] Elisabeth Elliot, *Através dos portais do esplendor: a história que chocou o mundo, mudou um povo e inspirou uma nação* (São Paulo: Vida Nova, 2013), p. 171.
[8] "Rescue or Search?" artigo inédito lançado por Frank Drown em janeiro de 2010, p. 8.
[9] Hitt, *Jungle Pilot*, p. 266.

casa tem uma maquete de avião esculpida no seu tope e lá deixamos cair um facão [...] e vi algo que me empolgou. Pareceu que um velho homem estava de pé ao lado da casa e acenava com os dois braços, como se quisesse nos sinalizar para descermos. Um waorani acenando para que eu venha! [...] Ó Deus, envia-me logo para os waorani."[10]

Ainda assim, eles sabiam que o contato real seria perigoso. Sem revelar detalhes, Nate escreveu a um amigo militar pedindo conselhos sobre o que poderia acontecer se um avião tivesse problemas com o motor no território waorani. Os homens devem portar armas? Depois de muita discussão, o caminho da sabedoria parecia indicar que sim, seria prudente carregar armas de fogo. Os waorani haviam mostrado um respeito saudável pelas armas carregadas por quíchuas e outros, e hesitariam em atacar homens armados. Os missionários determinaram que não iam se defender; esperavam apenas que a presença das armas ou disparos para o ar pudessem deter os waorani.

Em dezembro, Nate, Jim, Ed e Roger estavam todos dentro. Pete Fleming ainda não tinha certeza de como Deus o estava guiando. Ele conversou profundamente com sua jovem esposa, Olive, orou e buscou a vontade de Deus. No final, escolheu se juntar a seus amigos na aventura. "Fico feliz em ir", escreveu ele em seu diário, "e quando meu coração começa a ficar perturbado, o Senhor tem me acalmado".[11]

Enquanto isso, Betty compartilhava a empolgação de Jim. "Eu, é claro, adoraria fazer o trabalho linguístico com o idioma waorani. [...] Jim fez outro voo aos waorani no sábado. Voltou fora de si de tanto entusiasmo. Vê-los balançando os braços, acenando para eles, correndo como loucos, pulando de alegria com os presentes deixados — ele sente que a hora de ir até eles é agora. Como eu gostaria de poder ir..., mas Ed simplesmente ridicularizou a ideia, então não há possibilidade, eu acho."

Ela suspirava, odiando ficar de fora da ação e ser relegada a escrever cartas para os apoiadores em sua terra natal. "E aqui estou eu sentada à escrivaninha, ao sol da tarde, [...] o barulho rude de um papagaio nas árvores — hora de escrever algumas cartas para alguns cristãos comuns nos EUA — do tipo que dirige carro,

---

10 Trechos dos diários de Jim Elliot, extraídos de Elisabeth Elliot (ed.), *The Journals of Jim Elliot* (Old Tappan: NJ: Fleming H. Revell, 1978), p. 470–75.
11 Liefeld, *Unfolding Destinies*, p. 129.

vai à igreja, come pizza, anda de elevador, tem dentes postiços e, provavelmente, bom coração."

Ela não podia sequer ajudar com seus inatos dons linguísticos. "Na semana passada, Nate e Ed estavam bastante ansiosos para que Jim obtivesse algum material linguístico de Dayuma. Então eu fiz planos para ir (já que seria mais fácil para mim) e hoje Nate chega para me dizer que ele não tem paz sobre o meu ir, nem tampouco Ed. Agora não sei o que fazer. É a segunda vez que estou pronta para fazer uma incursão linguística, e Ed decide que eu não devo ir."

Em 16 de dezembro, um membro nu da tribo waorani apareceu do lado de fora da casa dos McCully em Arajuno, bem na fronteira com o território waorani. Ele desapareceu na selva, deixando apenas pegadas distintas para trás.

Betty escreveu em seu diário que aquele acontecimento fora "muito empolgante para mim, por algum motivo. Eu me pergunto se Deus permitirá que Jim e eu sejamos o primeiro casal a ir para o meio deles? Estamos prontos para ir a qualquer momento [...] ao menos no que tange aos nossos próprios desejos. [...] Ó Senhor, purifica meu coração e minhas motivações. Tu conheces a escória e a impureza que jazem nos recessos ocultos. Elimina-as e torna-me adequada para o teu serviço".

Os planos continuaram a se desenvolver. "Jim foi no voo aos waorani no sábado. Recebeu um papagaio, dois esquilos, comida cozida, braceletes e cestas na ponta da corda. [No Ano Novo] ele fará a primeira tentativa de encontrá-los no chão."

Betty, que teria se jogado na selva em um piscar de olhos, estava tendo dificuldades incomuns em gerenciar sua governanta e amiga, a jovem e às vezes volátil Eugenia. Muitas vezes, Eugenia se recusava a fazer as tarefas que Betty lhe atribuía; sua atitude oscilava entre desrespeito e doçura. Betty estava totalmente perplexa sobre como trabalhar com ela para alcançar a paz e a ordem dentro de casa. Jim observou que a garota tinha Betty "em suas mãos".

"Não senti orgulho de você hoje", disse ele a Betty, tendo observado suas lutas com Eugenia. Ela escreveu em seu diário, incisivamente: "E quando foi que ele jamais disse: 'Fiquei orgulhoso de você hoje?'".

"Estou no limite", escreveu Betty. "Foi muito difícil lidar com Eugenia hoje, de novo. [...] Tentei o silêncio, tentei levantar a voz, cortar o pagamento dela, mandá-la para casa por alguns dias, mandá-la para fora enquanto eu mesma faço o trabalho etc. etc. Jim vê apenas as ocasiões em que estou berrando com ela por algo (o que é frequente, reconheço) e sente que lido com ela de forma muito infantil. Eu não sei o que fazer. Quase sinto que ela se interpõe entre nós. Às vezes me sinto tão distante de Jim — desejo estar perto, simpatizar com seus problemas (e ele deve ter muito mais problemas do que eu, com a responsabilidade por tudo na estação), mas ele não reclama nem compartilha nada comigo quando tem algum."

Natal de 1955: Jim, Nate, Ed, Pete e Roger tinham quinze dias restantes sobre a terra.

Os Elliots, os Flemings e os McCullys celebraram o Natal juntos na casa de Ed e Marilou em Arajuno. A costumeira dupla cômica de Ed e Jim fez todos chorarem de tanto rir. Enquanto isso, os Saints estavam bem acomodados em Shell; a sempre competente Marj montara uma árvore coberta de lantejoulas e ornamentos e enchera a casa com o aroma de biscoitos recém-assados. Visitas entravam e saíam o tempo todo.

Nate ficou algum tempo de portas fechadas, já que sua irmã Rachel — alheia aos planos para com os waorani — estava hospedada com eles. Ele escreveu uma longa carta a ser-lhe entregue após a expedição dos homens ao território waorani. Ela descrevia seu desconforto com a disparidade entre sua própria celebração do Natal e a situação daqueles que nunca tinham ouvido o evangelho. Seus pensamentos estavam em "duzentas gerações silenciosas que foram para seus túmulos pagãos sem o menor conhecimento do Senhor Jesus Cristo, [...] estes que [...] sobrevivem assassinando e morrem sendo assassinados, [...] estes não têm Natal!".

"[...] ao pesarmos o futuro e buscarmos a vontade de Deus, parece correto que devamos arriscar nossas vidas por apenas uns poucos?"[12]

Nate respondeu à própria pergunta, afirmando que a incursão dos homens para alcançar esses poucos perigosos era a realização da "palavra profética da Bíblia, de que haverá alguns de toda tribo em sua presença no último dia, e em nossos corações sentimos que é do agrado dele que nos dediquemos a abrir uma entrada para Cristo em meio à prisão waorani".

"Enquanto aproveitamos ao máximo este Natal, que nós, os que conhecemos a Cristo, possamos ouvir o grito dos condenados enquanto eles, sem nenhuma esperança, se precipitam de cabeça na noite sem Cristo. Que possamos ser movidos de compaixão como foi o nosso Senhor."[13]

---

12 As citações de Nate são de *Jungle Pilot*, p. 272.
13 Ibid.

Não há dúvida de que esses eram cinco jovens dedicados, representando o melhor que os seres humanos podem oferecer a Deus — uma apaixonada entrega para estender seu reino e multiplicar sua glória ao compartilhar seu evangelho com aqueles que nunca o ouviram.[14]

Porém, para não pensarmos que os missionários viviam em um plano que ninguém mais pode alcançar, talvez seja útil considerar o último registro do diário de Jim Elliot, escrito em tom cabisbaixo no último dia do ano de 1955. Embora tivesse seu coração e intenções firmemente fixados em Cristo, ele estava lutando contra uma tentação comum a todos nós: a concupiscência da carne.

"Um mês de tentação. Satanás e a carne têm sido duros comigo no velho e terrível patamar de seios e corpos. Como Deus conserva minha alma em sua vida e permite que alguém tão miserável continue em seu serviço, isso não posso dizer. Ah, tem sido difícil. Betty acha que estou bravo com ela, quando eu simplesmente tenho tido de me conter em relação à vida sexual para não explodir... minha indignidade com relação ao amor dela me põe no chão. Tenho estado muito humilhado dentro de mim, lutando e me lançando de hora em hora em Cristo em busca de ajuda."[15]

Embora às vezes tenham sido apresentados como tais, Jim Elliot e seus colegas missionários não eram super-heróis espirituais. Sim, Jim possuía uma fé energética e discernimento espiritual incomum. Mas no final de sua vida, quando Satanás quis desesperadamente atrapalhá-lo, foi através de uma das tentações mais comuns da vida. E, como vimos, apesar da enorme fé dos demais, eles também estavam lutando: Roger, com depressão; Pete, com indecisão; Nate e Ed, com todos os tipos de incertezas humanas normais. Esses firmes seguidores de

---

14 Como Kathryn Long aponta com seu rigor característico, os cinco missionários que se dirigiram aos waorani "fizeram-no como amigos, com pouca preocupação com afiliações institucionais. Em parte, isso refletia a tradição dos Irmãos de Plymouth à qual três dos cinco pertenciam, e de cujas assembleias locais eles próprios eram representantes independentes. Além disso, para evitar competição, os vários grupos missionários que trabalhavam nas selvas do Equador haviam dividido o território e os povos tribais entre si. A Christian and Missionary Alliance (C&MA) e a Gospel Missionary Union (GMU) atuavam nas selvas do sudeste, ao longo dos Rios Pastaza e Bobonaza, entre os povos shuar (jívaro) e achuar. Os missionários dos Irmãos assumiram a área central e norte, onde viviam vários grupos populacionais dos quíchuas das planícies. O território waorani também estava em seu domínio, uma das razões pelas quais Jim Elliot, Ed McCully e Pete Fleming sentiam um interesse particular na tribo. A estação missionária que Ed e Marilou McCully estabeleceram em Arajuno, o ponto de partida aéreo para [a campanha de evangelização waorani], estava deliberadamente localizada no lado waorani do rio Arajuno, a fronteira ocidental das terras tradicionais waorani. Quando, por sugestão de Nate Saint, os outros missionários convidaram Roger Youderian para se juntar a eles, eles o estavam "pegando emprestado" das selvas do sul, uma ação que trouxe a Gospel Missionary Union, sua organização patrocinadora, para dentro da situação.
15 Diário de JE, 31 de dezembro de 1955, arquivos do Billy Graham Center, Wheaton, IL.

Cristo não eram imunes aos cuidados, aflições, seduções e exigências deste mundo. Mesmo quando se lançavam no caminho que os levaria ao martírio, eles eram completamente humanos — o que torna seu martírio ainda mais heroico.

Os últimos dias de Jim Elliot não foram os de algum santo de plástico estéril, mas de um homem de carne e osso experimentando uma nuvem de distrações. Mas as últimas palavras em seu diário, daquele último dia de 1955, lançavam luz sobre sua confiança no desfecho definitivo que se avizinhava.

"Embora a carne conspire", escreveu ele, "que o espírito conquiste".

O Espírito ia fazer isso.

CAPÍTULO 22
A SEGUNDA MORTE

"Acreditamos que em pouco tempo teremos o privilégio de conhecer esses companheiros com a história da Graça de Deus."
— Nate Saint

Em 3 de janeiro de 1956, Nate levou seus companheiros missionários para uma clareira no sinuoso Rio Curaray. Ele apelidara o local de Palm Beach; ficava perto do assentamento waorani, onde eles passaram as últimas treze semanas deixando presentes. O rio havia formado um longo banco de areia; só o mais habilidoso dos pilotos, alguém como Nate Saint, seria capaz de pousar ali ou decolar dali.

Em 4 de janeiro, Betty escreveu em seu diário: "Jim foi para os waorani agora. Nate o levou de avião, junto com Pete, Roger [...] e Ed para uma praia a cerca de três horas de distância das casas onde eles vinham fazendo as entregas. Eles montaram uma casa na árvore onde vão esperar até que os [waorani] venham visitá-los. Eles estão armados, é claro, e uma vez que os waorani matam apenas com lanças, suponho que eles estejam bem seguros. Não tenho ideia de quando voltarão".

"Tenho pensado muito sobre ficar viúva", continuou. "Pergunto-me se teria coragem de continuar aqui. Sinto agora que gostaria de ficar e continuar. Mas Deus não dá direção para devaneios."

Naquele mesmo dia, Jim Elliot escreveu o que seria sua última nota para a sua esposa. Nate Saint voou para fora da selva naquela noite. Jim rabiscou a lápis, da casa da árvore em Palm Beach. "Estamos nos sentindo de fato confortáveis e seguros a dez metros do chão em nossos [...] pequenos beliches. [...] Vimos pegadas de puma na praia e as ouvimos ontem à noite. É uma selva linda, aberta e cheia de palmeiras. [...] Nossas esperanças estão altas, mas ainda sem sinais dos 'vizinhos'. Talvez hoje seja o dia em que os waorani serão alcançados. [...] Estamos descendo agora. Pistolas, presentes [...] e oração em nossos corações. Isso é tudo, por enquanto. Seu amante, Jim."[1]

Àquela altura, Rachel Saint já havia chegado a Shandia. Ela estava hospedada na casa dos Elliots. Como Nate decidira que sua irmã não deveria saber sobre aquela incursão evangelística, a situação era estranha para Betty. Quando Nate entrava na rádio com atualizações, Betty escutava as transmissões usando fones de ouvido, para que Rachel não pudesse ouvir os relatórios.

Na manhã de sexta-feira, 6 de janeiro de 1956, Nate, Jim e amigos esperavam outro dia longo e quente pelos waorani. Podia levar semanas. Então, inacreditavelmente, duas mulheres saíram da selva do lado oposto do rio, em relação ao acampamento. Uma era jovem, a outra mais velha, com a orelha rasgada. Elas estavam nuas, exceto por cordões amarrados em torno de seus pulsos e cinturas. Elas usavam alargadores redondos de madeira nas orelhas furadas. Waorani!

Jim Elliot entrou no rio para ajudá-las a atravessarem. Nate, Ed, Roger e Pete as receberam com muitos acenos de cabeça e sorrisos. Então, um homem waorani emergiu da folhagem também.

Os membros da tribo não tinham ideia do que os norte-americanos estavam dizendo, mas afluíram com torrentes de palavreado, presumindo que os missionários entenderiam. Eles comeram, beberam e pareciam totalmente confortáveis, ao ponto de o homem deixar claro para Nate, por linguagem corporal, que queria andar de avião. Nate atendeu e, enquanto o Piper amarelo deslizava por sobre aldeia waorani, o índio ficou tão empolgado que teria saltado para fora, em pleno ar, se Nate não o tivesse segurado. (Havia pouco para Nate agarrar, já que o homem não usava roupas.) Mais tarde, em uma elaborada pantomima, os missionários tentaram comunicar seu desejo de que os waorani abrissem uma pista de pouso em seu assentamento, para facilitar o contato. Filmes caseiros que os missionários gravaram dessa tentativa mostram que teatro de gestos não era exatamente seu forte.

---

1 EE para "Queridos Mãe, Pai e família, bem como Mamãe e Papai Elliot e família", 27 de janeiro de 1956.

A SEGUNDA MORTE

Nate Saint e Roger, aplicando repelente de insetos ao seu visitante waorani, 6 de janeiro de 1956

No final da tarde, o homem e a mulher mais jovem voltaram para a selva. A mulher mais velha ficou na praia, compartilhando de modo fervoroso e ininteligível seus pensamentos e sentimentos mais profundos com Roger. Naquela noite, ela dormiu ao lado da fogueira; quando os missionários acordaram cedo na manhã seguinte, em sua casa na árvore, ela tinha ido embora.

Os missionários estavam fora de si. Contato amigável! Com os waorani! O sonho deles estava se tornando realidade. Eles transmitiram as boas notícias para suas esposas, pelo rádio; Nate levou fotos e vídeos dessa primeira conexão waorani de volta a Shell.

No dia seguinte, um sábado, os homens andavam em círculos, oravam e gritavam saudações amigáveis na selva silenciosa. Esperaram o dia inteiro. Nenhum sinal dos waorani. Quando os seus novos amigos retornariam?

De volta a Shandia, Betty dava risadas das descrições que Nate fazia sobre o encontro de sexta-feira com os waorani, emocionada por aquele primeiro contato ter corrido tão bem. Claramente, grandes coisas estavam por vir.

Provavelmente, o segundo encontro dos missionários com os waorani no domingo, 8 de janeiro, seria tão amigável quanto o primeiro na sexta-feira, exceto por uma circunstância que não tinha nada a ver com os norte-americanos.

O homem waorani que visitara os missionários na sexta-feira se chamava Nenkiwi. A mulher mais jovem era Gimadi e a mulher mais velha, Mintaka.

Em uma tribo de assassinos, Nenkiwi se destacava. Ele tinha duas esposas, e matou uma delas a lança quando esta o desagradou. Agora, ele queria se casar com a jovem e provocante Gimadi. O irmão dela, um guerreiro feroz chamado Nampa, se opôs à união.

Enquanto essa tensão se desenvolvia na manhã de sexta-feira, 6 de janeiro, Gimadi, uma jovem do tipo obstinado, havia deixado o assentamento waorani. Nenkiwi também. A mulher mais velha, Mintaka, viu o que estava acontecendo e foi como uma autodesignada dama de companhia. Os três acabaram encontrando os cinco missionários e, como vimos, passaram o dia com eles pacificamente.

Quando Gimadi se levantou e deixou o acampamento dos homens, Nenkiwi a seguiu no denso emaranhado de árvores e trepadeiras. Mintaka ficou com os missionários até muito cedo na manhã seguinte, depois voltou para o assentamento waorani. O mesmo fizeram Nenkiwi e Gimadi, mas só depois de passarem a noite sozinhos na selva — uma violação dos costumes waorani.

No sábado, Nenkiwi estava mais determinado do que nunca a conseguir o que queria e se casar com Gimadi. Nampa, furioso, não queria que Nenkiwi ficasse com sua irmã. A fúria mortal entre Nampa e Nenkiwi se intensificou, o que, na cultura waorani, só poderia terminar de uma maneira: morte por lança. Enquanto outros se amontoavam em volta deles e a tensão aumentava, Nenkiwi habilmente desviou a ira que estava contra ele em direção aos missionários. Ele descreveu o encontro com Nate, Jim e os demais, mas deu a sua própria versão.

"Os estrangeiros iam nos matar!", alegava.

A mulher mais velha, Mintaka, zombava daquilo. Ela contou aos outros waorani sobre o encontro pacífico com os cinco homens de pele clara. "Comemos com eles a sua própria comida!", explicou ela. "Nenkiwi fala como louco!"

Gikita, um guerreiro experiente e o mais velho do grupo, conhecia bem a tendência de Nenkiwi de mentir para sua própria vantagem — mas também sabia que a tribo não podia se dar ao luxo de matar um de seus próprios guerreiros naquele momento. Os meses de dezembro, janeiro e fevereiro eram os de menor vazão do rio e a "temporada de matança", quando outros clãs waorani atacavam. Eles precisavam de

Nenkiwi para as próximas incursões. À medida que as acusações de Nenkiwi contra os cinco estrangeiros continuavam, a raiva e a sede de sangue da tribo começaram a arder, e logo em seguida todos estavam afiando suas lanças.

"Sim!", gritaram. "Lanças em punho! Vamos sair e matar os *cowodi*!"

O curso de ação estava definido.[2] Os waorani passaram o resto do sábado fazendo lanças, afiando-as com os facões que os missionários haviam entregado como presentes. Eles atacariam no dia seguinte.

Obviamente, os missionários não sabiam sobre essa rede de mentiras, intrigas e furor.

Na manhã de domingo, 8 de janeiro, enquanto Nate Saint sobrevoava a selva, viu um grupo de gente nua da tribo se dirigindo em direção a Palm Beach. Às 12h30, ele comunicou a Marj por rádio que havia visto os waorani se aproximando e que eles certamente chegariam ao acampamento dos missionários no final da tarde. "Ore por nós!", concluiu. "Hoje é o dia! Farei o próximo contato com você às 16h30."

Depois que Nate pousou seu avião amarelo no banco de areia e anunciou aos gritos para Jim, Ed, Pete e Roger sobre os esperados visitantes, os cinco missionários andavam em círculos pela praia, orando e revisando seus guias de conversação. Espera. Uma panela de feijão fervia sobre a fogueira. Todos usavam camisas e calças cáqui, exceto Roger, que usava jeans azuis. Eles estavam cheios de expectativa, com a esperança de que os waorani os convidariam para suas casas.

Os relatos do que aconteceu em seguida variaram ao longo dos muitos anos desde janeiro de 1956. Cada waorani que participou dos assassinatos viu o evento apenas de sua própria perspectiva. Cada um estava incendiado pela adrenalina que tanto concentrava como logo esgotava a sua energia, foco e fúria. Porém, os vários relatos e as evidências forenses estavam em harmonia quanto ao curso geral do ataque e o seu rápido desfecho.

---

[2] Assim como o relato dos assassinatos, as descrições do engano de Nenkiwi e do desvio da fúria da tribo em direção aos norte-americanos variam em alguns pontos, mas os relatos concordam sobre o principal impulso e desenvolvimento da discussão furiosa. Alguns que fizeram parte do trabalho de resgate concluíram que os waorani não jogaram os corpos no rio, mas que os missionários recuaram para a água, mostrando que não iriam lutar, disparando suas armas para o ar em um esforço para assustar os waorani. A praia estava cortada com marcas profundas de calcanhares e sinais de luta; a equipe de busca encontrou cápsulas de balas gastas. Este relato se baseia em informações disponíveis anos depois a partir de outros relatos traduzidos de Mincaye e Gikita, em *God in the Rainforest*, de Kathryn Long, e nas discussões de Steve Saint com os waorani sobre o que aconteceu naquele dia, conforme relatado em minha entrevista com Steve em abril de 2019. Nenkiwi foi ferido por lança e enterrado vivo por outros waorani em eventos não relacionados, cerca de um ou dois anos após a morte dos missionários.

A ação se desenrolou nas margens do Rio Curaray. Os cinco homens estavam agora sob seu abrigo improvisado do sol, espantando insetos e esperando que os waorani emergissem da selva.

Palm Beach, janeiro de 1956

Enquanto isso, os guerreiros waorani - Gikita, Nampa, Kimo, Nimonga, Dyuwi e Mincaye — se separaram furtivamente em dois grupos. Eles estavam acompanhados por várias mulheres. O primeiro grupo se escondeu rio acima, a certa distância da base do acampamento dos missionários. Algumas das mulheres waorani, como chamarizes, saíram dos altos feixes de cana-de-açúcar à beira da água, chamando os estrangeiros para descerem à praia.

Como era de se esperar, Jim Elliot foi o primeiro a sair na direção delas, para fora do acampamento, acompanhado por seu velho amigo Pete. Enquanto isso, Roger, Nate e Ed esperavam perto do abrigo.

Assim, os missionários estavam separados quando a emboscada começou.

Enquanto Jim Elliot sorria e gesticulava alegremente, sua atenção voltada para as mulheres, Nampa irrompeu da folhagem espessa, correndo em direção a Jim com sua lança empunhada. Jim o agarrou pelo lado, onde ele usava um coldre com uma capa de pressão. De alguma forma, Jim conseguiu sacar a pistola e ergueu o braço para disparar um tiro de advertência ao ar. Mas Nampa atirou sua lança, com precisão mortal, em direção bem ao meio do peito de Jim. Uma das mulheres, a mãe de Nampa, correu para Jim por trás e puxou o braço dele para baixo. Ao fazer isso, a arma de Jim disparou. A bala raspou a cabeça de Nampa e ele caiu, não muito longe de onde Jim bateu na areia, a lança de Nampa em seu peito.

Simultaneamente, os guerreiros rio abaixo saíram da selva perto do acampamento base dos missionários. O guerreiro Gikita atirou uma lança em Nate, atingindo-o bem no meio do peito; os outros se precipitaram contra Ed e Roger. Em algum momento do caos, o grande Ed McCully tentou proteger um de seus amigos missionários agarrando os braços de seus atacantes por trás; outros índios vieram atrás de Ed, espetando-o pelas costas. Ao mesmo tempo, um dos missionários — provavelmente Roger, experiente na guerra — correu em direção ao avião e se inclinou desesperadamente para pegar o rádio portátil. Os waorani o perseguiram e o traspassaram no eixo vertical, através do lado direito do quadril. Ele caiu na areia. Coberto de sangue, eles o traspassaram de novo e de novo.

Rio acima, depois de Jim ter caído, Pete escapara para uma tora de madeira que repousava no rio raso.

"Por que ele não fugiu?", perguntaram os guerreiros anos depois. "Ele apenas ficou lá, nos chamando." Não se sabe se as frases de Pete eram totalmente inteligíveis para os waorani; mas *sabe-se* que eles podiam ver que ele não pretendia lhes fazer nenhum mal. Porém, em seu rompante de fúria, aquilo não importava. Eles correram em direção a ele e jogaram suas lanças, perfurando seu coração.

Como era habitual em seus assassinatos, os agressores circulavam entre os homens caídos, insultando-os e mergulhando mais lanças em seus corpos, para que todos compartilhassem igual responsabilidade pelas mortes. Os missionários, sangrando de ferimentos horríveis, não viveram muito tempo.

Os assassinos: respiração ofegante, estimulada pela adrenalina. Os missionários: dando seu último suspiro. Sangue na areia. A tração da água morna. A copa das árvores na selva balançando em verde, azul, e então em dourado cada vez mais brilhante.

Os waorani se dirigiram para o avião amarelo de Nate, rasgando com facões sua superfície resistente, mas flexível, atirando suas lanças e arrancando o máximo que podiam de sua fuselagem.

Quando matavam assim, os guerreiros o faziam a partir de uma poça de fúria turbulenta e diabólica que impulsionava suas lanças, incendiava seus insultos e propelia o massacre. Aquela fúria logo se esvaía... sendo substituída pelo medo.

Eles pegaram Nampa, que estava quase inconsciente,[3] carregaram-no para a trilha e fugiram para suas casas. Depois de incendiarem aquelas casas, como era seu costume depois de matar, eles desapareceram pela selva.

Anos depois, Mincaye (um dos guerreiros que mais tarde veio a conhecer Cristo) confirmou o consenso que havia entre os waorani à época dos assassinatos. Primeiro, embora os missionários tivessem armas e vários deles tenham disparado essas armas para o ar, eles claramente não as usaram em legítima defesa. Segundo, "o baixinho" — Pete — poderia ter escapado para a selva; os guerreiros não o teriam perseguido, já que sua fúria assassina era de curta duração. Mas ele não o fez, e então eles o mataram a lanças.

Várias décadas depois, alguns que participaram do ataque falaram de uma presença estranha, além dos seres humanos que estavam matando e morrendo na praia naquele dia. Kimo e Dyuwi, entre outros, descreveram estranhas luzes acima das árvores... "estrangeiros" vestidos com roupas brancas... e o som de mantras, que é como os waorani descreviam cânticos.

Seriam anjos? Só Deus sabe.

Na agonia de seus momentos finais, na dor daqueles últimos e fracos suspiros, o que será que passou pela mente dos cinco americanos? Só Deus sabe disso também. Tudo o que as corajosas viúvas, as famílias e o resto de nós ao longo das décadas podemos saber com certeza é que, quando eles passaram por aquele fino véu que separa esta vida da vida eterna, o *próximo* suspiro daqueles cinco missionários foi um suspiro enorme e exultante na própria presença de Deus. Eles haviam ganhado o que não podiam perder.

---

3 Nampa viveu por alguns meses após o massacre de Palm Beach. Existem basicamente duas escolas de pensamento sobre sua morte. Alguns dizem que ele foi apenas atingido de raspão pelo tiro de advertência do missionário e morreu mais tarde, enquanto caçava, esmagado por uma jiboia. Outros postulam que ele morreu de complicações do ferimento de bala em sua cabeça.

CAPÍTULO 23
CRISTO, O PRINCÍPIO; CRISTO, O FIM

"Não há mistério numa distância em linha reta.
O mistério está na esfera."
— Thomas Mann

Betty Elliot, em Shandia, não teve nenhum sinal da morte do marido até o dia seguinte. Uma vez que Rachel Saint, que ignorava a missão dos homens, se hospedava com ela, Betty não ligara a transmissão de rádio no domingo. Ela não tinha nenhuma razão em particular para pensar que algo estivesse errado.

Na manhã de segunda-feira, 9 de janeiro de 1956, Betty fez contato de rádio com Marj Saint às oito da manhã. Marj lhe disse que Nate, Jim e os demais não haviam dado notícias no domingo à tarde, como de costume, e que Johnny Keenan, o piloto da MAF que trabalhava com Nate, havia decolado para sobrevoar o acampamento de Palm Beach. Será que Betty podia voltar a fazer contato às dez? Betty não estava particularmente preocupada. Ela sabia que os homens estavam animados com o contato com a tribo; eles provavelmente tinham ficado absortos em alguma tarefa que estavam fazendo.

Às dez da manhã, a voz tensa de Marj veio pelo rádio. "Johnny localizou o avião e toda a fuselagem foi arrancada. Não havia sinal dos rapazes."

Rachel, ouvindo aquela mensagem em pé ao lado de Betty, agora entendeu o que estava acontecendo e que ela havia sido deixada de fora do plano. Ela explodiu e perguntou a Marj se o avião havia sido queimado. "Não", disse Marj. "Não sabemos... mas não me importo mais com o velho avião! Apenas com os rapazes!" Com isso, sua voz falhou, e ela não disse "Câmbio, desligo" ao final de sua transmissão.[1]

---

[1] EE para "Queridos Mãe, Pai e família, bem como Mamãe e Papai Elliot e família", 27 de janeiro de 1956.

Foi só então que Betty percebeu que as coisas iam mal. Muito mal. "Senhor, mostra-me o caminho", orou ela em silêncio. "Dá-me paz, ó Deus da minha salvação."

Quando Johnnie Keenan voltou a Shell e avisou por rádio que avistara o avião em ruínas, a notícia do desaparecimento dos homens no território waorani irrompeu por toda a comunidade missionária no Equador e muito além. A poderosa estação de rádio cristã de Quito, HCJB — a "Voz dos Andes" —, transmitiu as notícias ao redor do mundo. O general William Harrison, chefe do Comando do Caribe dos EUA, conhecia vários dos missionários desaparecidos. Ele organizou o apoio das forças armadas americanas, que trouxeram dois aviões de carga C-47, um deles carregando um helicóptero. As forças armadas do Equador ofereceram ajuda. A Associated Press cobria a história. Cristãos de todo o mundo oravam pelos homens desaparecidos.

O avião em ruínas

As cinco esposas pediram a seu amigo e colega, o missionário Frank Drown, da Gospel Missionary Union, que liderasse os membros voluntários da equipe de buscas. Missionários que tinham experiência na selva se ofereceram para se juntar a ele. Entre estes estavam Morrie Fuller, da Christian & Missionary Alliance [Aliança Cristã e Missionária]; Dr. Art Johnson, da rádio HCJB (agora conhecida como Reach Beyond [Alcance Além]); Dee Short, da Christian Missions in Many Lands [Missões Cristãs em Muitas Terras]; Jack Shalenko, da Slavic Gospel Association/HCJB [Associação Eslava pelo Evangelho/HCJB]; e Don Johnson e Bub Borman, da Wycliffe Bible Translators/Summer Institute of Linguistics [Associação Wycliffe para a Tradução da Bíblia/Instituto de Linguística de Verão]. O coronel Malcolm Nurnberg, do Esquadrão de Resgate Aéreo e Marítimo do Comando do Caribe dos EUA, liderava a unidade militar.

Parte da equipe de busca

No final, a equipe era composta de doze soldados, seis missionários (incluindo um médico) e dez índios quíchuas. Os quíchuas, amigos de Ed McCully e família, cuidariam das longas e pesadas canoas necessárias para transportar o grupo para o território waorani.

Frank Drown presidiu o carregamento das canoas. Ele colocou soldados, quíchuas e missionários em cada uma, de sorte que, se alguma canoa fosse atacada, os mortos seriam uma mistura de pessoas dos vários grupos. Ele distanciou as canoas cerca de 90 metros umas das outras. "Eu queria dar a impressão de que um exército inteiro estava vindo", disse Frank mais tarde, "para que os waorani não tentassem nos atacar... nós parecíamos a Armada Espanhola descendo o rio".[2]

O grupo exausto dormiu em um banco de areia na primeira noite, com os soldados vigiando.

Ao amanhecer do dia seguinte, eles continuaram ao longo do rio. Aviões sobrevoavam, dando-lhes cobertura e relatando o que poderia haver adiante. A certa altura, a tripulação comunicou por rádio que um grupo de índios se encontrava logo após a curva; porém, quando os avistaram, os quíchuas os reconheceram como companheiros crentes do ministério de Ed. Eles disseram ao grupo que haviam encontrado Ed McCully. Ele estava morto. Traziam consigo um de seus enormes sapatos — Ed tinha pés distintamente grandes — e seu relógio.

A notícia passou de barco para barco. Muito provavelmente, todos os homens estavam mortos. Ainda assim... talvez, de algum modo, um ou mais ainda podiam estar vivos.

Frank Drown e sua equipe chegaram a Palm Beach. O avião estava cheio de buracos; o acampamento, destruído; a casa na árvore, devastada.

O helicóptero acima fez uma varredura ao longo do rio, e pairou quando os que estavam dentro viram uma perna emergindo da água. Vários quíchuas mergulharam no rio e, com cordas, puxaram o cadáver irreconhecível. Deitaram-no na areia. Um pouco mais a jusante, havia outro. Os homens cuidadosamente o puxaram e o deitaram ao lado do primeiro.

Depois que o médico mediu os corpos, o grupo concluiu que aqueles eram Jim Elliot e Pete Fleming. O corpo de Jim estava completamente devorado dos quadris para cima, identificável apenas por um pedaço de material deixado na gola de sua camiseta, que tinha uma etiqueta com seu nome. Seu relógio à prova d'água, intacto, ainda estava em seu pulso.

O helicóptero foi adiante. Havia outro corpo emergindo da água, preso em arbustos e galhos, menos decomposto do que os outros. Frank e Morrie, outro

---

2 As descrições de Frank são de Frank Drown, *Rescue or Search?*, um artigo não publicado sobre os missionários e a expedição do grupo de busca no Curaray, que circulou em janeiro de 2010 de sua casa em Kansas City, MO.

missionário, foram investigar. "Antes de chegarmos perto, já podíamos ver uma lança saindo da cabeça. [...] Quando nos aproximamos, eu soube que era Nate. A lança havia sido enfiada por detrás. Ele tinha uma grande ferida de facão em seu rosto."

"Então notei outra coisa peculiar a Nate. Seu relógio de pulso estava preso acima do cotovelo. Ele às vezes fazia aquilo para se lembrar de cumprir alguma tarefa. Talvez não quisesse perder o contato da tarde de domingo com sua esposa, às 16h30." [...]

"Eu estendi a mão da nossa canoa para amarrar uma corda no corpo de Nate, mas não consegui. Fiquei sem forças. Minhas mãos tremiam e meus olhos se encheram de lágrimas. Eu simplesmente não conseguia fazê-lo. Morrie viu que eu estava com dificuldade, então disse que faria aquilo por mim. Ele amarrou a corda ao redor do corpo de Nate, puxou-o de volta para a praia e o deitou ao lado de Jim Elliot."

Cerca de meia hora depois, uma canoa que havia descido rio abaixo voltou, puxando um quarto corpo.

"Eu sabia que era Roger", disse Frank. "Seus tênis, jeans azul e camiseta branca o identificavam. Quando o colocaram ao lado de Nate, parei diante dele e olhei para ele. Tínhamos percorrido muitas trilhas e ministrado em muitos lugares juntos. Ele era tão forte e capaz. Mas agora ele havia partido desta terra, e eu chorei, chorei muito. Ele não percorreria outra trilha comigo novamente."

"Eu vi as lanças em seus quadris. Um grande soldado havia caído. Através das minhas lágrimas, olhei para ele pela última vez. Aquele fora seu último serviço feito para Deus. Seu corpo estava quebrado, mas seu espírito vive no céu e no meu coração."[3]

O céu escureceu. Uma enorme tempestade começou. Os soldados, constantemente examinando a selva em busca de movimento hostil, estavam nervosos. Os missionários abalados e o resto do grupo cavaram apressadamente uma cova comum, fizeram uma breve oração e com pás jogaram o solo da selva sobre os restos mortais de seus irmãos caídos.

A história se descortinava em sensacionais manchetes de jornais nos EUA e em todo o mundo: "Cinco missionários americanos supostamente capturados por selvagens" (*The Los Angeles Times*).

---

3 Tudo isso é do livro de memórias de Frank Drown sobre os esforços de resgate.

Outros meios de comunicação anunciavam a história: "Selvagens da Amazônia capturam cinco missionários americanos"; "População de Wichita espera ansiosamente por notícias do paradeiro dos missionários"; "Cinco missionários americanos supostamente mortos no Equador"; "Aviões vasculham a selva amazônica em busca de cinco missionários capturados por índios selvagens; um morto"; "Tripulação de helicóptero encontra corpos de quatro missionários"; "Missionários enterrados na selva: imolados por índios; todos os corpos encontrados".

As cinco mulheres — Betty, Marj, Marilou, Olive e Barbara — oravam constantemente. Dormiam pouco. De alguma forma, preparavam refeições, faxinavam, trocavam fraldas e cuidavam das crianças, bem como de simpatizantes e curiosos que convergiam para a casa de Marj em Shell. Soldados americanos também apareceram, membros da equipe de resgate aéreo que tanto animaram as esposas quando seus enormes aviões pintados de vermelho, branco e azul vieram rugindo pela pista da Shell, prontos para apoiar os esforços de busca.

As esposas recebiam relatórios de rádio sobre a busca à medida que a equipe avançava da esperança de resgate para a fase de recuperação dos corpos e, em seguida, para o apressado enterro dos homens na praia onde haviam morrido. Mais tarde, Betty perguntou a Morrie como estava o corpo de Jim. Morrie lhe disse que Jim estava preso sob um tronco no rio; não restava muito de sua carne, que havia sido "devorada" na água. "Eu queria saber [todos os detalhes], assim como todas as esposas."[4] Betty escreveu para sua mãe e para a mãe de Jim. De alguma forma, os detalhes pareciam ajudá-la em sua dor, em vez de a agravar.

"O Senhor esteve ao lado de todas nós de uma maneira inimaginável", escreveu ela. "Todas nós, as mulheres, estamos tão felizes que os homens tenham morrido dessa maneira — na 'plenitude de seu poder'. Jim e Ed não podiam desejar nada além de morrer juntos — e em um projeto como aquele. Eles estavam prontos — cada um deles."

"Até agora não derramei lágrimas desde que a palavra final chegou. Isso para mim é um milagre. Tenho sido uma bebê chorona desde que nos casamos, mas o Senhor literalmente cumpriu sua palavra — [as águas] não te submergirão."

"Foi bondade de Deus eles terem conseguido encontrar todos os corpos facilmente."

---

4 EE para "Querida Mãe e Mamãe", 8 de fevereiro de 1956.

CRISTO, O PRINCÍPIO; CRISTO, O FIM

"Um pouco da solidão do futuro começou a me pressionar ontem à tarde. O que farei? Deus me chamou para o trabalho de tradução e para o Equador. Não posso voltar para casa. [...] <u>Deus me livre da autocomiseração</u>. [...] "Devo me recusar a remoer tudo o que fizemos juntos, a brevidade da nossa vida de casados etc. Devo recusar cada pensamento enfraquecedor. É uma verdadeira alegria pensar em Jim: imaculado diante do trono de Deus, vencedor, mártir, triunfante. Oh, que privilégio foi o meu de ter encontrado tal marido — Deus o 'emprestou' a mim por dois anos e três meses."

"Eles nos levaram hoje para ver o local do incidente, no C-47 da Marinha. Ficamos todas muito felizes em poder ver onde enterraram nossos maridos. O avião estava claramente visível na praia."

"Apenas mais um longo dia' [...] [Marj] e eu temos nos mantido acordadas todas as noites, pois não conseguimos ir para a cama."

"Sinto-me absolutamente certa de que nunca mais me casarei. Sem dúvida, todas as recém viúvas fazem essa declaração, mas tenho certeza em meu coração."

"Quem poderia adivinhar que este livreto magro abarcaria toda a nossa vida de casados?"

Quando chegou à última página de seu diário desgastado, ela o encerrou com versos do poeta inglês Frederic W. H. Myers, versos que, na verdade, ela havia escrito na contracapa ao começar a usá-lo.

"'Sim, em meio à vida, morte, em meio ao
entristecer e em meio ao pecar.
Ele me basta, pois ele sofreu:
Cristo é o fim, pois Cristo
foi o começar.
Cristo, o princípio, pois Cristo é o fim.'"

CAPÍTULO 24
ATRAVÉS DOS PORTAIS

"Melhor aqueles perfeitos dois anos pertencendo a tal homem do que cinquenta com um homem qualquer!"[1]
— Elisabeth Elliot

Três semanas após a morte de Jim, Betty começou um diário novinho em folha, registrando com tinta, em tempo real, o fluxo volátil de suas emoções e a determinação resoluta de suas intenções.

"A vida começa um novo capítulo — desta vez sem Jim ou qualquer esperança de vê-lo nesta vida. Vinte dias atrás, ele foi morto pelos índios waorani no Rio Curaray."

"Oh, como oro para me conformar com a agradável vontade de Deus. Não quero perder nem uma lição. No entanto, percebo que eventos não mudam almas. É a nossa resposta a eles que, afinal, nos afeta."

"Percebo que, embora eu esteja em um novo lugar de rendição e absoluta prostração diante daquele que assim planejou minha vida, pequenas coisas permanecem entre mim e ele — coisas que são grandes à sua vista: falta de paciência com os índios, preguiça em mim mesma, falha em me disciplinar e me preparar adequadamente para as reuniões escolares etc. Ó Deus, tu sabes o que as pessoas estão dizendo: 'Você é maravilhosa!' 'Você tem nos servido de repreensão, testemunho, desafio, etc.'. Se ao menos elas soubessem! Só tu o sabes, Senhor Jesus. Vem, limpa, purifica, torna-me semelhante à tua gloriosa imagem!"

"Eu agora anseio ir para os waorani. As duas coisas, as únicas coisas para as quais posso olhar com expectativa agora são a vinda de Cristo e minha ida para os waorani. Oh, se Cristo simplesmente voltasse — mas como ele pode voltar antes que os waorani ouçam a seu respeito. [...] Ou então, se eu simplesmente morresse — que bendito alívio. Mas eu não peço por alívio. Peço para me tornar semelhante a Cristo, no mais

---

1   EE para "Queridos Betty e Joe", 29 de janeiro de 1956.

íntimo do meu ser. [...] Antes, eu temia colocar qualquer coisa acima de ti — agora, o que eu tinha de mais precioso foi arrancado de mim. Acaso isso significa que eu não tenho mais muito o que perder? Acho que sim. Mas, ó Senhor, tu o sabes. Aceita-me, em teu nome. E, oh, se for possível, manda-me logo para os waorani!"

As primeiras horas da manhã eram sempre as mais difíceis. Nos velhos tempos, ela acordava lentamente e se deitava em paz no ombro forte de Jim. Aqueles dias agora tinham desaparecido para sempre. Acordar e sentir o lugar vazio dele ao lado dela era uma lança perfurando-lhe o coração.

Toda vez que ela lia as palavras "Sr. e Sra." ou ouvia referência a "marido e mulher", outra facada. "Eles podem ficar juntos... e quanto a mim? Então o Senhor me mostra que minha sorte não deve ser comparada com a dos outros", dizia ela a si mesma. Deus tinha um lugar em seu reino e seu serviço que ninguém mais poderia preencher. Ela não estava naquela situação por engano.

"Eu deveria me alegrar por outras pessoas receberem companheiros de vida para a vida toda", pensou; ela deveria aceitar de bom grado a sorte que Deus lhe dera. Mas oh, as horas escuras das manhãs, com grandes ondas de solidão... oh, estender a mão para tocar Jim, sonhar que ele estava realmente ali, que sua morte não era real, que seus braços fortes estavam abertos para ela... e então nada além do travesseiro vazio, a cama fria e solitária!

Os dias agitados não aliviavam aquele anseio. Ela se sentia impaciente com as meninas quíchuas na escola, frustrada por agora ter de assumir a turma de instrução para os encontros infantis, algo que Jim sempre fizera. Havia setenta e sete cartas de familiares, amigos, apoiadores e estranhos; todas precisavam ser respondidas. Havia o jantar para cozinhar. Havia preocupações com a pequena Valerie, que não estava comendo bem durante o dia, mas pedia mamadeiras a noite toda. "Mostra-me como ser mãe e pai para ela", Betty orava.

"Sinto-me tão impotente sem Jim", continuou ela. "Mil pequenas coisas surgem constantemente. Gasolina para as lamparinas — onde ele a guardava? Alguém invadiu o [depósito] — o que foi roubado? Não sei o que havia nele. Hector veio discutir seu salário — um assunto tão complicado, não entendo nada. [...] Não tenho mais ninguém que cuide do gramado e do jardim [...] Outras mulheres têm um homem para fazer essas coisas... e elas também terão o céu! Senhor, perdoa-me. Escrevo isto porque foi o que pensei. Não posso escondê-lo de ti."

"Então, percebo que <u>devo</u> instruir os crentes. A última coisa que Jim falou quando conversamos sobre a possibilidade de ele não retornar foi esta: 'Ensine os crentes, querida — nós temos de ensinar os crentes'. Ó Senhor, ajuda-me — pois sou verdadeiramente impotente."

Betty foi convidada para ser a palestrante em uma conferência cristã quíchua. Ela hesitou; na época, mulheres normalmente não faziam essas coisas. "Eu me sinto tão impotente, sem saber se seria certo em princípio. [Mas] não há nenhum [missionário homem] no Equador que fale quíchua."

Durante um culto em memória dos missionários mortos, um homem quíchua orou: "Senhor, não estaríamos aqui fazendo isso se aqueles *señores* não tivessem vindo de tão longe para nos falar de ti. Por isso, te agradecemos; e pensamos em teu Filho, cravado com uma lança, açoitado e moído por nós".

Elisabeth Elliot, onze dias após a morte de seu marido

Betty decidiu ir adiante e palestrar na conferência. Ela tinha um novo senso de urgência; certamente Jesus haveria de vir em breve. Se ao menos ele viesse!

"A Mãe Elliot escreveu ontem expressando seus temores por mim — aparentemente, ela pensa que estou reprimindo meus verdadeiros sentimentos e que acabarei desmoronando. Será que não é possível ser mantida em perfeita paz quando o marido morre? Será que Deus não pode cumprir sua Palavra?"

"Então, chega uma carta de Marj [Saint] esta tarde — dizendo-me que ela ficou chorosa ao falar comigo no rádio e não conseguiu terminar o que queria dizer. Ela conta que cada dia tem sido mais difícil para ela. Então, o inimigo veio sobre mim como um dilúvio e me ameaçou com a possibilidade de eu desmoronar no futuro; o que me impedia de chorar era apenas o nervosismo e a descarga de adrenalina, mas logo seria diferente. Talvez seja assim, mas Jesus Cristo é o mesmo ontem, hoje e <u>para sempre</u>. Ele estará comigo ali também."

"Anseio por estar no Lar. Anseio por me despir deste corpo mortal, por me ocupar totalmente com coisas invisíveis. Que grande peso as coisas visíveis têm sido para mim atualmente — cozinhar, lavar roupas, cuidar do corpo, limpar a casa etc. [...] Sinto-me frustrada e inútil. Limpar, alimentar todas essas pessoas, cuidar de Valerie, fazer pão etc. etc. Senhor, é para isso que estou aqui? Oh, quando estarei livre do corpo desta morte? Ajuda-me a te amar mesmo nessas horas de ocupação com coisas visíveis."

Em meados de março, em uma assembleia de crentes quíchuas, um dos pupilos de Jim pregou com convicção apaixonada, dizendo aos congregantes: "Se vocês não gostam do que digo, sinto muito, pois continuarei a atormentá-los até que eu morra".

Outro pregou no dia seguinte; nove crentes se levantaram espontaneamente e deram testemunhos de sua fé, e mais quatro decidiram que estavam prontos a seguir Jesus. Eventualmente, mais dezesseis novos crentes também se uniram à igreja. "Nada parecido jamais aconteceu", maravilhava-se Betty. "É pura obra do Espírito — e ele tem usado os próprios índios como suas testemunhas!!"

A mãe de Betty e a formidável Gwen DuBose chegaram para visitá-la. Os dias foram passando enquanto Betty aplicava injeções de penicilina, comprava 45 quilos de milho, trabalhava com o amigo de Jim, Venancio, em seu sermão de domingo, e fazia sala para suas visitas. "Muito tempo ouvindo a Sra. DuBose", Betty anotou enigmaticamente. E então: "Não consegui conter as lágrimas esta tarde enquanto olhava para fotos felizes de Jim, eu e Val, tiradas [...] no verão passado. Passei vergonha na frente da Sra. DuBose".

Será que Betty, em seus tempos passados na Hampden DuBose Academy, havia inferido que lágrimas eram um sinal de fraqueza, e que o estoicismo era uma virtude?

Provavelmente sim. Naquelas primeiras semanas após a morte dos homens, Betty deu uma bronca em Olive Fleming por chorar pela perda do marido, clara e totalmente surda à dor da sua amiga viúva. No seu íntimo, Betty estava em conflito. Desde a juventude, ela sentia que demonstrar emoção era um sinal de fraqueza; agora suas emoções estavam uma bagunça total. Explorar, reprimir, conter ou simplesmente sentir tudo aquilo exigia energia demais. Adicione a isso o que Jim chamava de sua "discrição natural" e falta de desejo de se aproximar das pessoas — a menos que sentisse que eram um presente absoluto de Deus —, e ela podia se mostrar indiferente a outras pessoas.

Mas ela também podia ser gentil. Ao final de abril, Betty havia vasculhado todos os pertences de Jim. Todas as cartas dela para ele, fotos do ensino médio e da faculdade, fotos que ela nunca tinha visto. E havia as roupas dele. Ela enterrou o rosto nas camisas dele, respirando os últimos sinais de sua presença. Então, empacotou-as e as deu a missionários necessitados. Um tal Sr. Young da Sociedade Bíblica tinha acabado de perder seu bom casaco e terno quando sua mala foi roubada. "O casaco e o terno de Jim lhe serviam perfeitamente", Betty escreveu, "assim como um par de sapatos pretos novinhos em folha. Ele ficou grato de uma forma tocante, e disse que considerava um grande privilégio usar as coisas de Jim".[2]

Em meados de abril, Betty soava um pouco como C. S. Lewis. "Hoje estou pensando em como meu curto tempo com Jim não foi o Fim de todas as coisas. Há momentos em que parece que foi — como se tudo tivesse acabado, e eu não tivesse mais nada a fazer senão ver o tempo passar até que [Jesus] venha. Não é bem assim. O casamento não era em si o Fim do Desejo — ele produzia desejos adicionais. Era apenas um segmento da Jornada que é a Vida, e exigia obediência. Agora, o que devo fazer? Obedecer. E então meus olhos serão abertos para a próxima coisa."

Não havia muita dúvida sobre qual era o anseio de Betty em termos dessa "próxima coisa". "Meu coração quase clama por aqueles queridos waorani — como eu anseio por ir! Orei para que Deus me envie para lá ou me leve para o Lar."

"Os waorani: como? Quando? Quem? Oh, meu coração arde por eles. O que eu posso fazer?"

No dia seguinte, um pensamento completamente diferente surgiu nas páginas de seu diário. "'Solteira' novamente, será que vou regredir à rotina de solteirona, com uma mente pequena, ensimesmada, maneirismos afetados, atitude displicente? Oh—eu *já vivi* dessa forma—que eu nunca me esqueça. Permita-me seguir pela vida com o deslumbre."

"Seis meses hoje. Seis meses de separação de Jim, que era minha vida. E assim deve continuar... 'O tempo é um amigo gentil, e ele nos fará velhos.'"

---

2 EE para "Queridíssima Família", 2 de abril de 1956.

Como sempre, Betty lia vorazmente. Tolstói. Marco Aurélio. E um pequeno livro chamado *The Challenge of Amazon's Indians* ["O desafio dos índios da Amazônia"], de uma missionária chamada Ethel Tylee. Nela, Ethel conta a história de como ela e seu marido, Arthur, seguiram a direção de Deus para espalhar o evangelho a uma remota tribo brasileira, os nhambiquara. Em 1930, após um prelúdio amigável, a tribo culpou os Tylees pela morte de seu cacique, que sucumbira a uma febre típica da selva. Eles mataram a flechadas Arthur, a pequena Marian e sua ama Mildred, bem como três cooperadores brasileiros dos Tylees. Eles golpearam Ethel na nuca e a deixaram ali morrendo. Milagrosamente, ela sobreviveu para contar a história.

Para a maioria de nós, aquilo não teria sido um grande incentivo para trabalharmos com tribos voláteis. A reação de Betty: "Estou possuída como nunca por um desejo consumidor pelos waorani. Mal consigo pensar em outro assunto, quando não estou me concentrando em uma tradução ou algo assim. Ó Senhor, acaso me deixarás ir?".

Uma semana depois, ela refletiu e disse possuir "total satisfação com a presente vontade de Deus. Agora, estou calada diante dele. Minha vida com Jim está encerrada, rompendo assim o passado e não oferecendo mais nada para o futuro. Sem mais bebês, sem as viagens que havíamos planejado, sem as reformas na casa, sem nada a esperar além do céu. E isso me dá perfeita paz. De fato, já não tenho medos, esperanças, ambição, arrependimentos, frustrações — além da esperança que está em Deus e, se é que cabe chamar isso de "ambição", o desejo pelos waorani. Bem, Senhor, tu o sabes".

"Anoiteceu. Sou inundada por uma vasta solidão por [Jim], por seu amor — a única resposta para mim, ao que parece, é que Deus me leve logo. Como posso viver sem Jim, Senhor? Tu nos fizeste um — como seguir em frente sozinha? Ó Senhor, se for possível, leva-me para estar contigo. Contudo, não seja feita a minha vontade..."

"Chorei incontrolavelmente lendo as cartas de Jim."

Então ela passou a descrever os momentos que a faziam sorrir; relatou que uma das mulheres quíchuas, refletindo sobre a falta de roupas entre os waorani, comentou com ela: "Señora, os waorani não devem ter traseiros muito ásperos?".

"Por quê?", perguntou Betty.

"Ora, como 'por quê'? De passarem a vida toda sentando-se em seus traseiros nus."

Certa noite de setembro, ela escreveu: "Depois do jantar, saí para esperar a estrela vespertina. Um vento veio do rio e balançou as folhas gigantes das bananeiras sobre a colina e as grandes plumas de palmeira chonta e bambu no trecho entre a casa e o rio. Permaneci ali em ação de graças a Deus pela beleza tangível daquilo que é, pela beleza daquilo que foi em minha vida, por causa de Jim, e por toda a tremenda substância daquilo que se espera, daquilo que será. O céu refletia palidamente o sol, há muito desaparecido no horizonte, e quando as sombras nas nuvens finalmente conquistaram as pontas iluminadas, de repente a grande luz vermelha da estrela irrompeu, baixa sobre a prata luminosa do largo rio. Por tudo isso — e pelo paraíso também — graças sejam a ti, meu Pai. *Ensina-me a nunca deixar a alegria do que foi empalidecer a alegria do que é*".

As outras jovens viúvas enfrentaram suas próprias lutas e desafios. Marilou McCully, grávida de oito meses quando seu marido foi morto, retornou aos EUA para ter seu bebê no início de 1956. Em dezembro do mesmo ano, ela retornaria ao Equador com seus três filhos pequenos para administrar um lar para crianças missionárias. Marj Saint e seus três filhos foram para Quito, onde Marj exerceu seus dons infinitamente graciosos de hospitalidade e administrou uma movimentada hospedaria missionária. Barbara Youderian e seus filhos foram para uma pequena estação na selva para trabalhar com os índios jivaro. Olive Fleming ajudou suas companheiras viúvas em seus esforços, e então sentiu que o chamado de Deus para ela era retornar aos Estados Unidos, o que fez em março de 1957.

Marilou McCully, Barb Youderian, Olive Fleming, Betty Elliot, Marj Saint e filhos

Nenhuma das viúvas teve o luxo de tomar tais decisões em privacidade. Elas se viram objetos de muita atenção, elevadas ao status de "celebridades" na subcultura cristã. O lado positivo foi que receberam rios de condolências do mundo todo, cartas cheias de apoio em oração, empatia e encorajamento. Nos EUA, tanta gente queria doar dinheiro para apoiar os filhos e as viúvas dos homens assassinados que um "Fundo dos Mártires Missionários" foi criado sob os auspícios do Wheaton College.

Mas também havia atenção indesejada: centenas de cartas cheias de conselhos espirituais, protestos e diretrizes do tipo "Deus me disse que você deve fazer X". Também havia mordazes condenações das decisões de seus falecidos maridos e estranhas propostas de casamento de homens disfuncionais que elas nunca tinham visto na vida. Hollywood apareceu; que tal uma versão cinematográfica da história?

Em sua própria jornada, Betty chegou a um ponto de virada inesperado em 11 de outubro de 1956.

"Marj acabou de me chamar no rádio e me pediu para ir a Nova York para ajudar no livro de Abe. Senhor, o que devo fazer?"

O que Betty Elliot chamou de "livro de Abe" era a história dos cinco missionários martirizados; o livro que viria a ser conhecido como *Através dos portais do esplendor*. Abe Van Der Puy, diretor de campo para a World Radio Missionary Fellowship [Fraternidade Mundial de Rádio Missionária] no Equador, havia enviado os primeiros comunicados de imprensa sobre os missionários desaparecidos, os esforços de busca e a descoberta de seus corpos. As viúvas também haviam dado a Abe os diários e cartas de seus maridos, de sorte que ele tinha um relato de seus planos de alcançar os waorani. Ele havia escrito grande parte de um manuscrito sobre os homens. A *Reader's Digest*, que chegava a pelo menos dez milhões de lares americanos todos os meses — na época, a revista de maior circulação no país — queria publicar a história. Como o manuscrito de Abe carecia de entusiasmo e aventura, um editor da *RD* chamado Clarence Hall concordara em servir como ghostwriter. Ele tomou as anotações e materiais de Abe e escreveu o "livro condensado" da *Reader's Digest* que apareceu na edição da revista de agosto de 1956.

Agora, era hora do livro real com o mesmo título. "Através dos portais do esplendor" era uma expressão extraída do hino que os cinco missionários cantaram na noite anterior à sua ida para os waorani. A quarta estrofe evocava a imagem de "portais de esplendor perolado", os quais os servos vencedores de Deus atravessariam para passar "dias incontáveis" com Cristo. Abe Van Der Puy era um grande líder cristão, mas — como ele próprio admitia — não era um grande escritor. Todos os missionários sabiam que Betty Elliot gostava de livros, tinha talento literário e havia se sentado na primeira fila de todo o drama inerente à história. Ela poderia muito bem ser a melhor pessoa para contá-la.

Marj Saint, cuja família era amiga íntima dos Van Der Puys há anos, contatou Betty em nome de Abe.

Betty, sendo Betty, fez uma lista de prós e contras quanto à possibilidade de deixar seu trabalho no Equador para assumir o projeto de publicação em Nova York.

Do lado positivo, ela observou que Abe havia dito que precisava da ajuda dela; que ela poderia enviar seus alunos quíchuas para outra escola onde "de toda forma, eles receberiam uma [educação] melhor do que eu lhes daria"; que outros missionários estavam dispostos a vir e assumir seus outros trabalhos; que seus pais queriam vê-la; que havia dinheiro disponível para viagens e despesas.

Os contras: será que ela estava deixando o trabalho inacabado em Shandia? Seria mesmo a hora para um sabático? Aqueles que assumiriam o lugar dela não sabiam quíchua, apenas espanhol. Por fim, ela estava preocupada com seu próprio orgulho — o fato de que, ao ir para os EUA naquele momento, e para tal trabalho, as pessoas lhe diriam "palavras lisonjeiras".

Ela orou sobre tudo isso. Então, seus registros em papel ficam muito mais esparsos. No restante de 1956, há poucas entradas no diário de Betty; a maioria são breves anotações mostrando que sim, ela decidiu "ajudar com o livro de Abe".

No final do outono, ela seguiu, com Val, de 21 meses, para a casa de seus pais em Nova Jersey. Ela rapidamente percebeu que "não poderia se estabelecer definitivamente nos EUA. Não tem nada para mim aqui". Deixando Val aos cuidados de seus pais, ela pegou o trem para Nova York.

Betty chegou à Harper & Brothers, a editora que havia custeado seu voo para os EUA. Betty pensou que iria ajudar na edição final do manuscrito de Abe. Em vez disso, ao chegar aos escritórios da Harper, ela conheceu um editor de cabelos escuros e nariz largo chamado Mel Arnold. Leitor onívoro e editor talentoso, Arnold havia publicado as obras do humanitário Albert Schweitzer e, mais tarde, serviria também como editor do Dr. Martin Luther King Jr. (Ambos foram ganhadores do Prêmio Nobel da Paz.)

E, agora, ali estava Betty Elliot. Mel Arnold lhe apontou uma máquina de escrever.

"Escreva alguma coisa", disse ele. "O quê?", perguntou Betty. "Qualquer coisa serve", disse Mel.

Então, Betty solicitamente se sentou e escreveu sobre uma pitoresca viagem de ônibus em direção a uma vila na selva no Equador.

Mel leu... e abriu um sorriso. Betty estava contratada.

Ela passou longos dias escrevendo em um quarto de hotel em Nova York, lutando com a dor, alegria, desespero e fadiga constantes que todo escritor conhece. Ela discutiu com editores e foi recebida em jantares literários em Greenwich Village com "homens de gola rolê, mulheres de meias-calças pretas de algodão e cabelos espichados... esnobes às avessas". Houve visitas a galerias de arte, coquetéis, recomendações de filmes — "Ah, Betty, não deixe de ver 'Sede de viver', o filme sobre Van Gogh!" — em suma, Betty havia entrado em um mundo tão estranho para uma missionária do Equador quanto seria a base missionária dos Elliots na selva para os boêmios da cultura alternativa de Greenwich Village à época.

Logo Betty estava produzindo rapidamente milhares de palavras por dia. "Rapaz! Você está realmente arrasando", Mel lhe dizia. "O impacto disso [...] é — bem, como uma tonelada de tijolos", "Meus olhos ficaram marejados", continuou, "e olhe que eu sou um cara durão... Você deve ter trabalhado a noite toda!" e "O capítulo de abertura [...] um '*tour de force*'".

"Senhor", Betty exultou em seu diário. "Estas flores são para ti!"

Às vezes, as flores murchavam. "Harper me pediu para reescrever", escreveu ela na semana antes do Natal, depois de ter concluído uma parte considerável da história. "Um golpe terrível, depois de todo o incentivo que me deram." A preparadora editorial leu o manuscrito e o declarou "totalmente impublicável". Ela queria uma reorganização completa, a exclusão de muitas citações do diário, menos contexto sobre os homens, mais descrição, mais histórias das esposas e mais diálogo.

"Senhor", gemeu Betty em seu diário. "Tu tens que assumir daqui por diante. Estou acabada."

Qualquer escritor pode se identificar com o desespero dela. Mas ela haveria de terminar. Mais cedo ou mais tarde. Cornell Capa, o fotógrafo da revista *Life* que cobrira as mortes dos missionários, provou ser um amigo fiel. Não sendo nenhum estranho à angústia criativa, ele permanecia ao lado dela enquanto ela datilografava, encorajava-a e afirmava seus dons de escrita.

Betty passou o Natal com Valerie e seus pais em Birdsong, lembrando-se do ano anterior, quando ela e Jim haviam celebrado o nascimento de Cristo com Ed e Marilou McCully e Pete e Olive Fleming, rindo até chorar, cantando ao redor da pequena árvore de Natal de bambu, nas profundezas da selva do Equador.

Ela terminou seu diário com estas palavras: "1/1/57, 1h15 da manhã. Mil novecentos e cinquenta e seis, o ano em que o meu querido Jim conheceu Jesus Cristo face a face, agora é história. Eu estava relutante em largar mão dele, pois cheguei a passar um dia de 1956 com ele. Senhor, eu bendigo a mão que me guiou".

CAPÍTULO 25
UMA PAREDE EM BRANCO

"Se Deus te conduzisse ao seu fim pelo caminho que tu conheces, haveria pouco proveito. Ele escolhe para ti um caminho que não conheces, para que sejas compelida a mil interações com ele mesmo, o que torna a jornada para sempre memorável para ele e para ti."
— C. G. Moore

Betty Elliot retornou ao Equador em 15 de janeiro de 1957. *Através dos portais do esplendor* ainda não havia sido impresso. Sua recém-criada autora — que, após seu lançamento, seria conhecida pelo mundo como *Elisabeth* Elliot — e a pequena Valerie se estabeleceram novamente em sua casa na estação missionária em Shandia. Um amigo missionário e sua família viveram e trabalharam lá durante a ausência de Betty.

Nova York tinha sido uma aventura literária, mas seus efeitos evaporaram rapidamente. "Eu pertenço à selva, eu sei", escreveu Betty confiantemente em seu diário. Além dessa certeza, no entanto, o futuro era "uma parede em branco".

A comunidade quíchua em Shandia crescera bem enquanto ela estava fora. Dois dias após seu retorno, dezessete novos crentes — seus nomes cuidadosamente listados no diário de Betty — foram batizados por seus líderes quíchuas: Mariano, Gervacio, Elias e Venancio. Jim havia treinado esses homens. Sua esperança de que eles liderassem uma comunidade eclesiástica autossustentável havia se tornado realidade. Os cristãos indígenas, cheios de sobriedade e galvanizados pelas mortes dos cinco missionários americanos, tiveram um novo senso de urgência em sua própria responsabilidade de discipular os crentes quíchuas, para que o evangelho se espalhasse ainda mais entre seu povo. (Venancio haveria de liderar fielmente a igreja em Shandia por muitos anos e seria um amigo da família Elliot pelo resto da vida de Betty.)

Se o estado da igreja agradava Betty, não se pode dizer o mesmo do estado de sua casa. Em seu diário, ela anotou tristemente que a família que morara lá enquanto ela estava nos EUA havia entupido seu encanamento, quebrado seu cortador de grama, rasgado a cortina do seu chuveiro e quebrado o assento do seu vaso sanitário. A cozinha estava "imunda"; os lençóis e toalhas, todos manchados e amarelos. Agora mesmo, enquanto ela e Valerie se acomodavam, as outras quatro crianças espalhavam lama por todas as roupas recém-lavadas, arrancavam e esmagavam os novos e tenros botões de flor de Betty e laboriosamente derramavam areia nos reservatórios de água da casa. No café da manhã, o pai se sentava à mesa e "limpava os ouvidos com um grampo de cabelo, examinando minuciosamente o que encontrava".

Betty e a outra mãe dividiam as tarefas da cozinha; evidentemente, o habilidoso arranjo culinário que Betty aprendera na HDA não era o estilo gastronômico da outra mãe. "Oh", gemia Betty, "a comida deve sempre ser preparada em <u>quantidades</u> enormes, gordurosas e repugnantes". O almoço foi servido com uma hora de atraso, com a "carne e os brownies crus". Panelas queimadas, o lixo transbordante, o caos reinando.

Betty estava arrasada.

"É errado eu ficar tão revoltada?", perguntava-se. Será que ela estava apenas sendo esnobe? Ela tinha vivido em todos os tipos de acomodações ao longo dos anos, com todos os tipos de colegas de quarto diferentes. Mas a confusa desordem que agora assolava a casa que Jim havia construído com tanto cuidado a deixou a ponto de perder as estribeiras. O seu profundo amor pela arrumação era anterior às Maries Kondos da vida, mas é justo dizer que a roupa íntima de outra pessoa jogada no canto do banheiro compartilhado simplesmente não "espalhava alegria" para Elisabeth Elliot. Tendo ela própria crescido numa casa imaculada, ela desprezava a desordem e o que considerava indolência. Até mesmo uma cabana de folhas na selva poderia ser um lugar de beleza, ela pensava, assim como qualquer lar. Não era uma questão de dinheiro, mas de ter uma mentalidade de disciplina e criatividade em seu próprio habitat.

De toda forma, ver seu próprio lar funcionar de maneiras que ela não pudera escolher lançou Betty num poço mais profundo do que provações bem mais severas haviam conseguido lançar. "Por que eu sou desse jeito?", lamentava. "Intensa, sensível, possessiva — por que eu deveria me importar tanto? Oh, que a Vontade seja <u>tudo</u> com que eu me importe!"

Para Betty, não era devastador apenas ver "a ruína das coisas adoráveis que Jim construiu". Ela chegou ao seu limite quando, certa noite, ouviu seus amigos missionários discutindo um livro infantil com ilustrações espalhafatosas.

"Estou chorando", relatou ela em seu diário, rabiscando a conversa que acabara de ouvir. "Acabei de chegar de [onde] [o casal] estava discutindo arte e literatura. 'Deixe as crianças ficarem com ele (um livro 'cristão' de [baixa] qualidade, de puro lixo em arte e conteúdo) se isso lhes der prazer.'"

"'No tocante à qualidade artística, as crianças não sabem a diferença...'"

"'Elas aprenderão a reconhecer a beleza com o tempo — contanto que <u>a maior parte</u> do que veem seja bom.'"

Muitas de nós não teríamos pensado muito sobre tal interação. Mas a exposição casual dos filhos de Deus a ilustrações religiosas inferiores, cafonas ou sentimentais dilacerava o próprio cerne das principais ideias de Betty Elliot sobre arte, beleza e ordem no universo. Mais tarde, na privacidade de seu diário, ela explodiu — um Vesúvio de solidão artística.

"Oh Deus — Deus!! Estamos a polos, polos, POLOS de distância. Eu não falei nada. O que se poderia dizer? Duas pessoas sem nenhuma ideia de beleza. E a solidão — oh, a solidão absoluta, oca, vasta, inconsolável e irremediável da minha posição! Era grande demais. Eu tive que... urrar na minha miséria. Eu literalmente urrei. Eu não conseguia me conter. E como minha filha pode ser criada nesta atmosfera? Oh Senhor — tira-me daqui."

Será que a desordem doméstica e a arte de categoria inferior conseguiram o que os brutais waorani e a morte horrível de seu marido não haviam conseguido — fazer com que a incessantemente forte Elisabeth Elliot fugisse loucamente em busca da civilização?

Não.

No final, Betty seguiu sua diretriz usual, aprendida há muito tempo com Amy Carmichael. *Na aceitação, está a paz*. Ela decidiu aceitar a situação. Ela pensou em como já havia tido de renunciar a Jim, assim como seus sonhos para o futuro deles juntos. Ela decidiu entregar a casa para a família missionária e se mudar para outro lugar. Depois de tomar essa decisão, ainda se perguntando se estava sendo um pouco esnobe, ela se viu lendo em Jeremias: "... destruirei a delicadamente criada, e [...] *suas casas serão entregues a outros*".[1]

Ela se viu na descrição de Jeremias. Bem, já se foi o tempo da "delicadamente criada".

---

1 Jeremias 6.2, 12 (paráfrase de Elisabeth Eliott; ênfase acrescida).

Ela se torturou ainda mais lendo 1 Coríntios 13. O amor não é ciumento... orgulhoso... arrogante... rude... irritável... ressentido.

Ela suspirou. "Eu fui tudo isso hoje."

No meio das várias provações de Betty — grandes, pequenas, domésticas e tudo o mais — o fotógrafo da revista *Life*, Cornell Capa, chegou ao Equador. Durante a viagem à Amazônia para cumprir sua missão para a revista *Life* em janeiro de 1956, Capa descobriu uma subcultura sobre a qual pouco sabia. Sendo um judeu húngaro, Capa mais tarde chamou o trabalho de evangelismo cristão de "um mundo totalmente desconhecido".[2] A fé dos missionários mortos — e a persistente convicção das viúvas — mistificaram-no tanto quanto o intrigaram. Capa consumiu os diários de Jim Elliot e fez mil perguntas. "Você nunca poderia me converter com [um livro cristão]", disse ele, "mas poderia fazê-lo com os diários daqueles homens".[3] Ele via aquelas estranhas criaturas missionárias com profunda empatia humana.

As imagens de Capa "comunicavam emoções complexas sobre o heroísmo e a humanidade das cinco famílias e outros missionários evangélicos no Equador. As pessoas em suas fotografias não eram as figuras reprimidas e bidimensionais do estereótipo missionário fundamentalista. Eram jovens homens e mulheres idealistas encarando a tragédia com dignidade, sentimento profundo e fé. As fotos da equipe de busca mostravam missionários dispostos a arriscar suas vidas para ajudar — e, afinal, enterrar — seus amigos".[4]

Além disso, em Betty Elliot, Cornell Capa encontrou um espírito erudito semelhante ao seu e que articulava a fé cristã de maneiras intelectualmente convincentes. Ele estava ansioso para que a *Life* fizesse uma continuação da história, acompanhando as viúvas e seu contínuo trabalho na selva.

Cornell Capa nasceu na Hungria em 1918. Enquanto estudava em Paris para se tornar médico, na década de 1930, ele começou a revelar filmes para seu irmão mais velho, Robert, o qual se tornaria mundialmente famoso por suas fotos dramáticas tiradas durante a Guerra Civil Espanhola, a invasão da França pelos Aliados no Dia D e seus primeiros registros do conflito em desenvolvimento no

---

2 Conforme citado por Cornell Capa e Richard Whelan (eds.), *Cornell Capa Photographs* (Boston: Little, Brown, 1992), p. 152, em Kathryn Long, "Cameras 'Never Lie': The Role of Photography in Telling the Story of American Evangelical Missions", Kathryn T. Long, revista *Church History*, dez. 2003.
3 EE para "Queridos Mãe, Pai e família, bem como Mamãe e Papai Elliot e família", 27 de janeiro de 1956.
4 Long, "Cameras 'Never Lie'".

Vietnã. Capa também se apaixonou por fotografia e abandonou seus estudos médicos. Ele foi contratado pela revista *Life* após servir na Segunda Guerra Mundial em uma unidade de inteligência fotográfica da Força Aérea dos EUA. A carreira de seu irmão como fotógrafo de guerra já estava bem estabelecida. Capa determinou que ele seria "um fotógrafo pela paz".[5] Seu brilhante uso de luz, sombra e detalhes pungentes criou fotos que celebravam o que ele chamou de "sentimento humano genuíno" — os aspectos em comum que unem pessoas em diferentes culturas e experiências de vida.

O Sr. Capa "frequentemente citava as palavras do fotógrafo Lewis Hine: 'Há duas coisas que eu queria fazer. Eu queria mostrar as coisas que precisavam ser corrigidas. E eu queria mostrar as coisas que precisavam ser apreciadas'".[6]

Ele fotografou a campanha presidencial de John F. Kennedy e os seus primeiros cem dias de mandato (Jacqueline Kennedy se tornaria uma amiga e fã), Robert Kennedy, a Guerra dos Seis Dias de 1967, bailarinas do Bolshoi, dissidentes políticos na Nicarágua, o regime de Juan Perón na Argentina, padres ortodoxos russos na Rússia Soviética... e Elisabeth Elliot e seus companheiros missionários entre as tribos indígenas no Equador.[7]

Quando Capa, robusto e de cabelo escuro, apareceu em Shandia na primavera de 1957, ele fotografou centenas de rolos de filme. Ensinou sua amiga Betty a fazer o mesmo, desafiando sua tendência à frugalidade naquela era pré-digital. "Filme não é nada!", ele dizia, acenando com as mãos desdenhosamente. "Use-o!" Ele a desafiou a ver, a *enxergar* verdadeiramente, a beleza nas pessoas comuns e nos cenários ao seu redor. Embora soubesse que a câmera era apenas uma ferramenta, ele amava seu poder de "provocar discussão, despertar consciência, evocar simpatia, lançar luz sobre a miséria e a alegria humanas, as quais de outra forma passariam despercebidas, incompreendidas e desconhecidas".[8] Ou, como Betty

---

5 *The New York Times*, Philip Gefter, 24 maio 2008, https://www.nytimes.com/2008/05/24/arts/design/23cnd-capa.html.
6 Capa escreveu em 1963: "Levei algum tempo para perceber que a câmera é uma mera ferramenta, capaz de muitos usos; e finalmente entendi que, para mim, seu papel, seu poder e seu dever são comentar, descrever, provocar discussão, despertar consciência, evocar simpatia, destacar a miséria e a alegria humanas que, de outra forma, passariam desconhecidas, incompreendidas e despercebidas. Tenho me interessado em fotografar a vida cotidiana de meus semelhantes e o espetáculo comum do mundo ao meu redor, e em tentar destilar disso sua beleza e tudo o que for de interesse permanente", https://www.nytimes.com/2008/05/24/arts/design/24capa.html.
7 http://artdaily.com/news/24409/Cornell-Capa--Founder-of-International-Center-of-Photography--Died-at-90#.XWflql2JI_4.
8 http://artdaily.com/news/24409/Cornell-Capa--Founder-of-International-Center-of-Photography--Died-at-90#.XXZ3zF2JI_4.

descreveu, "Capa vê a Verdade e tenta capturá-la. A câmera é a extensão de seu olho. O que ele congela naquele momento é uma declaração sobre a vida".[9]

Betty era uma aluna capaz. Treinada desde cedo por seu pai a perceber detalhes em tudo, de pássaros a visitantes da igreja, ela aprendera a observar bem. Capa animou Betty a fotografar da mesma forma que a encorajara a não desistir durante seus dias frustrantes escrevendo *Através dos portais do esplendor* em Manhattan no final de 1956. Ele não se sentia repelido, como alguns homens da época, por sua independência, teimosia e determinação. Ele apreciava seu espírito... e caiu um pouco de amores por ela.

Betty, a fotógrafa, 1958

"Você fez um trabalho bom dos infernos com o livro", disse a ela. Seu elogio áspero significava mais para ela do que as banalidades de todos os cristãos que haviam lido o manuscrito de *Através dos portais do esplendor* em andamento e

---

9 Carta da EE para "Queridíssimos Pais", 15 de maio de 1961.

lhe disseram que era "inspirador" ou que realmente havia abençoado suas almas. Ela conversava longamente com ele sobre Cristo, até altas horas da noite.

"Um homem incrível, de fato", escreveu ela em seu diário. "Oh, se ele ao menos acreditasse em tudo que sabe agora!" Capa tinha uma resposta para isso. "Eu acredito", disse-lhe. "Só não aceito."

Capa voltou para Nova York. "Ele é um verdadeiro amigo, e eu fiquei com uma sensação de perda com sua partida", escreveu Betty. "O Senhor sabia que sua visita era o que eu precisava. Deus, dá-lhe fé."

Apesar dos elogios de Capa, Betty temia que *Através dos portais do esplendor* fosse um enorme fiasco. O livro seria lançado em dois meses. "Será que devo começar uma carreira de escritora?", ela se perguntava. "Será que devo ir para os waorani? Será que devo permanecer aqui?"

Mesmo enquanto ela anotava essas perguntas em seu diário e se assegurava de que "meu Pai sabe exatamente o que fará", não havia dúvida de que Betty Elliot ansiava por ir para os waorani. Ela sabia que a opinião pública seria severamente crítica de qualquer avanço em direção à tribo. Ela sabia que qualquer contato real com os waorani exigiria milagres.

"Por que não contar com eles, então?", escreveu. Ela havia se colocado — e Val — nas mãos de Deus. Ela acreditava que Deus usava "coisas fracas" para realizar seus propósitos. "Val e eu nos qualificaríamos!" Ela acreditava que Deus tinha um plano para os waorani, o qual ele intentava cumprir, e ela sabia que seu anseio e preocupação pela tribo ficavam mais pesados a cada dia.

Em meados de abril de 1957, o piloto da MAF Johnny Keenan voou com Betty sobre o território waorani enquanto fazia um dos costumeiros lançamentos de presentes que continuava a fazer desde que Nate Saint e os outros foram mortos. Ela mal conseguia suportar apenas *ver* a tribo de cima em vez de estar com eles no chão. "Não é possível colocar no papel o que essa visão dos waorani em carne e osso fez comigo", escreveu em seu diário. "Eu anseio por chegar até eles." Ela disse estar muito decepcionada por eles não terem precisado fazer um pouso forçado no território waorani. É improvável que o piloto Johnny Keenan tenha sentido o mesmo.

Cristãos em todo o mundo, despertados para a situação, oravam regularmente pela tribo e aguardavam ansiosamente o próximo capítulo da dramática história.[10] Quando esse grupo de pessoas não alcançadas ouviria a esperança e amor do evangelho? Quando descobririam que não precisavam viver e morrer pela lança?

Essa antecipação e expectativa generalizadas podem muito bem ter desencadeado alguns dos aspectos mais infelizes da missão para alcançar os waorani. Motivações corrompidas misturadas ao alto chamado de levar o evangelho à tribo, como se os waorani fossem um prêmio a ser conquistado... e a agência missionária associada a esse "sucesso" colheria um enorme sucesso de relações públicas.

Betty Elliot não era uma pessoa com mentalidade de relações públicas. Ela se importava pouco em apresentar uma boa imagem ao público — tampouco às pessoas em particular — ou em transformar uma história missionária dramática em mais dólares de doadores. Betty era possuída por um tipo diferente de paixão. Alguns — incluindo preocupados entes queridos dentro de sua própria família — a acusavam de ser suicida. Certamente ela não se importaria se morresse, mas ela estava claramente impelida pela crença de que Deus realmente a estava chamando para a tribo.

O elemento-chave necessário para ir aos waorani — além da vontade de Deus e alguns milagres — era a capacidade de se comunicar na língua deles. Betty era uma linguista extraordinariamente talentosa — tudo de que ela precisava era um informante. Dayuma havia dado informações linguísticas aos cinco missionários antes de sua morte, e era a única candidata disponível.

O único problema era que ela *não estava* prontamente disponível. O acesso a Dayuma normalmente significava passar por sua guardiã, Rachel Saint. E esse portão não ficava aberto com frequência.

---

10 As pessoas têm contado e recontado a história dos missionários por gerações. Alguns a têm usado para adequá-la à sua própria agenda. Nos anos 1950 (na mentalidade pós-Segunda Guerra Mundial), ela era frequentemente apresentada em termos que agora incomodam nossos ouvidos, contrastando os "selvagens" da floresta com a "nata da juventude americana" que lançou sua própria invasão ultrassecreta do Dia D e morreu na praia. Muitos a têm usado como um conto "da tragédia ao triunfo", minimizando a dor para alardear a maneira gloriosa como Deus usou habilmente as mortes de cinco homens para salvar uma tribo inteira, e então amarram tudo com um laço cristão, caricaturando tanto os missionários quanto os waorani. Outros que são hostis às missões a usam para demonizar conspiratórios conluios de missionários imperialistas com empresas petrolíferas, a CIA e o governo americano, resultando na eventual ruína de um grupo populacional indígena. Outros ainda menosprezam os cinco missionários como impetuosos e mal preparados para sua missão. Alguns apontam para uma imaculada cadeia de causa e efeito entre as mortes dos cinco homens e o aumento imediato de jovens se inscrevendo para ir ao campo missionário. Alguns contam a história como se Jim Elliot fosse o líder heroico de um grupo de quatro outros colegas sem nome. Alguns fazem a história toda ser sobre Dayuma, a mulher waorani que havia deixado a tribo no início da adolescência; os missionários foram mortos porque os waorani pensaram que eles tinham comido Dayuma. Outros colocam toda a história em um liquidificador, misturando os personagens e se perguntando por que os missionários simplesmente não jogaram folhetos evangelísticos de seu avião para o povo analfabeto da selva lá embaixo.

CAPÍTULO 26
"OS OLHOS DO MUNDO ESTÃO SOBRE AQUELA TRIBO"

"Embora tudo lá fora caia em confusão, e embora teu corpo esteja em dor e sofrimento, e tua alma em desolação e angústia, ainda assim, que teu espírito seja inabalável a tudo isso, plácido e sereno, deleitando-se em seu Deus e com seu Deus, interiormente, e com seu beneplácito, exteriormente."
— Gerhard Tersteegen

"Li em algum lugar que qualquer um que não esteja confuso está muito mal-informado."
— Betty Elliot

Rachel Saint sentia uma forte conexão com os waorani há anos, desde que tivera sua "visão" de "pessoas de pele morena em uma selva" décadas antes. Ela expressou raiva em vez de tristeza quando soube da morte de seu irmão — os cinco missionários não deveriam tê-la mantido no escuro sobre seus planos de alcançarem a tribo.[1] Agora, ela não conseguia deixar de sentir que os waorani, há muito prometidos por Deus, eram dela, e ela era deles; era apenas uma questão de chegar até eles.

Rachel passara meses com Dayuma na fazenda onde esta trabalhava. Embora ela e Dayuma não compartilhassem uma língua em comum — Rachel não falava quíchua, e Dayuma não falava espanhol nem inglês — Rachel tinha lentamente aprendido com a jovem pedaços da língua waorani.

---

1 Wade Davis, *One River* (Nova York: Simon & Schuster, 1996), p. 264. "Quando a notícia da morte de seu irmão chegou a Rachel Saint, sua primeira reação, segundo todos os relatos, não foi de tristeza, mas de raiva ao pensar que ele ousou contatar os [waorani] sem ela".

Em março de 1956, Rachel deixou a fazenda para participar de uma conferência. Outro missionário providenciou (sem o conhecimento de Rachel) que Betty Elliot passasse vários dias com Dayuma. (Isso compreensivelmente não melhoraria as relações com Rachel.) O conhecimento de Betty do quíchua e seus dons naturais permitiram que ela aprendesse muito mais em poucos dias do que Rachel havia aprendido em meses.

Mais tarde, Betty viajou para Shell para se encontrar com Rachel e discutir questões de tradução e seu sonho comum de ir para os waorani. Embora Rachel tenha comentado mais tarde que "isso nos deu a primeira oportunidade de afastar muitos mal-entendidos",[2] Betty observou em seu próprio diário que Rachel não tinha sido particularmente encorajadora. "[Fui] para Shell para falar com Rachel. [...] Nenhum sinal de disposição para cooperar. [...] Isso parece trágico para mim — quando poderíamos ter comunhão em Cristo, sentindo igualmente o fardo pelos waorani... Ó tu que és o Maravilhoso Conselheiro, mostra a solução. Destrói as barreiras."

De sua parte, Rachel escreveu: "O desfecho foi que ela esperava que pudéssemos ter comunhão uma com a outra, mesmo que não concordássemos sobre nossa política de missões".[3]

Sobre tal política, no início de 1955 Betty escrevera a seus pais: "Tendo observado os métodos do Wycliffe aqui, eu poderia questionar seriamente a sabedoria de me conectar com eles. Eles vão a extremos na tentativa de fazer o governo pensar que não são 'evangélicos', mas puramente técnicos. Eles não enganam ninguém, mas fazem muito para destruir a comunhão entre os missionários. É realmente triste. Nate Saint diz que não consegue entender como Rachel pode continuar com eles de boa consciência".[4]

É importante notar que as organizações Wycliffe e SIL hoje não são as mesmas que Betty Elliot conheceu na década de 1950, quando Cameron Townsend (o pitoresco fundador da Wycliffe Bible Translators e do Summer Institute of Linguistics) moldou a narrativa de ambas as organizações no Equador.

Conhecido como "Tio Cam", Cameron Townsend foi uma figura lendária, não convencional e bastante inexorável no trabalho missionário latino-americano.

---

2 Kathryn T. Long, *God in the Rainforest* (Nova York: Oxford University Press, 2019), p. 65.
3 Ibid.
4 EE para "Queridíssimos Pais", 9 de janeiro de 1955.

"OS OLHOS DO MUNDO ESTÃO SOBRE AQUELA TRIBO"

Quando jovem, Cameron foi para a Guatemala em 1917, ansioso para espalhar a Palavra de Deus vendendo Bíblias em espanhol. Ele ficou chocado ao descobrir que as pessoas na área não falavam espanhol, mas *cakchiquel*... e Bíblias naquela língua ágrafa simplesmente não existiam. Cameron começou a perceber a enorme diversidade de grupos populacionais que não tinham a Bíblia em sua língua materna. Ele sabia que tal tradução era a chave para os povos indígenas entenderem o evangelho, além de formarem e crescerem suas próprias igrejas.

Em 1934, ele iniciou o Summer Institute of Linguistics (onde a jovem Betty Howard estudou após sua graduação em Wheaton), que equipava os alunos para traduzirem a Bíblia para línguas anteriormente não escritas, abrindo caminho para um novo tipo de missionário: o tradutor-linguista. O trabalho continuou a crescer e, em 1942, Cameron fundou oficialmente a organização companheira da SIL, Wycliffe Bible Translators, para promover e apoiar esse trabalho linguístico científico.

Há muito mais que se poderia dizer sobre as várias complexidades políticas, sociais e religiosas dessas organizações interligadas no ambiente do Equador dos anos 1950. Mas o que é pertinente à nossa história é que Rachel Saint era uma linguista do SIL, e Betty Elliot e outros estavam sob os auspícios de outras agências missionárias.

Nos melhores momentos, as várias entidades missionárias trabalhavam com grande unidade e cooperação mútua. Nos piores... havia disputas por territórios. Agora que a história waorani havia desencadeado uma reação sensacional ao redor do mundo, milhares de cristãos estavam orando pela tribo. Eles estavam ansiosos para ouvir o próximo capítulo da história, e Cameron Townsend viu nisso uma grande oportunidade. "[O] gênio controverso e empreendedor [...] via o interesse público nos waorani entre os conterrâneos americanos como um sinal de Deus de que essa tribo poderia ser uma potencialmente poderosa ferramenta de relações públicas a favor da causa da tradução bíblica."[5]

Em outras palavras, se os waorani pudessem ser "ganhos para Cristo", Wycliffe e SIL seriam vistos como ganhadores também. Como o "prêmio" do primeiro contato bem-sucedido com os famosos waorani permanecia fora de alcance, as tensões entre os vários grupos missionários aumentavam.

---

5 Long, *God in the Rainforest*, p. 51.

Enquanto isso, Dayuma estava aprendendo lentamente histórias da Bíblia e a mensagem do evangelho por meio de Rachel Saint. Ela se tornaria a "primeira convertida waorani", uma improvável celebridade cristã. E em um movimento de relações públicas bastante inconcebível hoje, Cameron Townsend fez arranjos para que Rachel e Dayuma visitassem os Estados Unidos e aparecessem no então popular programa de televisão *This Is Your Life* ["Esta é sua vida"].

This Is Your Life era um documentário semanal implacavelmente otimista — talvez o primeiríssimo reality show da TV. Foi transmitido pela NBC de 1952 a 1961. Seu alegre apresentador, Ralph Edwards, apresentava tanto celebridades como pessoas comuns que tivessem feito algo notável, "surpreendendo-as" em seu programa ao vivo com convidados importantes de suas vidas, que por sua vez contavam histórias de seus feitos admiráveis. Certa vez, a revista *Time* chamou *This Is Your Life* de "o programa mais sentimentalmente enjoativo do ar",[6] mas talvez a *Time* estivesse apenas sendo cínica. O público convencional adorava o programa.

Rachel e Dayuma foram até o estúdio de Ralph Edwards em Los Angeles, de alguma forma pensando que estavam apenas indo para uma reunião. De repente, elas se viram na televisão ao vivo, com a música tema nas alturas e um cenário decorado para se parecer com a ideia hollywoodiana da selva amazônica. Usando um vestido de domingo e um chapéu com rede, segurando um par de luvas três quartos e uma bolsa branca, Rachel, de 42 anos, empoleirou-se em um sofá, com uma Dayuma perplexa ao seu lado, enquanto Ralph Edwards entoava sua introdução de marca registrada... "Rachel Saint da Pensilvânia, Peru e Equador, *esta é sua vida*!"

À medida que a música tema aumentava, Ralph Edwards saudava Rachel por seu trabalho missionário entre várias tribos, seu estudo da língua waorani e a notícia de que ela estava planejando ir para os infames "selvagens" waorani, a "tarefa mais difícil" que ela poderia ter escolhido. Ele então deu as boas-vindas à missionária Loretta Anderson, com quem Rachel havia trabalhado no Peru por seis meses. Anderson serviu como preparativo para o exótico convidado Cacique Tariri, da tribo cortadora de cabeças shapra, do Peru.

---

6 O artigo da *Time* observou: "Tendo passado por todas as atrizes decadentes que ainda conseguiam chorar ao vivo, This Is Your Life, de Ralph Edwards, provavelmente o programa mais sentimentalmente enjoativo do ar, recentemente se voltou para pessoas comuns como temas para suas biografias semanais, melosas e 'realistas'". "Television: This Is Your Wife?" *Time*, 17 out. 1960.

"OS OLHOS DO MUNDO ESTÃO SOBRE AQUELA TRIBO"

Tambores da selva batem ao fundo. Loretta Anderson traduzia à medida que o chefe dava testemunho de sua fé em Cristo, pelo que o espectador era levado a entender que ele havia abandonado seus caminhos de caçador de cabeças. O convidado Carlos Sevilla, proprietário da fazenda onde Dayuma trabalhava há anos, também apareceu diante das câmeras; Dayuma compartilhou sua história. O público aplaudiu descontroladamente, com a maioria dos convidados que não falavam inglês no palco demonstrando uma alegre compostura em relação ao ambiente estranho.

O show foi um sucesso, visto por trinta milhões de espectadores. Graças ao planejamento de Cameron Townsend, Rachel e Dayuma também apareceram em uma cruzada de Billy Graham na cidade de Nova York, onde Dayuma contou uma breve história da Bíblia na língua waorani e Rachel falou sobre seu desejo de traduzir a Bíblia inteira para aquela língua ainda desconhecida. Apesar da suscetibilidade de Dayuma a inúmeras doenças — como resultado de seu isolamento na floresta tropical, ela tinha pouca imunidade —, ela e Rachel ficaram nos EUA de maio de 1957 a maio de 1958. Pouco antes de retornarem ao Equador, Rachel e Dayuma viajaram para o Wheaton College, onde Dayuma foi formalmente batizada pelo seu presidente, Edman. Fotos de Dayuma, sorridente e vestida de branco, a "primeira convertida da assassina tribo waorani", inundaram a mídia cristã.

Enquanto isso, Betty Elliot vivia longe dos holofotes. Ela continuou sua vida na selva, servindo como parteira, trabalhando com um caso de encefalite, dando aulas, cuidando de Valerie, e meditando enquanto a lua prateada se erguia sobre as balançantes bananeiras, orando para que Deus a guiasse para onde queria que ela fosse.

"A noite cai sobre a selva — o rio fica aparentemente calmo ao longo das praias brancas, luminoso à lua cheia. [...] Cá estou eu, sozinha. [...] Sua mão me trouxe aqui. No entanto, muitas vezes há uma sensação de espanto ante os seus propósitos. [...]"

"Olhei para o meu rosto no espelho esta noite, à luz elétrica. Percebi quanto tempo passou desde que fiz isso a última vez. Quando penteio meu cabelo de manhã, nem olho para meu rosto. Pareceu-me muito diferente de como eu o lembrava — opaco e sem cor, muito sisudo. Pensei que talvez não fosse bom para mim estar só — mas Deus planejou que fosse assim, então é assim que deve ser."

"O tempo parece me levar para cada vez mais longe de Jim. Mas, na realidade, cada noite marca outro dia mais perto dele. O anseio é muito grande."

Ela continuou a sonhar com Jim constantemente. "Com muita frequência, o apetite por sexo é avassalador. Ó Senhor, tu sabes <u>todas as coisas</u>. Quanto tempo?"

"À noite (e uma noite de lua cheia), sento-me à minha mesa... Percebo que estou tremendo e minha carne está toda arrepiada. Se eu tivesse Jim aqui, ele iria para a cama, a aqueceria, e então me levaria para o seu lado, aquecendo-me com seus grandes braços fortes, seu peito enorme, suas coxas grossas... Oh, aquele tempo era tão fácil, tão simples, tão adorável. E agora isso."

"Meu Deus! Como isso pode continuar? Essa necessidade desesperada, desejo dolorido, de simplesmente estar com ele, de compartilhar um único pensamento, de tocar sua testa, de conhecer seu amor como outrora o conheci. Sonhando noite e dia..."

"E o mundo olha para nós e diz: 'Ela parece estar de excelente espírito', 'Essas viúvas reagem maravilhosamente bem' etc."

"Meu Deus, quando isso vai acabar?"

Era uma pergunta pungente, mas retórica. Ela sabia quando acabaria. Ela anotou a resposta, extraída do Salmo 27.13–14:

> Eu creio que verei
>
> a bondade do Senhor
>
> na terra dos viventes.
>
> Espera pelo Senhor.

Então... porque ela era Elisabeth Elliot... deixou seus sentimentos de lado. Refletiu sobre como o apóstolo Paulo estava certo, que uma mulher casada estava mais preocupada com seu marido, mas "a viúva recebe um privilégio mais elevado — servir a Cristo e se concentrar somente nisso. Meu Pai — ajuda-me a fazer isso. Concede-me determinação".

Betty havia chegado à conclusão de que viúvas de fato não deveriam se casar novamente, para servir a Deus sem distração. Ela colou em seu diário um relevante artigo da revista *Time*. O artigo, de 30 de setembro de 1957, relatava que o papa católico afirmara que, embora segundos casamentos de viúvas não fossem errados, "é preferível que elas não se casem".

"Até o Papa Pio XII vê as coisas como eu", escreveu ela, encorajada pelo fato de o pontífice ser esclarecido o suficiente para concordar com ela.

"OS OLHOS DO MUNDO ESTÃO SOBRE AQUELA TRIBO"

Enquanto isso, ela se irritava com algumas das preocupações superficiais do cristianismo protestante convencional. Uma edição de setembro de 1957 da popular revista *Moody Monthly* recebeu a crítica contundente de Betty Elliot:

> Os anúncios simplesmente negam tudo o que acreditamos como cristãos. Ao lê-los, descobrimos que sortes de trivialidades nos interessam... conjuntos leves de alumínio para a eucaristia... conjunto de saleiro e pimenteiro em formato de TV miniatura... pratos decorativos — [uma] "maneira digna de arrecadar dinheiro"... "Perca peso do jeito Sereno-Safe!"... "Como um pouco de dinheiro, um pouco de tempo, um pequeno curso são realmente os únicos segredos para fazer o trabalho do Reino de forma eficaz!"... "Acompanhamento pastoral simplificado"... "Como ser cristão e sábio com o seu dinheiro ao mesmo tempo!"

Betty lamentou a última frase — que estranhamente sugeria que ser sábio com o seu dinheiro não era algo normalmente associado a ser cristão. Ela lamentou também ao ver sua filha correr atrás de um dos outros missionários que voltava para casa após uma longa viagem. Seus filhos se aglomeraram ao redor dele, e a pequeno Val se juntou à gangue, gritando: "Papai! Papai!".

"Jim NUNCA mais voltará para casa", escreveu Betty. "Ó Deus, recolhe as minhas lágrimas (que não derramo) em teu cálice."

"O que é o sofrimento, afinal?", ela refletiu. "Existe algum limite para o sofrimento humano?" Ela achava que não. "Eu simplesmente continuo... e continuo... 'suportando' coisas que eu jamais conseguiria suportar."

O sofrimento seria um dos temas distintivos de sua vida. Agora, irritada, solitária e ansiando por ação entre os waorani, ela estava sentada na selva, um soldado aguardando ordens divinas que simplesmente nunca chegavam.

Em outubro, chegaram notícias do mundo exterior. Ao contrário das expectativas sombrias de Betty, *Através dos portais do esplendor* foi um enorme sucesso. Ele liderava as listas de mais vendidos. Os críticos adoraram. Os leitores compravam para seus amigos. Betty escreveu em seu diário que as vendas individuais significavam que "mais de um quarto de milhão de dólares" — uma quantia enorme para sua mente frugal dos anos 1950 — "havia sido gasto pelo público para comprá-lo — algo bastante assustador". No final do ano, ele venderia mais de 175.000 cópias. Um crítico o chamou de "o principal livro missionário desta geração".[7]

Mais ou menos na mesma época em que a autora Elisabeth Elliot estava recebendo aclamação nos EUA, a missionária da selva Betty Elliot estava à beira — embora não soubesse disso — de sua tão esperada aventura com os waorani.

A notoriedade mundial da tribo fizera da selva oriental do Equador um destino para cristãos curiosos que queriam ver onde os mártires missionários estavam enterrados, turistas que queriam tirar fotos de índios nus e indivíduos sem utilidade os quais pensavam que Deus lhes havia dito para vir e ajudar.

Hobey Lowrance, o piloto sênior da Missionary Aviation Fellowship que havia tomado o lugar de Nate Saint, relatou ao seu superior o número de "forasteiros" que estavam aparecendo em Shell, querendo voar para o território waorani. (Sim, este era o mesmo Hobey que estava dirigindo o carro que enguiçou nos trilhos da ferrovia em 1948, quase matando a si mesmo, Jim Elliot e seus outros amigos. Se aquilo tivesse acontecido, este seria um livro muito mais curto. De qualquer forma, depois de ter sobrevivido à faculdade com sucesso, Hobey se juntou à MAF.)

"Parece que o mundo inteiro quer se intrometer", ele observou. Havia um jornalista sem ética de Miami que andava rondando por ali. Havia dois padres católicos romanos que não sabiam o motivo de tanta publicidade: eles alegavam que, na verdade, tinham "'cristianizado' os waorani 40 anos atrás".[8] Um membro da família de um dos cinco missionários queria ir morar na praia onde seu ente querido fora morto. E havia um psicólogo canadense chamado Robert Tremblay. Ele queria alcançar os waorani com o evangelho, mas aparentemente não o conhecia ele mesmo. Ele entrava e saía da história dos waorani até sua partida precipitada durante o verão de 1958. Na análise sem rodeios de Hobey, "O perigo é que ele aparentemente está um pouco fora de si, além de ter problemas domésticos, então sente que não tem nada a perder".[9]

Assim como Betty Elliot e Rachel Saint, o experiente missionário Wilfred Tidmarsh ansiava por se conectar com a tribo. Ele e seus trabalhadores quíchuas haviam construído uma cabana de bambu em uma junção de rio não muito

---

[7] Resenha de *Through Gates of Splendor*, por Elisabeth Elliot, *Evangelical Christian*, fev. 1958, Pasta 5, Caixa 1, EHE Papers, Billy Graham Center Archives, Wheaton College.
[8] Carta de H. E. Lowrance para J. G. Parrott, 30 de agosto de 1956, MAF Records.
[9] Ibid.

distante de um assentamento waorani. Eles abriram uma clareira na selva para ter uma pista de pouso próxima; o Dr. Tidmarsh estava ansioso para cultivar contato com os waorani, fixando-se bem ali na porta da frente deles. Felizmente, o Dr. Tidmarsh estava fora quando os waorani bateram em *sua* porta da frente. Eles saquearam sua cabana, espalharam suas roupas, remédios e arquivos de idiomas, rasgaram suas cédulas de dinheiro e levaram seus facões e panelas. Eles arrancaram a porta de suas frágeis dobradiças e deixaram duas lanças cruzadas bloqueando a abertura.

Muitos dos missionários na área interpretaram a mensagem encenada como um sinal de Deus para que eles recuassem, reavaliassem e esperassem. Em seu diário, Betty se perguntou o que o saque significava, mas a hostilidade tribal não mudou suas intenções. Agora escrevendo seu segundo livro, a biografia de Jim Elliot, *Shadow of the Almighty*, ela estava imersa nas poderosas cartas e nos antigos registros de diário de seu falecido marido. À medida que ela capturava a história de vida de Jim no papel, seu próprio desejo de ir para os waorani se intensificava.

Após o ataque à cabana do Dr. Tidmarsh, Cameron Townsend, da SIL, escreveu uma carta de advertência ao bom doutor. "O próximo movimento para os waorani tem de ser um movimento frutífero. Os olhos do mundo estão sobre aquela tribo. O palco está montado — pelo sacrifício dos cinco missionários, pela extraordinária cobertura dada pela imprensa secular a esse esforço heroico, e agora pelo inspirador livro de Betty Elliot [*Através dos portais do esplendor*] — para a maior demonstração do poder do Evangelho no coração selvagem já vista na história."[10]

Embora talvez dado ao tipo de sensacionalismo que Betty desprezava, Cameron Townsend estava genuinamente convencido de que o poder daquele evangelho vinha através da Palavra de Deus, traduzida para o vernáculo dos povos indígenas. Ele instou Wilfred Tidmarsh e outros a que esperassem até que "versículos de salvação e um dos Evangelhos em waorani" estivessem disponíveis. Porém, Townsend fez mais do que apenas aconselhar cautela. Se o Dr. Tidmarsh continuasse tentando se conectar com a tribo, Townsend disse que instruiria seu pessoal da SIL, que tinha acesso aos dados linguísticos waorani (e a Dayuma), a não cooperar com outras entidades missionárias.[11]

---

10 Long, *God in the Rainforest*, p. 69.
11 Cf. Kathryn Long, *God in the Rainforest*, p. 69–70, para um quadro mais completo dessas tensões entre agências missionárias no contexto da evangelização entre os waorani.

Consternado, o Dr. Tidmarsh compartilhou aquela carta inflamatória com amigos. Hobey Lowrance fez uma paráfrase nua e crua do que o Tio Cam parecia estar dizendo: "Nós [o SIL] somos os únicos a fazer o trabalho... quando tivermos criado o sistema de escrita para a língua e traduzido o Evangelho, ligaremos para vocês. Talvez leve dois anos, talvez mais. Temos a única informante waorani... É melhor vocês jogarem o nosso jogo, ou não vão conseguir mais *nada*".[12]

Betty Elliot fervilhava em seu diário de 6 de novembro de 1957: "Uma carta de Cam Townsend praticamente <u>ordena</u> que o Dr. T. suspenda as operações. Townsend manda que todos os <u>seus</u> 'missionários' recusem dar qualquer ajuda linguística adicional ao Dr. T. Diz que Rachel em breve terá as Escrituras na língua waorani!!! Citação: 'Espere até então — Não seja um soldado sem espada, irmão'".

Townsend era um visionário que enxergava grandes coisas à frente — as Escrituras estariam "em breve" disponíveis na língua waorani. Ele supunha que Rachel Saint estava tendo mais sucesso em seu trabalho de tradução do que ela realmente estava.

O Novo Testamento em waorani não seria de fato concluído até 1992 — trinta e cinco anos depois. As tradutoras Catherine Peeke, que trabalhou em tempo integral com os waorani por muitos anos; sua colega de trabalho, a linguista alemã Rosi Jung; e cerca de doze assistentes waorani realizariam a enorme tarefa de traduzir o Novo Testamento para essa língua muito difícil.

Porém, mesmo sem a presciência desse fato, em 1957 Betty e outros já tinham a impressão de que Cameron Townsend estava reivindicando para si autoridade sobre assuntos que simplesmente não lhe diziam respeito.

Betty concluiu seu registro no diário:

"Meu Deus — quem ele pensa que é?"

---

12 Hobey Lowrance para Grady Parrott e Jim Truxton, 15 nov. 1957, Pasta 23, Caixa 5, Registros MAF, itálico no original.

CAPÍTULO 27
"SE ME MATASSEM, MELHOR AINDA"

> "Os waorani são um peso constante para mim. Quem há de ir, e quando? [...] O que estou esperando? Às vezes é forte a tentação de pegar Valerie, uma Bíblia, lápis e papel, e começar a andar. Não chego a fazê-lo. Por quê? Ou por medo deles, da opinião pública, ou por medo de estar desobedecendo ao Senhor. Não conheço meu próprio coração bem o bastante para discernir qual das duas alternativas é verdade. Mas tenho orado: 'Eis-me aqui, Senhor. ENVIA-ME... se eu tivesse sucesso, nada poderia me fazer mais feliz nesta terra. Se me matassem, melhor ainda!"[1]
> — Betty Elliot, carta aos pais, 1957

Cerca de uma semana depois de Betty Elliot esquentar a cabeça em seu diário por causa do bloqueio dos caminhos para os waorani, a história teve uma reviravolta abrupta.

Por volta das seis horas da manhã de 13 de novembro de 1957, várias mulheres waorani, identificáveis por seu corte de cabelo característico, pelos furos nas orelhas e pela nudez, emergiram da selva perto de um pequeno aglomerado de casas quíchua no Rio Oglan. Surpresos, os quíchuas lhes deram comida e roupas. Embora os índios não pudessem se entender, parecia que talvez as mulheres waorani ficassem por ali por algum tempo. Um homem quíchua chamado Dario Santi as levou para sua casa, que logo foi cercada por vizinhos curiosos.

Dois homens quíchuas correram várias horas pela selva até à casa do Dr. Tidmarsh em Arajuno. "Por acaso", Betty Elliot estava lá com a esposa do doutor enquanto ele estava fora. Os homens contaram a história a Betty, cujo coração batia forte. Será mesmo? Será que Deus estava abrindo uma porta para a tribo?

---

[1] Carta de EE para Elliots e Howards, 13 de maio de 1957.

Gwen Tidmarsh imediatamente se ofereceu para cuidar da pequena Valerie; Betty deveria *ir* até àquelas mulheres waorani que estavam inesperadamente disponíveis. Em cerca de sete minutos, Betty arrumou uma bolsa de fibra, enfiou uma escova de dentes, algumas peças de roupa e seus itens essenciais — câmera, kit de primeiros socorros para picadas de cobra, cadernos linguísticos, canetas e papel — e pegou a trilha.

Agora, ela não tinha dúvidas quanto à direção de Deus. Afinal, ela pensou, Deus a havia levado a visitar Arajuno naquela ocasião. Ele havia providenciado que o bom Dr. Tidmarsh estivesse em outro lugar. "Quando a notícia chegou, decidi sem hesitar que deveria seguir imediatamente. Gwen concordou; cumpriu-se aquilo que eu o tempo todo tinha certeza de que aconteceria: quando chegasse a hora de <u>fazer</u> algo, isso seria <u>incontestavelmente evidente</u> para quem tivesse de fazê-lo."[2]

Quando Betty chegou ao assentamento quíchua, por volta das cinco horas da tarde, as mulheres waorani estavam sentadas em um banco rústico de madeira. Uma delas era, inconfundivelmente, a mulher mais velha que tinha visitado Jim e seus companheiros missionários em Palm Beach, dois dias antes de os homens serem mortos. Betty reconheceu sua orelha direita rasgada das fotos recuperadas da câmera de Nate Saint. Seu nome era Mintaka.

A outra mulher era Mangamu. Ela segurava firmemente a mão de uma menina quíchua, mas não demonstrou medo quando Betty chegou. Os quíchuas lhes deram cigarros caseiros (pelos quais os waorani não demonstraram muito entusiasmo). Elas ouviram o tique-taque do relógio de Betty e observaram com paciência bem-humorada enquanto Betty tentava ensiná-las a assobiar. Uma segurava uma criança quíchua em seu colo, passando os dedos pelos cabelos da menina. As duas abriam largos sorrisos quando Betty e os demais cantaram canções quíchuas.

Quando a noite caiu sobre a estranha reunião, todas as mulheres foram para a cama — dividindo um quarto apertado com paredes de bambu. Mintaka começou a cantar — ou chorar, era difícil dizer — uma única nota nasal, com tons rítmicos. Nenhuma palavra.

Os homens quíchuas tinham armas prontas, caso outros waorani atacassem. No entanto, a maioria pensava que, como estavam em território quíchua, e não waorani, deveriam estar seguros. Enquanto isso, Betty se sentia atordoada por

---

2 Notas de Betty Elliot, 13 de novembro de 1957, Rio Curaray.

estar com pessoas que *sabiam* o que realmente havia acontecido com seu marido e amigos. "E pensar que essas meninas poderiam me contar o que aconteceu com Jim e POR QUÊ! (Do ponto de vista delas, é claro)."

Ela passou os próximos dias tirando centenas de fotos e fazendo anotações abundantes sobre a estranha língua de Mintaka e Mangamu. Ela fez desenhos do formato dos dentes delas, observando as posições de suas línguas enquanto falavam. A oportunidade de ouvir a língua waorani jorrando em ricas torrentes era avassaladora, confusa e estimulante, tudo ao mesmo tempo.

O Dr. Tidmarsh chegou, trazendo um gravador de fita cassete para que Betty pudesse registrar dados linguísticos. Enquanto conversavam em particular sobre a possível ameaça de ataque, ele lhe disse: "'Oh, mas certamente não há possibilidade de sermos mortos!'".

"Que ridículo", pensou Betty. "Nada é uma possibilidade mais clara. Mas também isso está nas mãos de Deus."

O avião da MAF trouxe suprimentos; Betty lancetou um furúnculo e aplicou um antibiótico nas nádegas de uma das mulheres waorani, perguntando-se se teria sido a primeira "estrangeira" a administrar cuidados médicos a uma waorani. As mulheres constantemente contavam histórias ininteligíveis ilustradas com gestos retratando lanças e terror. Elas falavam constantemente de um matador chamado "Moipa". Na maioria das noites, Mintaka meio chorava, meio cantava aquele seu cântico nasal de uma nota só que durava centenas de estrofes repetitivas.

Convencida de que deveria passar o maior tempo possível com essas mulheres waorani, Betty voltou ao posto avançado da missão para buscar sua filha e mais suprimentos para o longo prazo. Enquanto estava lá, ela derramou o coração em seu diário:

> "Mais uma vez sou quase esmagada pelo conhecimento de que este Deus é o Senhor". Afinal, o Senhor fez "coisas estranhas e terríveis" no Antigo Testamento para mostrar que ele era soberano. "Ele ainda as faz — e coisas muito maravilhosas. Ele fez duas waorani aparecerem; ele permitiu que eu [...] as encontrasse!"

Betty juntou tudo o que conseguiu lembrar para uma estadia indefinida nas margens do Curaray, perto de onde as mulheres waorani tinham saído na selva. Aquele era território quíchua, é claro, mas perto de terras waorani. As companheiras viúvas de Betty, Marilou McCully e Barbara Youderian, ajudaram-na a fazer as malas para aquela oportunidade sem precedentes de viver com as duas mulheres waorani e aprender sua língua. "Marilou e Barbara também estão aqui — todas altamente animadas."

Ainda assim, Betty sentia o peso da tarefa que tinha pela frente. Ela meditou nas Escrituras. Lembrou-se das palavras de grandes hinos antigos. Ela se rendeu à vontade do Pai.

Então ela colocou Valerie, agora com quase três anos, em uma pequena cadeira de transporte projetada por seu amigo quíchua Fermin. Ele carregou Val para cima e para baixo nas trilhas íngremes enquanto Betty carregava o equipamento linguístico e de gravação. Eles chegaram de volta ao assentamento quíchua em 22 de novembro de 1957 e foram dormir ao som de Mintaka e sua canção de uma nota só.

Na manhã seguinte, todos os homens quíchuas tinham saído para caçar. Betty estava no rio com as duas mulheres waorani, dando banho em Valerie e lavando roupas. De repente, houve um grito da costa, com muita confusão: "WAORANI!".

Betty tinha acabado de lavar e enxaguar o cabelo. Ela agarrou a pequena Val (que estava nua) e correu pela água rasa até a praia. Homens quíchuas vieram correndo, contando a história com vozes entrecortadas. Um homem chamado Honorario e sua jovem esposa, Maruja, tinham descido o rio em sua canoa naquela manhã.

Os waorani evidentemente haviam espiado o local no dia anterior e tinham a intenção de sequestrar Maruja, de quatorze anos. Eles esperaram rio abaixo até o casal entrar em sua canoa. Quando a canoa se aproximou, os waorani abateram Honorario com uma saraivada de lanças e mataram seu cão de caça. Eles capturaram Maruja e voltaram para seu próprio território, deixando vinte e duas lanças no corpo moído de Honorario.

Os quíchuas trouxeram consigo algumas das lanças. Betty viu que uma delas estava embrulhada com uma página da Escritura, amarrada à lança com fitas vermelhas, cuja epígrafe dizia, ironicamente: "os sofrimentos de Paulo como apóstolo". Evidentemente, os waorani tinham arrancado páginas da Bíblia que roubaram da cabana do Dr. Tidmarsh. Algumas das outras lanças estavam "decoradas" com penas, tiras de tecido e folhas verdes frescas. Todas estavam coaguladas com sangue.

Mesmo enquanto Valerie, imperturbável pelo caos da manhã, brincava com uma bacia, colocando-a na cabeça — "chapéu, mamãe!" — Betty não conseguia deixar de pensar na sombria morte de Jim. Aqueles waorani e suas lanças; o casual sequestro de vidas humanas: será que aquilo acabaria algum dia?

"Gostaria de 'voar para longe e descansar'", escreveu Betty em seu diário, mesmo enquanto o lamento da morte quíchua flutuava de seu acampamento e o corpo de Honorario (depois de removidas as lanças) jazia envolto em uma mortalha ensanguentada.

Sim, Betty sabia que sua heroína Amy Carmichael havia chamado a vida missionária de "uma chance de morrer", mas Betty já estava farta da morte. Ela queria "sair e me afastar completamente dos waorani e de tudo o que eles representam. Eu já me senti assim várias vezes na minha vida missionária — quando mataram Macario [seu informante da língua colorada], quando Señora Maruja morreu [no parto, entre os colorados], quando tive que dar adeus a Jim, e quando tive de retornar a Shandia depois que Jim morreu".

"Eu quase podia dizer que já tivera o bastante desses waorani e queria que Deus me levasse embora", concluiu.

Porém...

Para Betty Elliot, sempre havia aquele "porém". *Eu sinto isso... porém farei a vontade dele, não a minha.*

Enlutados sentados com o corpo de Honorario

"Mas se Deus quiser que eu fique", ela concluiu, ainda pensando naquelas lanças ensanguentadas, "ele me dará a graça de permanecer aqui... por sua graça, farei tudo o que ele pretende que eu faça para alcançá-los".[3]

Pronta para realizar seu sonho de talvez entrar no território waorani, contrariada por nova violência neste mesmo Rio Curaray onde Jim havia morrido, Betty Elliot não sabia o que Deus queria especificamente que ela fizesse. Foi um tempo de espera quase insuportável, mais uma vez, cheio das mesmas perguntas que haviam enchido sua mente desde o ano anterior.

Por que Deus criaria entraves a uma obra que almejava estender seu reino? Será que algum dia ela pararia de ansiar por Jim? Tomaria chá em uma xícara apropriada e usaria uma faca de manteiga de prata outra vez? Aprenderia a impossível língua dos waorani? Será que Deus lhe permitiria ir até eles, ou a morte de Honorario era um sinal claro dele para que recuasse? E se ela chegasse à tribo, será que a matariam imediatamente? Ou esperariam um pouco?

No meio de todas as perguntas, ela anotou um último pensamento em seu diário: "Quando senti... que alguém teria de pagar um preço pelos waorani, não fazia ideia de quão cedo minha conta chegaria!".

"E não acho, nem por um segundo, que a conta esteja toda paga."

---

3 Notas de EE do Curaray, 23 de novembro de 1957.

CAPÍTULO 28
UMA BRUXA MISSIONÁRIA

"Eu poderia dizer levianamente a essas mulheres aterrorizadas: 'Deus nos protegerá'. Mas não tenho nenhuma garantia de que ele o fará!
Ele não protegeu Jim e os demais, tampouco [Honorario] hoje.
Isso em nada abala minha confiança."
— Diário de Betty Elliot

Após o assassinato sangrento de Honorario no Rio Curaray, Betty e as duas mulheres waorani, Mangamu e Mintaka — a quem Betty chamava de M e M — retornaram à estação missionária em Shandia. Lá, Betty continuava a trabalhar com a igreja e a escola quíchuas; ela passava o restante de seu tempo estudando a língua das mulheres tribais e implorando a Deus que lhe mostrasse quando, onde e como ir aos waorani.

As duas mulheres waorani chamavam Betty Elliot de "Gikari". O que isso significa?, ela se perguntava. Magra? Pálida? Alta? Estrangeira? Idiota?

Provavelmente significava "idiota", decidiu ela. Era assim que ela se sentia na maior parte do tempo. Por mais que ela escutasse, gravasse, transcrevesse e orasse, a língua waorani era um mistério. Ela entendia o vocabulário rudimentar, dava tapinhas nas próprias costas e, então, era confrontada com uma torrente de verborragia ininteligível que a fazia rolar em desespero. A prestativa Mintaka observou que o motivo de ela não conseguir entendê-las — ou "ouvi-las" — era porque o cabelo de Betty cobria suas orelhas. "Você deve cortá-lo como o nosso", disse a Betty. (Betty, talvez preocupada com o profundo interesse de sua mãe em seus penteados de selva, se absteve de fazê-lo.)

De sua parte, Valerie parecia estar aprendendo a língua muito bem, embora ela alegremente misturasse quíchua, inglês e waorani em sua própria tagarelice feliz. Uma imitadora habilidosa como sua mãe, ela conseguia duplicar perfeitamente a tonal e interminável canção chorona da pobre Mangamu, tanto que até Mangamu ria quando Val "cantava".

Elisabeth tinha agora trinta e um anos. Ela havia sido uma filha obediente, uma estudante ávida, uma esposa e mãe amorosa, uma missionária dedicada. Não havia retido consigo a coisa mais preciosa em sua vida — Jim. Ela tinha examinado e relatado publicamente a história do extermínio dele ao concordar em escrever *Através dos portais do esplendor*. Fora bem-sucedida no mundo literário de Manhattan, com sua tirania inflexível de editores e prazos, e retornara às terras selvagens do Equador com a pequena filha que tivera de Jim. Ela havia corrido pela selva amazônica como a Mulher-Maravilha salvando mulheres em trabalho de parto, com suprimentos médicos nas costas. Tinha confortado os moribundos, lancetado furúnculos, feito partos e aplicado injeções. Sim, ela sentia falta das sutilezas da vida civilizada, mas se lançou com avidez a fazer tudo que Deus colocava em seu caminho. Ela havia sentido confusão, desespero, tédio... mas em todos os casos, ela obedeceu ao que discernia ser a vontade de Deus.

Quando Elisabeth Elliot era jovem, seu pai a treinou para ser *observadora*, mas seu olhar aguçado enxergava mais do que pássaros, beleza natural e visitantes da igreja. Ela enxergava o que era *certo*. Ela tinha um ouvido de linguista para inflexão, significado e engano. Ela cresceu em um mundo preto e branco onde o salário da preguiça era pó e um lápis mal apontado errava o alvo. Ela se gloriava nos grandes hinos da fé — com todas as suas cinco estrofes. Ela escreveu laboriosamente, resmas de páginas de diário, florestas de correspondência. Sua educação escolar a treinara e equipara para seguir avante em vitória pelo Senhor. Sim, ela sabia que a estrada poderia terminar em morte. Ela ouvira histórias de mártires desde criança. Quase não era uma surpresa seu marido ter se tornado um... ou ela mesma talvez abraçar um destino semelhante.

Mas se a Betty Elliot de seus dias de faculdade tinha sido uma rosa refrigerada, cerebral, intocada e laboriosa, a Betty Elliot que agora se irritava em ir para os waorani era apaixonada, aberta, pronta para se envolver e experiente. No início de sua vida, ela tinha uma confiança asseada de que a vontade de Deus provavelmente correspondia à vontade de sua família, escola e comunidade de fé. Ela absorveu com grande entusiasmo tudo o que a Hampden DuBose Academy, o Wheaton College e seus pais e entes queridos lhe ensinaram. Ela certamente não engoliu tudo; sempre foi uma pensadora crítica.

Mas agora, algo novo estava surgindo. A solidão absoluta causada pela morte de Jim e as reações de alguns que queriam administrar a narrativa do mártir missionário para seus próprios propósitos criaram uma Betty mais profunda e complexa, alguém que estava disposta a descrever as coisas como as enxergava — não como se "esperava" que fossem. Ela ainda era laboriosa, responsável e autodisciplinada. Mas ela tinha visto a nudez de Noé pelas costas, por assim dizer, e não estava disposta a negar que às vezes até mesmo líderes religiosos, como o fictício imperador da história infantil, estavam sem roupas.

Betty se irritava com a disparidade entre o que via no evangelho e o que via na igreja organizada. Ela não tinha medo de fazer perguntas reais. Ela era rápida em farejar o cheiro da hipocrisia e do legalismo, mas sempre aplicava essa análise a si mesma primeiro. Ela não era uma cínica, endurecida a ponto de negar a existência da verdade. Era, se quiser chamar assim, uma realista. Ela acreditava no Real, no absoluto do Deus que é. Ela questionava o que era feito em nome dele, as armadilhas de falsidade que percebia, com muita abundância, no mundo missionário em que vivia. Ela continuaria a fazer perguntas, buscando discernir o Real da falsa penugem, nas décadas seguintes... até que tais perguntas fossem esmagadas pelo jugo pesado que ela havia escolhido para si mesma.

No início de 1958, Betty escreveu em seu diário sobre as palavras de uma amiga que ela considerava uma "missionária modelo".

"Acho que deve levar uns dez anos para uma pessoa superar a educação recebida em um instituto bíblico", escreveu a amiga. "Ainda estou me recuperando, com toda a apreciação e gratidão que tenho por tudo que aprendi ali, é claro. Mas há um grande processo de desfazimento, também, de aprender a olhar para Deus e segui-lo independentemente do que os irmãos em Cristo dizem... Eu mesma faço muito isso de impor padrões externos que não vieram realmente do coração quando... Isso produz hipocrisia, pois não posso deixar de sentir que muitos [...] alunos travaram lutas terríveis com a hipocrisia e o legalismo depois de saírem de lá, pois muitas coisas foram impostas de fora, mas não haviam sido trabalhadas no coração pelo Espírito Santo. Por essa razão, estou ansiosa pelas pessoas aqui [novos convertidos], pois cada movimento que eles fazem vem do coração e não de um conjunto de regras impostas legalmente."

Betty sentia algumas das mesmas frustrações. Um jornalista de um periódico religioso chamado *Christian Life* publicou uma história falaciosa após prometer-lhe que não o faria sem permissão dela. Betty lamentou que o mundo lá fora às vezes agisse de forma mais franca do que outros crentes. "Eu preferiria muito mais ser identificada com a *Life* do que com a *Christian Life*", escreveu ela aos pais.[1]

Betty ocasionalmente participava de um estudo bíblico para gringos na quinta-feira à noite em uma das outras estações missionárias. Ela observou os missionários e a equipe entrando e tomando seus assentos; lendo e atendendo laboriosamente à tarefa da noite, penosamente folheando o material de estudo fornecido. Os trabalhos pareciam hesitantes, laboriosos e bastante mortíferos.

As "discussões" consistiam na "velha moda do instituto bíblico... as respostas prontas, as interpretações aceitas", não examinadas naqueles dez ou quinze anos desde que começaram a dar tais respostas enquanto estavam no instituto. "É desanimador", pensou Betty. "Deus, tem misericórdia de nós e inclina nossos corações a guardar tua lei — então, talvez aprendamos alguma coisa."

Na mesma época, ela ouviu um missionário veterano fazer um sermão cheio de erros na língua quíchua. Os índios ouviram educadamente, embora ela os tivesse ouvido zombar, em particular, do fragmentado discurso do pregador. Seu *conteúdo* simplista e focado no comportamento, no entanto, foi o que realmente azedou o espírito de Betty. "Oh, o que estamos ensinando?", ela gemeu em seu diário. Era algo "VERDADEIRO?" Ou era a opinião, os costumes sociais aceitos, ou algo ainda pior?

Ela notou como Wilfred Tidmarsh havia escrito possessivamente sobre M e M como "*nossas* mulheres waorani". (O itálico era dele.) "Deus me livre de tal espírito. Elas são tuas, a palavra é tua, eu sou tua."

"Faz com elas e comigo (e com T.!) como quiseres", ela continuou, citando a oração anglicana "Litania Southwell." "Preserva-me 'de todos os danos e empecilhos dos costumes ofensivos e da autoafirmação [...] do amor avassalador por nossas próprias ideias e da cegueira para com o valor do outro, [...] de toda inveja, [...] da irritação que retruca e do sarcasmo que provoca, [...] de toda arrogância nas relações com todos os homens... Principalmente, ó Senhor, nós te pedimos, dá-nos conhecimento de ti, para ver-te em todas as tuas obras, [...] para ouvir e conhecer o teu chamado.'" "[Estou] cônscia de uma grande mudança no meu modo de pensar", ela observou algumas páginas depois. "Trazida mais do que nunca ao essencial, impelida nessa direção pelo eterno, que afeta o interno. Tentando tornar a vida mais simples do que nunca: sem guardanapos de pano, sem pratos

---

1 EE para os pais, 6 de junho de 1958.

de servir, sem manteigueira, sem roupas para passar, sem limpeza para fazer... sem meias, um prato por refeição, sem sobremesas. Hoje, de repente, pensei com que tipo de bruxa eu devo estar parecendo — descalça, cabelo perfeitamente espichado, sem cinto, nem mesmo sutiã! Eu não pensaria em estar assim se houvesse uma única alma que notasse. Mas não há. Os dias passam sem que eu ouça uma palavra em inglês, exceto as de Valerie."

"E o que tudo isso me ensinou? 'As [coisas] que se não veem são eternas'. Eu achava que sabia disso e já praticava isso antes. Mas ultimamente tenho sido despojada de muito mais — coisas que outros nunca poderiam perceber. Deus sabe que eu amo me vestir bem, ter uma casa espaçosa, limpa, bem mobiliada e de bom gosto; ter comida boa (melhor que o necessário, quero dizer) e arranjos de mesa. E ele me diz: 'Amas-me mais do que estas coisas?' E eu respondo: 'Tu sabes todas as coisas... Tu sabes que nenhum outro motivo seria suficiente'. Tão somente traz a tua luz, Senhor, para os waorani! Não me deixe fugir de nada que, a longo prazo, possa contribuir para esse fim."

Certamente esta não era uma nova Betty; era uma Betty mais velha — uma que não gostava muito de respostas fáceis ou estereotipadas, e estava pronta a ignorar as muitas vozes que lhe enviavam conselhos em favor da única Voz que só ela conseguia discernir para si mesma. Como sempre, a questão-chave para ela era: quando fosse a hora de ir para os waorani, como ela deveria proceder? Na primavera de 1958, o mentalmente instável canadense Robert Tremblay continuava a ameaçar a situação. Betty ouviu através da rede de boatos da selva que Tremblay estava vindo até à casa dela, com dois soldados equatorianos, para resgatar Mintaka e Mangamu. (Ele espalhou a notícia de que havia sobrevoado Shandia e as duas mulheres waorani tinham feito gestos selvagens em direção ao seu avião, quando voava em baixa altitude, implorando por resgate.)

Aquilo era "demais até para crédulos equatorianos engolirem", Betty resmungou em seu diário. O governador da região lhe pediu que levasse as duas mulheres para Tena, a capital provincial; lá ela obteve documentos de cidadania para elas, atestando seu direito de viajarem e viverem fora das terras waorani.[2]

Então houve uma pequena trégua; Betty leu em um artigo de jornal local que o desequilibrado Dr. Tremblay estava deixando o Equador e desistindo de

---

2 Kathryn T. Long, *God in the Rainforest* (Nova York: Oxford University Press, 2019), p. 86.

seu projeto waorani, por "falta de cooperação". Ela presumia que a última frase se aplicasse a ela, e respirou aliviada por ele estar fora de cena; suas agitações para com os waorani haviam colocado em perigo toda a comunidade missionária.

A correspondência semanal trazia quilos de sentimentos elevados e pedidos estranhos dos EUA e de outros lugares. Coisas como:

> Uma irmã em Toronto deu a útil sugestão de que os missionários deixassem rolos de imagens para os waorani, retratando a história da salvação.
> Uma mulher do Texas escreveu para encorajar Betty pelo fato de que "a Sra. Fulana de Tal, 'uma de nossas melhores e mais brilhantes mulheres', ofereceu uma bela oração por [Betty] em uma reunião recente".
> Um ministério internacional em Cingapura solicitou que Betty gravasse uma mensagem em fita para alcançar "'125 dos adolescentes cristãos mais afiados da Ásia, [...] a nata da juventude asiática'". "'Queremos que vocês acendam a 'faísca' que fará os jovens se renderem e cumprirem o IDE'".
> Uma universidade cristã anunciou seus planos de conferir o título honorário de doutor às cinco viúvas missionárias.[3]
> Em uma nota mais humilde, um fazendeiro dos EUA escreveu: "Demos os nomes de vocês, cinco moças queridas, às nossas cinco vacas e sempre oramos por vocês enquanto as ordenhamos todos os dias".

"Senhor, desata todos esses nós!", escreveu Betty.

Enquanto isso, Marj Saint e Sam Saint, irmão de Nate, queriam que Betty escrevesse a biografia de Nate. Ela sentia que deveria continuar seu trabalho com M e M, embora não conseguisse deixar de se perguntar: por que aprender a língua de um grupo populacional em extinção? "Sou um fracasso completo. Estou vivendo meio como gringa, meio como índia, tentando agradar essas mulheres waorani", as quais na maioria das vezes apenas olhavam para ela, davam-lhe o característico e desdenhoso "bah!" indígena e se afastavam.

Talvez a tensão crescente estivesse cobrando seu preço; o subconsciente de Betty deu algumas voltas imaginativas. "Sonhei ontem à noite que [uma das

---

3 Biola, menção na correspondência de EE para a família em 5 de fevereiro de 1958.

outras esposas missionárias no Equador, não uma das cinco viúvas] atirou e matou [o marido] na minha frente. Ele gritou: 'Oh, mas é tão <u>difícil</u> morrer!' E caiu de cabeça com um estrondo terrível. [A esposa] calmamente recolocou a pistola no bolso do avental e carregou o corpo para fora do quarto."

Em outro sonho vívido, ela "se deitou no peito de Jim na cama, pensando: 'Oh! Obrigada, Senhor! Se apenas me deixares fazer isso <u>de vez em quando</u>, serei capaz de seguir em frente. É disso que eu <u>preciso</u>'. E Jim era tão terno — eu anseio pelo abrigo, o refúgio do seu amor. Ó Deus — isso ainda é meu Refúgio Desejado. Não consigo parar de amar e ansiar com todo o meu coração. Oh, que punição tu me deste por meus fracassos!".

Será que Betty realmente acreditava que Deus havia levado Jim por causa de todos os seus fracassos? É improvável. Sua teologia era mais forte do que isso. Mas o comentário mostra o quão profundamente ela lamentava suas próprias faltas.

"É um alívio e uma alegria quando a pequena Val aparece — sua cabeça em uma pequena touca branca (ela ainda está com micose), um pijama amarelo, mostrando apenas seus delicados tornozelos e pés. De um ponto de vista humano, parece que ela é o que me torna possível continuar a viver."

Ainda assim, Val era capaz de tornar a vida um enigma tão intrigante quanto os waorani. Um dia, ela chamou Betty enquanto brincava do lado de fora da casinha delas.

"Os insetos estão me mordendo", disse à mãe.

"Então entre", respondeu Betty.

Val: "Por quê?"

Betty: "Para que os insetos não te mordam".

Val: "Por quê?"

Betty: "Não diga: 'Por quê?'".

Val: "Mas eu preciso dizer: 'Por quê?'".

Betty: "Não, você não precisa dizer: 'Por quê?'".

Val: "Por quê?"

CAPÍTULO 29
"PARA O INFERNO COM MEU ZELO!"

"Morrendo, chorando, eu vim; morrendo, enterrando, chorando, eu me escondi. Eu me escondi enterrando, chorando, dizendo: 'Você vai morrer'. Crianças crescem e morrem. Crianças crescem e morrem."
— Tradução de Betty Elliot, de janeiro de 1958, do relato de Mangamu sobre assassinatos entre as tribos

No início de maio, Betty levou M e M em uma viagem de ônibus, jipe e trem para a cidade costeira de Guayaquil, pensando que elas deveriam pelo menos ter alguma ideia das complexidades e do escopo do mundo lá fora, além da selva. As mulheres riam ao usar agasalhos quentes sob suas roupas emprestadas, notando o frio na passagem de 3.600m de altura pelos Andes a caminho da planície costeira. Elas não ficaram particularmente impressionadas com edifícios modernos, carros, ruas ou luzes de neon; mas as enormes pilhas de bananas no mercado ao ar livre ganharam um aceno, assim como os caranguejos e lagostins no mercado de frutos do mar. Betty comprou uma variedade deles, os quais as duas mulheres soltaram debaixo da cama em seu quarto de dormir, exceto por aqueles que cozinharam em uma chama de querosene para consumo imediato.

Betty fez dezenas de perguntas às mulheres sobre a flora e fauna locais, seu caderno de idiomas sempre presente em seu colo. Elas lhe deram uma palavra semelhante para a maioria das paisagens para as quais ela apontava: montanhas cobertas de neve, cabras, ovelhas e coelhos. Uma verificação cuidadosa por parte de nossa diligente linguista levou à descoberta de que a palavra que M e M usavam significava simplesmente: "Vai saber *o que* é!"[1]

---

1 Elisabeth Elliot, *The Savage My Kinsman* (Ann Arbor, MI: Servant Publishers, 1961), p. 41.

M e M tranquilizaram Betty sobre suas intenções de retornarem à sua tribo e reafirmaram que Betty estaria segura com elas: "Iremos de avião para a casa do médico. De lá, iremos a pé. Conhecemos a trilha. Carregaremos Valerie. Viveremos com Gikita, ele pescará para nós e nos trará carne da floresta. Teremos uma boa casa. [...] Haverá bastante banana e mandioca, mas se você quiser, o avião pode deixar sua comida para você. Nós a ajudaremos a pegá-la. Você poderá ver nossos filhos. Eles amarão você e Valerie. Você pegará sua agulha [de injeção] e ajudará os doentes. Nós viveremos bem".[2]

"Mas eles vão nos matar a lanças, não vão?", perguntou Betty.

"São os que estão rio abaixo que matam a lança. Eles estão longe", responderam as mulheres.

"Mas eles mataram meu marido assim. Vão nos matar." "Gikari! Seu marido era um homem. Você é uma mulher." "E quanto aos [outros]? Eles não vão me matar?", perguntou Betty.

"[Eles] são nossos parentes! Nós diremos: 'Aqui está nossa mãe. Nós a amamos. Ela é boa.'"[3]

No final de maio, Rachel Saint e Dayuma, a celebrada "primeira convertida waorani", fizeram seu tão esperado retorno ao Equador depois de quase um ano nos Estados Unidos. O peripatético Cornell Capa chegou ao Equador ao mesmo tempo; esse reencontro entre Dayuma e suas duas parentes waorani que estavam vivendo com Betty e das quais há muito se perdera estava fadado a render ótimas fotos para a revista *Life*.

Rachel convidou Betty e M e M para a base da SIL em Limon Cocha — um voo curto de onde elas estavam hospedadas em Shandia. Ela e Dayuma estavam esperando enquanto Betty e as duas mulheres waorani pousavam na pista.

Dayuma se aproximou do avião (disse Betty mais tarde) "vestida para matar, com uma saia de algodão longa e larga, blusa azul acetinada, sapatos de camurça e um colar de strass!" (Em seu próprio diário, Rachel escreveu sobre o elaborado traje de Dayuma, influenciado pela cultura quíchua, à luz do encontro com suas companheiras da tribo waorani: "Não havia nada que eu pudesse fazer a respeito. Ela estava nas nuvens de expectativa e empolgação").[4]

Não foi exatamente o tão esperado reencontro com um parente querido que um ocidental esperaria.

---

2 EE para os pais, 15 de maio de 1958.
3 Relato dado em correspondência, 14 abr. 1958, diário, e *The Savage My Kinsman*, p. 42.
4 Diário de Rachel Saint, registro sem data, junho de 1958.

"PARA O INFERNO COM MEU ZELO!"

"Essa é Dayuma", Mintaka resmungou, coçando a axila.

Elas saíram do avião; Mangamu imediatamente começou uma longa e angustiada falação, contando tudo o que havia acontecido na tribo desde a partida de Dayuma quando jovem, incluindo as mortes de vários membros da família.

Dayuma começou a chorar. Ela tinha ouvido essas notícias de outras fontes, mas ouvi-las agora em primeira mão era avassalador. Mangamu não poupou nenhum detalhe sangrento dos assassinatos. O Dr. Tidmarsh, presente para registrar o encontro histórico, colocou seu gravador de lado. Cornell Capa parou de tirar fotos.

Todos se reagruparam e enfim se acomodaram em várias cabanas e alojamentos na base do SIL. O restante do verão passou com Betty, Rachel e as três mulheres waorani se acomodando em certo tipo de domesticidade desconfortável, à mesma medida em que consideravam e reconsideravam o melhor plano para irem à tribo. As duas missionárias americanas queriam capturar o máximo de dados linguísticos possível, mas nesse aspecto, assim como na compreensão mais ampla do plano de Deus para os waorani, elas tinham ideias completamente diferentes.

Valerie, M e M, e Cornell Capa

Certa manhã, Betty leu aquele familiar versículo bíblico: "Se dois dentre vós, sobre a terra, concordarem a respeito de qualquer coisa que, porventura, pedirem, ser-lhes-á concedida por meu Pai, que está nos céus. Porque, onde estiverem dois ou três reunidos em meu nome, ali estou no meio deles" (Mt 18.19–20). "Mencionei esse texto para a R.", anotou ela em seu diário, "e disse: 'Estamos de acordo, não estamos, de que é para isso que devemos nos preparar?' Resposta: 'Bem, certamente esse era meu objetivo muito antes de você pensar nisso'".

"Então, não tenho certeza de qual é a atitude dela a respeito da minha ida", escreveu Betty suavemente. "Estou contando que o Senhor guiará cada detalhe." Ela estava "disposta a fazer tudo o que estivesse ao meu alcance para promover cooperação entre mim e Rachel".

Como Betty observaria muitas vezes nos anos seguintes, ela e Rachel eram duas pessoas cujas personalidades, percepções e inclinações não poderiam ser mais diferentes. Ao mesmo tempo, ambas eram corajosas, teimosas e absolutamente comprometidas em fazer o que acreditavam que Deus estava lhes dizendo que fizessem.

Rachel evidentemente via Betty como culturalmente insensível. Rachel escreveu: "Ela não tem muito tempo para observar o modo de vida de outras pessoas, de um jeito ou de outro. Eu tenho vivido com latinos por tempo mais do que suficiente para ignorar que você tem que considerar suas pessoas e suas diferentes maneiras".[5]

Betty, por sua vez, lamentava a análise linguística de Rachel. A única coisa que poderia ter unido as duas mulheres — um desejo comum de traduzir a língua waorani — era um rolo de arame farpado tão espinhoso como tudo o mais no relacionamento delas. Elas não usavam as mesmas técnicas, processavam as conjugações verbais de modo diferente e se desesperavam cada uma com a interpretação que a outra fazia de sufixos, formas verbais e da vida em geral.

Rachel se concentrou na sempre volátil Dayuma. Ela escreveu em seu diário: "Tivemos dias de conflito. Os nervos de D. estão à flor da pele. B. fala com ela, me conta qual é o plano... e se eu fizer qualquer uma pergunta, D. se enfurece, fica brava, grita comigo, berra, exagera e diz que irá com [Betty], que eu estou com medo etc.". Se algo não agradasse Dayuma, "ela perde as estribeiras — fica furiosa,

---

5 Diário de Rachel Saint, 10 de junho de 1958.

"PARA O INFERNO COM MEU ZELO!"

na verdade, e a cena evoca tudo menos uma vida no Espírito... Disto eu tenho certeza: não pode haver bênção nem vitória com esse tipo de espírito. Que Jesus me ajude a ensinar-lhe a vitória que ele conquistou sobre isso mesmo que fez da tribo os assassinos que eles são. [...] B., a cada dia, aprende com Dayuma o que não lhe foi ensinado pelas outras duas, e eu tento dia a dia aprender mais — e D. agora desconta tudo em mim, diferente do que faz com as demais. O maior fator de obstáculo que vejo é o espírito louco de Dayuma — o de não ser silenciosamente guiada por seu Espírito e nos jogar umas contra as outras".[6]

Dayuma frequentemente chorava até dormir e acordava com um humor menos do que terno. Rachel escreveu em 3 de agosto: "D. começou a se agitar e gritar pela casa; eu lhe disse que [...] saísse — sem café da manhã (pois ela disse que não iria comer) — e que eu não iria cozinhar [...] enquanto não vivêssemos como uma família do jeito que o Senhor nos disse para viver. Então eu a arrastei pelos cabelos — sem muito protesto".[7]

Após essa resolução de conflito nada convencional, elas tomaram café da manhã, e Rachel relatou que Dayuma e as outras duas mulheres waorani saíram para pescar durante o dia, retornando ao pôr do sol "todas de bem com a vida" pelos peixes que haviam pescado.

Foi um verão estranho. Cameron Townsend frequentemente interferia com suas opiniões, assim como Grady Parrott da Missionary Aviation Fellowship. Betty, buscando desesperadamente capturar a língua waorani, importunava Rachel sobre formas verbais e outros detalhes técnicos. Dayuma às vezes servia docemente como uma ponte humana intercultural, em prol do evangelho, e às vezes explodia em fúria selvagem. Rachel orava pela ajuda de Deus, arrastava Dayuma pelos cabelos (ocasionalmente, era *ela* quem era arrastada por Dayuma) e se intrigava com as estranhas complexidades de Betty Elliot, enquanto Betty pensava o mesmo sobre Rachel Saint.

Cada uma delas considerava a outra como procedente de uma cultura muito mais distante do que as exóticas e paleolíticas mulheres waorani com quem agora viviam.

Enquanto isso, Betty escrevia cartas para a família com frases do tipo: "Não faz diferença para mim se serei morta ou não"; "EU JAMAIS IRIA POR SER

---

6 Diário de Rachel Saint, 17 de julho de 1958.
7 Ibid.

SEGURO, MAS POR SER O CAMINHO QUE ME FOI APONTADO"; "Não sou afetada por suas lágrimas. [...] Suponho que, se Valerie sobreviver, ela será minha única herdeira legal, certo? Pai, escrevi o que deve ser feito com meu dinheiro [...]. Mãe, não quero soar insensível [...]".[8]

Betty despreocupadamente misturava essas questões de vida ou morte com informações sobre a selva, tais como detalhes de observação de pássaros para seu pai ornitólogo: "Pai, o senhor ficaria louco aqui. Os pássaros! [...] Alguns enormes de crista vermelha, do tamanho de abutres; outros pequenos e amarelos, pareciam tão brilhantes quanto a luz do sol; outros azuis e vermelhos vívidos; grandes orioles, com ninhos pendurados tão grandes quanto toranjas; bandos brilhantes de papagaios e tucanos. Vimos um grande macaco vermelho balançando em uma alta árvore próxima a nós e, mais tarde, vários abutres descansando no que inicialmente pensamos ser um tronco. Depois, ficou claro que era um jacaré morto, provavelmente de três ou quase quatro metros de comprimento, deitado com seus pés inchados no ar. O fedor era forte, para dizer o mínimo".[9]

Por volta dessa época, o infame Dr. Tremblay reapareceu na história. Os missionários ouviam rumores sobre ele furioso pela selva; que ele tinha uma submetralhadora, que havia ameaçado abater qualquer avião missionário que jogasse presentes para os waorani. Ele contratou quatro quíchuas para levá-lo pelo Curaray até uma curva do rio a cerca de um quilômetro e meio depois de "Palm Beach", onde os missionários foram mortos. Ele acampou lá por algumas semanas, depois mandou os quíchuas para casa e se mudou para uma clareira waorani abandonada.

Escolhendo a mais resistente das casas, ele se barricou lá dentro, atirando descontroladamente na clareira e na selva ao redor, todas as noites. Os waorani da área, entretidos com o comportamento desse estranho intruso, monitoraram seus movimentos por várias semanas. Por causa de seu cabelo loiro emaranhado, começaram a chamá-lo de *"Kogincoo"*, a palavra deles para uma espécie local de macaco selvagem de pelos longos e claros.[10]

Por fim, os waorani ouviram o que seria o último tiro do velho Kogincoo. Silêncio. Na manhã seguinte, duas mulheres espiaram a casa por uma fenda nas folhas. Elas viram Tremblay esparramado no chão ao lado de uma de suas armas, um par

---

8 Carta de EE para a família, 28 de junho de 1958.
9 Carta de EE para a família, 15 de julho de 1958.
10 Kathryn T. Long, *God in the Rainforest* (Nova York: Oxford University Press, 2019), p. 87.

de calças velhas cobrindo parcialmente sobre sua cabeça, seu cérebro estourado através de uma das orelhas. Seus desafios mentais, talvez uma forma do que agora conhecemos por transtorno de estresse pós-traumático (TEPT), o levaram ao suicídio. A história subsequente (contada e recontada entre os waorani) foi mais ou menos assim. Os waorani vasculharam os pertences de Tremblay, então tiraram seu corpo da casa e o usaram para praticar ataques de lança. Dois homens espetaram o pescoço repetidamente até a cabeça ser quase decepada. Eles puxaram um anel do dedo podre de Tremblay e fizeram um colar com seus dentes.[11]

Betty Elliot enviou uma carta de oração para seus apoiadores, datada de 23 de julho de 1958. Era uma versão higienizada do jogo de espera em Limon Cocha e da morte de Tremblay; os grandes desafios da língua waorani e o papel de Dayuma e de M e M; e como, talvez, aquele fosse o plano de Deus para "transpor o abismo existente entre nós e a tribo".[12]

A única pista do redemoinho turbulento daqueles dias estava no antigo hino que ela escolheu incluir no final de sua polida correspondência.

"Foi ele quem a orar me instruiu,

E ele, eu sei, a minha prece atendeu,

Mas o modo como o fez me confundiu,

E quase ao desespero me rendeu."

Talvez Betty estivesse pensando no "veredito" que Cameron Townsend agora lhe dera: se Betty fosse para o território waorani com M e M, Dayuma não teria permissão de ir. Se Betty concordasse em não ir para os waorani, então Townsend consideraria dar permissão para Dayuma fazê-lo.

Ao mesmo tempo, Wilfred Tidmarsh escreveu para Betty, dizendo ter certeza de que não era o momento certo para ela entrar em território waorani. (Ele também se recusou a compartilhar dados da língua waorani que Rachel lhe havia

---

11 O que se seguiu à ruína do Dr. Tremblay mostra a crueldade que, junto ao fascínio singular, era uma característica central da cultura waorani. O Dr. Jim Yost, que viveu com os waorani por muitos anos, diz que "eles amam essa história". Este relato da morte do Dr. Tremblay é uma composição retirada de várias fontes: Long, *God in the Rainforest*, p. 86–87; carta de Mary citando Betty para o Dr. e a Sra. Howard, Sam e Jeanne, 6 de novembro de 1958; John Man e Jim Yost, transcrição de "Oral History Interview with Waorani", abril de 1987, Equador, p. 92–95, Yost Papers; Mincaye et al., conforme relatado em Tim Paulson, *Gentle Savage Still Seeking the End of the Spear* (Maitland, FL: Xulon Press, 2013), p. 203–208.
12 Carta de oração de EE, 23 de julho de 1958.

dado, pois esta o instruíra a não os compartilhar com Betty.) Vozes lhe rodeavam, como vindas de grande distância, implorando, dissuadindo, debatendo e argumentando.

Cartas chegavam regularmente da mãe de Jim. "Mamãe Elliot [está] implorando para que eu não vá. 'Você não consegue enxergar, Betty? Não nos deixemos levar, [...] seu zelo é maravilhoso [...], mas seria tolice [...] etc. etc.'"

"Para o inferno com meu 'zelo'", explodiu Betty em seu diário. Se aquela missão fosse uma questão de seu próprio fervor, ela desistiria agora mesmo, faria as malas e retornaria aos Estados Unidos para um longo e agradável sabático. Não era "admirável zelo missionário" que a estimulava, tampouco desejo. "E o que dizer de eu estar indo aos waorani porque 'desejo' fazê-lo...!!!! Nunca poderei esquecer aqueles dias no Curaray. O romance colapsou completamente."

Sim, o Rio Curaray, onde o cadáver dilacerado de Jim se alojara. O Curaray, onde os waorani haviam atacado e onde ela contemplara o sangue de Honorario gotejando das lanças. Ela se lembrava do horrível e primitivo solavanco em seu coração quando os quíchuas gritaram e ela agarrou a pequena e nua Valerie, tirando-a do rio. À época, ela sentira que não dava a menor importância a ir ou não para os waorani, ou mesmo ouvir ou não o nome deles outra vez.

Não, era algo além do dever ou de uma visão missionária romantizada que impelia Betty diretamente para os waorani. "Tudo o que eu quero é o que tu queres", escreveu como uma oração em seu diário. "Já cantei isto em muitos encontros missionários comoventes, mas escrevo aqui com todo o meu coração — 'Para onde tu quiseres me enviar, eu seguirei.'"

As mulheres waorani estavam inquietas. M e M haviam dito ao seu povo que, se não retornassem à tribo antes de a *kapok* (uma árvore tropical) amadurecer, isso significava que tinham morrido. Dada a tendência da tribo para a vingança, era do melhor interesse de todos que as duas mulheres waorani voltassem para casa e mostrassem aos seus parentes que estavam vivas e bem. Dayuma, por sua vez, podia convencer qualquer um como alguém imprevisível, sua personalidade natural exacerbada por sua tristeza pelas mortes de seus irmãos e sua excitação em ver seu povo novamente. Uma manipuladora astuta, ela constantemente criava problemas ao jogar Betty e Rachel uma contra a outra.

Mas Dayuma era central para o plano. Como ela havia aprendido o básico da história do evangelho e outras histórias bíblicas com Rachel, ela era a mediadora intercultural que poderia conectar as "estrangeiras" brancas, ou *cowodi*, com

"PARA O INFERNO COM MEU ZELO!"

a tribo. Por causa disso, Cameron Townsend, do Wycliffe, queria que o pequeno grupo esperasse. Esperasse até que Dayuma estivesse mais bem preparada em seu conhecimento da Bíblia. Esperasse até que as próprias M e M se tornassem cristãs. Esperasse até que as missionárias estivessem equipadas com pelo menos uma tradução escrita parcial do Novo Testamento para a língua waorani.

Então, aquele final de verão de 1958 continuou, meio drama, meio comédia, uma mistura de personalidades e opiniões fortes e muito diferentes, tudo presumivelmente apontando para o mesmo resultado — esperar, esperar, por algum tipo de resolução.[13]

Em 22 de agosto, parecia que M e M haviam mudado de ideia sobre Betty ir com eles para a tribo. Havia preocupações, todas envoltas em vários tipos de névoa; questões linguísticas, bem como o delicado equilíbrio relacional entre Rachel, Dayuma e Betty. Por um lado, Betty foi informada de que as mulheres sentiam que os waorani estariam esperando algum tipo de vingança pela morte do desequilibrado Dr. Tremblay, embora ele tivesse tirado a própria vida, e que de alguma forma pensariam que Betty era a *esposa* de Tremblay.

O principal estresse, no entanto, eram os relacionamentos entre as americanas, não as waorani. "Se você descer lá para o Curaray pensando que M e M querem que você vá, está terrivelmente enganada", disse Rachel a Betty (conforme registrado no diário de Betty).

"Escute, Betty", ela continuou, "isso não é brincadeira de criança. Eles são assassinos".

Quanto a isso, Betty escreveu incrédula em seu diário: "Meu pensamento foi responder: 'Acho que não seria preciso lembrar a você, Rachel, que perdi meu marido. Eu sei que eles são assassinos'. Minha resposta: silêncio".

Era excruciante. Betty sentia que talvez estivesse passando pelo mesmo tormento de alma sombrio que tanto atormentara Jim pouco antes de sua entrada no território waorani. As mulheres waorani mudavam constantemente de ideia sobre seus planos de retornar à tribo, bem como sua perspectiva sobre se seu povo as receberia ou as mataria.

Desesperada com o estado de coisas em constante mudança, Betty constantemente se agarrava ao fato de que o caráter de Deus não mudava. "Ele é minha

---

13 Rachel Saint estava mais limitada pelo Wycliffe. Como uma missionária independente sob os Irmãos de Plymouth, Betty tinha mais liberdade. Se ela fosse para a tribo, precisaria de apoio aéreo em termos de transporte de suprimentos para si e para Valerie. Isso caberia à Missionary Aviation Fellowship, que estava preocupada com sua segurança.

Rocha. É com ele que conto, não com a pureza do meu próprio coração... Suas promessas dependem do caráter dele, NÃO do MEU. Este é o único fundamento para a fé."

Poucos dias depois, em 3 de setembro de 1958, as nuvens de confusão finalmente se dissiparam. Dayuma, Mangamu e Mintaka decidiram voltar para a tribo. Elas contariam ao seu povo sobre as missionárias e então voltariam da selva para buscar Betty e os demais.

Mintaka, Mangamu, Dayuma, Betty, Valerie, vários ajudantes quíchuas, três cães, um gato, um papagaio e uma carga variada foram levados de avião para Arajuno, na fronteira do território waorani. De lá, M e M e Dayuma visitariam a tribo; Betty esperaria pelo retorno delas na casa do Dr. Tidmarsh.

Uma hora depois de chegarem, as três mulheres waorani percorreram o longo caminho em direção ao seu povo, logo desaparecendo de vista. Era como se elas tivessem seguido para o lado escuro da lua.

Será que voltariam de lá outra vez? Será que seriam mortas? Ninguém sabia.

Uma semana depois, Dan Derr, piloto da MAF, voou com Betty sobre o conhecido assentamento waorani. Ela havia planejado com as três mulheres que estas ficariam à procura dela. Quando vissem o avião missionário, sinalizariam do solo que tudo estava bem. Não houve sinal delas.

O Dr. Tidmarsh e um colega, um médico, estavam trabalhando na pista de pouso perto da casa do Dr. Tidmarsh. Eles descobriram pegadas distintamente waorani na área. Na tarde seguinte, os dois homens estavam do lado de fora quando ouviram um grito terrível vindo da selva no lado waorani do rio. O médico o descreveu como um choro "terminal". No dia seguinte, o Dr. Tidmarsh viu abutres pairando perto do rio. Sua hipótese? Que Dayuma estava saindo da selva, foi perseguida, atacada e morta.

Espera. Na quarta-feira, 24 de setembro, Marj Saint veio ficar com Betty Elliot para que ela não ficasse sozinha enquanto o Dr. Tidmarsh e sua esposa viajavam para Quito para trabalho médico de rotina. Naquela noite, Betty orou: "Senhor, se essas mulheres ainda estiverem vivas, que venham enquanto Marj estiver aqui".

Na manhã seguinte, enquanto Betty pendurava roupas para secar no varal do lado de fora, vários jovens quíchuas chegaram. "Bom dia!", disse Betty. Ela prendeu um pequeno vestido de Valerie no varal. "Por que vieram?"

"Para nada", responderam.

"PARA O INFERNO COM MEU ZELO!"

Betty estava louca por notícias. "Bem, vocês não sabem nada sobre as mulheres waorani?", ela perguntou.

Os homens olharam para o céu. "Ah, sim", um deles respondeu. Ele deu de ombros e olhou para seus amigos. "Elas voltaram."

Betty quase morreu, bem ali no varal. O homem prosseguiu, informando casualmente que as mulheres estavam agora a uma curta distância da trilha, banhando-se.

Betty correu para chamar Marj Saint e buscar sua câmera, agarrou Val, e tão logo chegaram sem fôlego ao fim da pista de pouso, ouviram uma voz cantando — acredite se quiser — *"Yes, Jesus loves me"* ["Sei que Cristo me quer bem"], e em inglês! Era Dayuma. Houve um farfalhar nos juncos e folhas na orla da floresta e, então, as mulheres saíram de um arbusto alto, vindo direto para elas. Era um grupo inteiro: Dayuma, M e M, quatro outras mulheres waorani, uma carregando um bebê, e dois meninos. Elas estavam vindo com o convite que Betty Elliot havia desejado mais do que tudo neste mundo: uma oferta para Betty, Valerie e Rachel Saint virem morar com a tribo waorani.

CAPÍTULO 30
UMA CRIANÇA ENTRE OS ALGOZES DE SEU PAI

"Se um dever é claro, os perigos que o cercam são irrelevantes."
— Elisabeth Elliot

UMA CRIANÇA ENTRE OS ALGOZES DE SEU PAI: MISSIONÁRIAS VIVEM COM WAORANI
— Manchete da revista Life, 24 de novembro de 1958

A rede missionária fervilhava com as notícias. Milhares de cristãos nos EUA e em outros lugares oravam para que o convite para "estrangeiras" de fato morarem com os waorani pudesse ser o tão esperado ponto de inflexão na chegada do evangelho à infame tribo. Apesar de muitas complicações, as várias agências missionárias envolvidas gradualmente entraram em ação. Cameron Townsend deu sua permissão para que Rachel Saint, obreira do Wycliffe, fosse para a tribo; a Missionary Aviation Fellowship apoiaria Betty, Rachel e Val com suprimentos conforme necessário. Os waorani falariam por si mesmos... embora poucos entendessem de fato o que estavam dizendo.

Na segunda-feira, 6 de outubro, Betty, Val, Rachel, Dayuma, as mulheres waorani e cinco homens quíchua carregando Val (então com três anos) e as bagagens das missionárias — equipamento de gravação, cadernos, câmeras, filme, papel e suprimentos — pegaram a trilha. (Betty relutantemente deixou sua chaleira para trás.) Acontece que uma das mulheres que saiu da floresta era a própria Maruja, a jovem que havia sido sequestrada pelos waorani um ano antes, depois de eles matarem seu marido, Honorario. "Na minha opinião", ela disse a Betty alegremente, "você logo será comida por abutres". Maruja prosseguiu, compartilhando que esperava que os waorani matassem as americanas, a menos que ela própria voltasse com eles — por isso, Betty e Rachel deveriam lhe dar dinheiro para que ela o fizesse. Elas recusaram o acordo. Maruja acompanhou o grupo mesmo assim.

Foram três dias árduos de caminhadas, escaladas e canoagem. Os índios pescaram e caçaram ao longo do caminho, e Betty começou a identificar quem era quem — incluindo Ipa, a jovem mãe do grupo. Em um "acampamento", Betty escreveu: "Nadamos bastante enquanto os homens montavam os altos talos de capim-navalha para nossas cabanas de dormir. À medida que escrevo à luz do fogo, sentada na areia, a pequena Val está cantando 'Cristo me quer bem' a plenos pulmões — deitada sozinha em algumas folhas de bananeira no abrigo a certa distância. E ao meu lado está sentada a angelical Ipa, amamentando seu filho. Mostrei a ela a foto de Jim, colada na frente do meu diário. O marido dela matou o meu, e eu a amo".

(Como ela descobriria mais tarde, Betty estava lidando com informações incorretas. O marido de Ipa não fazia parte do grupo que matou os cinco norte-americanos. Betty ouviria vários relatos dos assassinatos conforme sua compreensão da língua waorani aumentava. O principal ímpeto — ela aprendeu de Dayuma — foi a mentira de Nenkiwi. Os americanos foram mortos "por nada".)[1]

O grupo chegou ao seu destino no dia seguinte. Era 8 de outubro de 1958: "O trigésimo primeiro aniversário de Jim, nosso quinto aniversário de casamento — e hoje conheci um dos assassinos do meu marido. Kimu, irmão de Mangamu, [...] nos recebeu com [um] sorriso calmo [...]. Valerie olhou fixamente para Kimu e disse: 'Ele parece um papai. Ele é meu papai?'"

Naquele momento crucial, Betty percebeu que os temidos waorani, cujo próprio nome personificava a *morte* para ela, eram apenas seres humanos para sua pequena filha. Valerie havia crescido entre os índios. Aqueles índios em particular não usavam roupas, mas aquilo era irrelevante para Val. Ela viu Kimu, um homem jovem, musculoso e vibrante, e o associou em sua mente ao seu próprio pai, forte e jovem, que ela nunca conhecera de verdade. Ela estava confortável e contente.

Daquele ponto em diante, o diário de Betty Elliot desses primeiros dias entre a tribo parece um novo gênero de literatura alternativa. Ela estava vivendo em um

---

1 "Eles simplesmente disseram que os atingiram com lanças. Então, falei com eles sobre os gentis estrangeiros. Eles disseram: 'Agora entendemos. Agora vemos que fizemos isso por nada. Foi só porque [Nenkiwi] mentiu'". Tradução da fita feita por Betty Elliot entrevistando Dayuma, conversa em quíchua, 25 de setembro de 1958.

mundo onde os padrões "normais" de relacionamento ou interação simplesmente não se aplicavam. Assassinos e entes queridos de suas vítimas normalmente não vivem, comem e dormem em comunidade. Pessoas vestidas e nudistas geralmente não se misturam. "Selvagens" e "civilizados", ou "pagãos" e cristãos... as dicotomias usuais e convencionais simplesmente não estavam em jogo naquela clareira remota na floresta amazônica, por volta de outubro de 1958.

Amigos

Dada a volatilidade dos waorani, Betty não tinha nenhuma razão em particular para presumir que não a matariam. Mas também não tinha nenhuma razão em particular para presumir que o fariam. Dada a perda violenta de seu marido, ela sabia que a proteção *física* de Deus não estava garantida. Mas suas reações cruas não vinham das experiências do passado nem de possibilidades sombrias quanto ao futuro. Ela estava vivendo o momento, e a emoção mais clara que surge das páginas de seu caderno densamente escrito é um sentimento de *admiração*. *Como Deus poderia fazer com que tudo aquilo acontecesse?*

Depois de toda a oração, planejamento e angústia, aqui estava ela, simplesmente *vivendo* entre os temidos waorani. Era uma vida notavelmente cotidiana.

Sua filha brincava no riacho de águas claras e dormia em alguns troncos de bambu rachados enquanto Betty cochilava no estilo waorani, em uma rede acima dela. Elas comiam o que quer que os waorani comessem: um braço de macaco — seus dedos cerrados e pretos, assados no fogo —, peru selvagem, peixe ou ave. O pequeno avião missionário ocasionalmente lançava comida e correspondência: leite para Valerie, café instantâneo para Betty e Rachel.

Betty entre os waorani

À noite, todos atiçavam suas fogueiras. Os waorani ficavam sentados na clareira, imóveis, olhos fixos à frente, punhos cerrados na frente do peito enquanto cantavam um tom curiosamente hipnótico, "um tom nasal forte — em três partes, um único acorde de dó menor, sem qualquer variação por literalmente centenas de repetições de uma frase de sete tempos".

Durante os dias, os homens caçavam javalis, macacos, tucanos, o que quer que pudessem encontrar. Às vezes, outros waorani chegavam do assentamento principal, na selva mais profunda. Betty começou a identificar personalidades diferentes e a absorver pedaços da história que havia tirado a vida de seu marido. Ela observava

Dyuwi, Mincaye ou Kimu trabalhando duro durante o dia, cortando árvores com um machado para abrir uma clareira para que o avião missionário pousasse.

"Mincaye[2]... é um homem alto, magro e muito musculoso, e a graça de seu corpo enquanto ele balança o machado (com muita habilidade) é maravilhosa de se ver. Ele tem um sorriso lindo e largo, dentes brancos e regulares."

"Estou extremamente feliz — simplesmente por estar no lugar para o qual o Senhor me trouxe. Não consigo deixar de pensar constantemente — ah, se ao menos...! 1) Se esses homens soubessem o que Jim tinha vindo fazer e como ele os amava; 2) Se ele pudesse estar aqui comigo compartilhando tudo isso pelo que ele esperava. Mas haverá abundantes razões reveladas quando chegar a hora, e eu creio nisso."

No primeiro domingo no acampamento, Dayuma reuniu todos em uma das casas maiores, ainda inacabada, para lhes contar uma história bíblica. Eles obedeceram a esse conceito inédito e se sentaram onde ela lhes disse... mas a ideia de todos terem que prestar atenção a *uma só* pessoa era totalmente estranha. Várias conversas paralelas surgiram de uma vez. "Ela lhes disse que ouvissem, [...] eles mansamente se calaram."

Ainda assim, Dawa procurava larvas de parasitas em suas costelas, Mangamu palitava os dentes de seu filho pequeno com um graveto. Uba inspecionava o fungo do pé de sua filha e o compartilhava com seu vizinho. Gikita e Kumi observavam os pássaros, comentando sobre seu voo.

Quando chegou a hora de orar, M e M solicitamente informaram aos outros waorani que isso significava que era hora de "ir dormir". Houve uma boa quantidade de "risos" enquanto os novatos observavam para ver como isso era feito. Os três homens colocaram as mãos sobre seus rostos. Todos ficaram em silêncio durante o longo, longo, longo tom monótono de D. "Ela orou por todo mundo daqui até [Nova Jersey]", observou Betty secamente.

Naquela mesma manhã, Betty assistiu a Mincaye brincando alegremente com os cachorros, acariciando as cabeças dos bebês e sorrindo. Como podia ser que "ele tivesse matado Jim?", ela pensou. "Depois de todos esses meses vivendo em suspense, imaginando, imaginando — cá estou eu. Cá estão eles. E vivemos em paz."

---

2 Betty transliterava o nome de Mincaye de forma diferente em seus registros de diário, mas escolhi usar essa grafia mais comum do nome dele, que é a usada hoje. Muitos nomes waorani podem ser escritos de várias maneiras diferentes quando são transliterados para o inglês.

Algumas semanas depois, Betty e Val se agacharam na cabana de Mincaye, comendo com ele, sua esposa e alguns outros. Após "sorver e sugar" pedaços macios, Betty observou que "é quase impossível mastigar carne de macaco — você simplesmente prende seus incisivos nela e rasga". Quando a refeição terminou em cerca de três minutos de consumação entusiasmada, todos se levantaram e se espalharam na escuridão crescente para se aliviar e seguir para suas próprias redes.

A esposa de Mincaye apagou a maior parte do fogo. "Mincaye subiu na rede (nu, é claro) e sua esposa grávida deitou-se em cima dele", escreveu Betty mais tarde em seu diário. "Eles sussurravam juntos no escuro — enquanto o 'resto do mundo seguia seu rumo.'" Dayuma, Akawo e Rachel conversavam "alegremente do outro lado da casa. Aquilo mexeu comigo. Entrei na minha cabana de folhas e aticei minha fogueira, pensando em como teria sido entrar nesta rede com meu marido. E foram Mincaye e outros que o mataram. Ainda não consigo engolir. Mas Senhor — tu sabes de tudo, e por que tem de ser assim, e eu te agradeço pela sorte que escolheste e conservas para mim [...]. É estranho — estranho demais. Estou feliz aqui".

O avião periodicamente deixava correspondências, suprimentos e notícias, e pegava correspondências de Rachel e Betty. Betty havia fotografado resmas de filme, como o fotógrafo Cornell Capa lhe havia ensinado, capturando Val brincando com seus amigos tribais, Rachel trabalhando na tradução, assim como a lama, as cabanas, os macacos e todos os outros aspectos da vida diária com a tribo. Suas fotos, bem como o material que ela havia escrito, foram usados pela revista *Life* para criar uma história sobre Dayuma, Rachel, Betty e Val vivendo entre o mesmo povo tribal que havia matado os missionários cerca de vinte meses antes. "Glorifica o teu nome, Senhor", anotou Betty em seu diário.

No final de novembro, Betty estava deitada em sua rede uma noite, ao lado do fogo, lendo uma revista *Time* lançada do avião missionário. O exemplar continha a história de um missionário menonita de trinta anos, chamado Kornelius Izaak, que havia sido morto por lança dois meses antes por uma tribo no Paraguai. Betty olhou para a "doce imagem" da esposa do homem assassinado e três filhos pequenos, sentindo empatia, e então escreveu em seu diário sobre seu próprio ambiente estranho: "a lua cheia, o rio prateado; uma vela é minha luz de leitura, as brasas do fogo brilham suavemente e, do outro lado, completamente nu ao luar, jaz um homem waorani, um assassino muito parecido com aqueles [que mataram Izaak]. Ao lado da vela, Valerie dorme pacificamente. Quão grande és tu, meu Deus!".

UMA CRIANÇA ENTRE OS ALGOZES DE SEU PAI

Betty encontrou muitas coisas que admirava no modo de vida waorani. Eles não eram sobrecarregados por posses. Suas casas de folhas de palmeira podiam ser construídas em poucas horas. Eles obtinham o alimento suficiente para cada dia; sem despensas, sem pratos para lavar, sem propriedade para manter. Ela não sentia nenhuma "superioridade ocidental", mas sim um profundo sentimento de inferioridade. As mulheres waorani eram capazes de carregar pesos enormes que Betty não conseguia sequer começar a levantar; elas lidavam com dor, parto, inconveniência e fome com grande paciência e fortaleza.

Além do surrealismo diário de viver com os assassinos de seu marido, Betty descobriu que o cenário da selva era repleto de outros paradoxos. Aquele não era o habitat mais natural para nossa heroína bem-criada de meados do século XX. A mulher que amava higiene, ordem e porcelana fina morava em uma cabana na lama, roendo um punho de macaco assado, cuspindo os ossos na selva. A mulher introvertida e pensativa estava dia e noite cercada por pessoas, pessoas que não tinham absolutamente nenhuma das cortesias de privacidade cultural que os americanos tendem a esperar. Os índios a assistiam enquanto ela dormia, zombavam de seus hábitos, colocavam os dedos em sua comida e faziam perguntas constantes sobre cada movimento seu. A escritora, linguista e intelectual estava cercada por pessoas que não tinham linguagem escrita e nenhuma necessidade de ler. Elas riam de sua fraca incapacidade de "ouvir" o que estavam dizendo e balançavam a cabeça para seu gravador e pilhas de papel, imaginando por que uma pessoa sã gastaria tanto tempo riscando objetos tão frágeis. A mulher que amava a solitude vivia em uma cabana de folhas que não tinha paredes. Tampouco tinham paredes o seu banheiro ou chuveiro, já que estes, na verdade, nem existiam. Casais faziam sexo entusiasticamente em suas redes a alguns metros de onde ela e Val estavam dormindo (ou acordadas). Os ciclos menstruais das mulheres e o amadurecimento das meninas eram informações públicas. Assuntos sexuais dominavam muitas conversas. E nenhuma pergunta estava fora dos limites.

Betty se casaria novamente?, perguntou-lhe um dia seu amigo Dabu. Seu falecido marido tinha um pênis? Ele logo respondeu à sua própria pergunta, deduzindo que Jim devia tê-lo, sim, já que Betty fora capaz de gerar um filho.

Outros chamavam a atenção dela para animais acasalando, falavam sobre os diâmetros das partes íntimas de várias mulheres, e a questionavam sobre as suas. Sempre linguista, ela diligentemente anotava tais perguntas em seu diário, sem comentários.

A pequena Val também tinha perguntas para Betty, embora não fossem de natureza sexual.

"Mamãe, por que as pessoas não são carregadas pelo vento?"

"Aranhas têm línguas minúsculas?"

"De onde vem tanto cuspe?"

"Galinhas têm testas?"

"Bebês formigas choram?"

"Por que temos queixos?"

"Eu sempre peço a Jesus para ele <u>não</u> me deixar fazer travessuras, mas ele me deixa mesmo assim!"

"Por quê?"

Assim era a vida na selva. Também havia tensões crescentes, mas elas não se originavam com Val ou os waorani.

Betty notou tristemente que Dayuma já havia começado a "civilizar" o grupo fazendo com que homens e mulheres usassem roupas. Depois de viver na cultura equatoriana por muitos anos, Dayuma sabia que os waorani eram considerados a casta mais baixa entre as tribos indígenas. Ela estava ansiosa para que seu próprio povo adotasse maneiras "civilizadas", para que fossem mais bem aceitos, porventura, na sociedade dominante. Ela estava pressionando todos a usarem camisas, calças e vestidos aleatórios que havia trazido.

"Esta manhã, <u>todos</u> estão usando roupas", Betty escreveu desanimada em seu diário. "Que triste bando de aparência bizarra. Seus lindos corpos castanho-avermelhados distorcidos e camuflados em todos os tipos de roupas mal ajustadas e amassadas. Por que, oh, por que essa corrupção terrível da suprema obra-prima da criação de Deus?"

"Rachel é completamente a favor de roupas — 1) por motivos bíblicos 2) para protegê-los de mosquitos, 3) porque ela sente que eles ficam <u>envergonhados</u> sem elas!! Temo que Dayuma, a despeito de ser uma grande ajuda, também seja nosso maior problema por razões como essa."

"Não entendo nada dessa ideia de vesti-los", Betty continuou. "Certamente não tenho vergonha da minha nudez diante de Deus ou do meu marido. [...] Será essa uma razão válida para dizer que somos obrigadas a nos cobrir?" Ela sentia que a nudez entre os waorani era menos provocativa do que a tendência norte-americana de usar roupas caras ou curtas como símbolo de status ou provocação sexual. "Parece-me que essas pessoas, completamente libertas da autoconsciência ou da curiosidade mórbida característica do homem 'civilizado', têm vantagens inestimáveis. Elas são libertas de muitos pecados, da tentação da vaidade pessoal, pois o corpo humano é algo aceito *per se* — sem comparações, afagos, disfarce ou encobrimento."

Pouco tempo depois de as mulheres americanas chegarem à clareira, o suprimento de comida se tornou um problema. Betty e Val dividiam um ovo, ou um pequeno pássaro assado, para uma refeição. Os caçadores eram generosos com o que quer que obtivessem com suas zarabatanas, mas a colheita era escassa.

Os índios aparentemente esperavam que o avião missionário fornecesse carne para todo o grupo. Rachel queria começar a pedir comida regularmente. Betty achava imprudente estabelecer um precedente, de sorte que os waorani não sentissem nenhuma responsabilidade pelas visitantes brancas. Ela observou em seu diário como Dayuma havia sido alimentada e vestida por Rachel por anos e, "agora, espera ser alimentada por ela, em vez de assumir a dianteira em seu próprio ambiente e cuidar das necessidades de Rachel". Preocupada em criar dependência da tribo para com os americanos, Betty sentia que Dayuma, agora "em casa", por assim dizer, deveria achar uma solução em vez de exigir que Rachel fornecesse comida lançada de um avião missionário. "Não consigo não ficar ressentida com algumas das maneiras pelas quais D. comanda as coisas, comanda Rachel e, portanto, a mim e a todos os outros por aqui", escreveu. "Também este assunto, Senhor, não está além do teu alcance."

Além das preocupações sobre fomentar a dependência dos americanos,[3] Betty se preocupava com os ensinamentos bíblicos de Dayuma, perguntando-se quais conceitos do evangelho estavam realmente sendo transmitidos à tribo.

Ela sabia que Dayuma era a melhor pessoa para contar histórias bíblicas e que as próprias histórias poderiam ter grande poder. Aquele não era o momento adequado para pregações expositivas e citações de teólogos e comentários com referências em notas de rodapé. O relato de Dayuma sobre Jesus acalmando uma grande tempestade, por exemplo, causou admiração nos corações de seus ouvintes waorani. Eles conheciam tempestades ferozes e eram capazes de apreciar o poder necessário para fazer uma delas parar com apenas um comando.

---

3 Em sua preocupação com americanos bem-intencionados fomentarem a dependência entre os povos indígenas, Betty estava à frente de seu tempo. Em seu diário, ela refletiu: "o desejo de ajudar termina por destruir — viemos para lhes trazer [i.e., aos povos não alcançados] Cristo, mas lhes ensinamos pecados".

Porém, mais tarde, quando Dayuma contou como as pragas de Deus caíram sobre o Egito em resposta à descrença do Faraó, a lição foi transmitida como se Deus nos desse coisas boas, materialmente, se crermos nele, e coisas ruins se não crermos. Sensível à propagação de um sutil evangelho da prosperidade, Betty se preocupava com o perigo de a tribo se concentrar *naquilo que Deus dá*, em vez de em *quem ele é*. "Senhor, ensina-a a lançar os fundamentos da fé em ti, não naquilo que tu [podes] fazer. Vejo isso como algo terrivelmente importante para a tribo neste momento — que aprendam a amar, obedecer e confiar, não para que assim estejam livres de males terrenos... mas por causa de quem Deus é e quais são suas reivindicações sobre eles."

O que as pessoas estavam aprendendo, realmente?, perguntava-se Betty. "A mensagem que viemos comunicar ia direto ao cerne das coisas. Não poderia lidar com o periférico. No entanto, a linguagem que deveria ser nosso meio de comunicação parecia estar limitada ao periférico."[4]

Como ficaria cada vez mais claro, Rachel Saint não parecia ter tais questionamentos.

Certa manhã, Dayuma contou a história de Sansão. Depois, sem nenhuma ponte explicativa ou "aplicação" espiritual da história, Dayuma se virou para uma das adolescentes e perguntou sobre suas próprias crenças. A garota, desconfortável por estar sob os holofotes, não sabia o que dizer. Talvez a vida e a morte exóticas de Sansão simplesmente não a tivessem persuadido de sua própria necessidade de salvação. Mas com alguns minutos de insistência e orientação de Dayuma, a adolescente finalmente repetiu as frases adequadas sobre "ter o desejo de crer e ter seu coração purificado".

Na manhã seguinte, durante o tempo de oração diária entre Rachel e Betty, Rachel agradeceu a Deus por a garota ter feito uma "confissão pública de sua fé". Betty acreditava que Rachel estava "absolutamente sincera e genuinamente grata... mas eu pessoalmente acho difícil aceitar tais 'sinais' como obra do Espírito de Deus". Parecia a Betty que a garota tinha sido encurralada, não queria fazer uma rejeição pública e, então, repetiu as "fórmulas necessárias".

Betty sabia que o Espírito Santo *podia*, é claro, operar por meio de coerção social ou frases repetidas ou o que quer que ele escolhesse. Mas, de sua parte, Betty se esquivava da comum tendência missionária de contabilizar conversões ou exagerar

---

4 Elisabeth Elliot, *The Savage My Kinsman* (Ann Arbor, MI: Servant Publishers, 1961), p. 135.

respostas à mensagem de domingo. "[H]á uma necessidade de cautela ao divulgar 'resultados'",[5] escreveu em uma carta aos seus pais.

Como sempre, porém, Deus estava operando em, por meio de e apesar do seu povo. Por mais estranha, fútil, gloriosa ou desorganizada que a história parecesse àqueles que a estavam vivendo na época, a invasão havia chegado. No misterioso plano de Deus, ali onde cinco homens haviam sido barrados e mortos, duas mulheres e uma criança americanas haviam sido aceitas por um povo assassino que estava isolado há séculos. O vento do Espírito estava soprando suavemente em meio àquela lamacenta clareira waorani. Deus estava atraindo gente para si naquele local, e continuaria a fazê-lo pelas gerações vindouras.

Em dezembro de 1958, Betty refletiu sobre os três meses anteriores. Ela sentia que as histórias de Dayuma *tinham* dado frutos. Os waorani sabiam algo sobre o Filho de Deus, sobre habitar para sempre na casa de Deus, sobre seguir a vereda de Deus. Os conceitos eram nebulosos e a linguagem, às vezes, impenetrável. Mas Betty — que não era dada a declarações grandiosas ou triunfais — escreveu em seu diário que, "De qualquer forma, o fato a ser agora reconhecido é que o evangelho de Jesus Cristo chegou aos waorani, e Paulo diz (Colossenses 1): 'Por onde quer que vá, o evangelho produz um caráter cristão e o desenvolve'".[6]

Um ou dois dias depois do Natal, Betty sentou-se com Mincaye. Ele lhe contou sobre a morte de Jim e dos outros missionários. "Eles não nos viram — nós viemos sobre eles de surpresa. [...] Nós os matamos, sem saber. Não vivíamos pensativamente naquela época — agora sabemos. Agora pensamos em Deus. Não vamos mais atacar com lanças."

Mais tarde naquela noite, Betty estava deitada em sua rede, ponderando novamente a ironia de tudo aquilo. De repente, Mincaye[7] falou com ela na escuridão.

---

5 EE para "Queridos Pais", 6 de fevereiro de 1961.
6 N. T.: A paráfrase de Colossenses 1 é de J. B. Phillips, que Elisabeth Eliott frequentemente utilizava em seus diários e escritos. Publicado em português como J. B. Phillips, *Cartas para hoje: uma paráfrase das cartas do Novo Testamento*, trad. Márcio Loureiro Redondo (São Paulo: Vida Nova, 1994), p. 130.
7 Mincaye se tornou uma figura central na comunidade waorani de seguidores de Cristo. Afinal, ele viajaria por todos os EUA e pelo mundo, com Steve Saint, testemunhando sobre o poder de Jesus de transformar vidas humanas. Ele tinha uma personalidade grande, amorosa, engraçada e um pouco boba; eu adorei passar um tempo com ele na selva, no verão de 2019, quando ele provavelmente tinha noventa e poucos anos. Ele me fez uma lança. Vê-lo moldar e afiar cuidadosamente aquela arma foi como uma experiência de viagem no tempo. Pensei nele afiando lanças em fúria diabólica, tantas décadas atrás, enquanto ele e seus companheiros waorani se preparavam para matar os missionários. Agora, ali estava ele, um pacato irmão em Cristo, dando risada e afiando uma lança como um presente. Mincaye morreu no final de abril de 2020, um líder cristão muito amado, farto de dias.

"Gikari?"

"Hã?", Betty respondeu.

"Você é minha irmã mais nova."

"Você é, então, meu irmão mais velho?", ela perguntou.

"Eu sou seu irmão mais velho", disse Mincaye. "Sua mãe é minha mãe. Eu a chamo de mãe. Seu pai é meu pai. Seus irmãos e irmãs são meus próprios irmãos e irmãs. Você vai dizer isso a eles? Você vai contar a eles sobre mim? Você vai dizer-lhes que eu os chamo de família?"

Mincaye sabia, por ter examinado a caneta e o fino bloco de anotações de Betty, que sua amiga estrangeira fazia marcas rabiscadas naquelas páginas finas e as enviava de avião para que, de alguma forma, chegassem às mãos de sua família distante.

Betty sorriu para a escuridão. "Sim, Mincaye. Vou escrever para eles, e eles, vendo, saberão."

CAPÍTULO 31
"LOUCURA, PURA LOUCURA"

"Eu amava e respeitava essas duas mulheres que eram quase completamente opostas. Betty era alta e magra. Era formal e intelectual. Rachel era mais baixa e carnuda. Desperdiçava pouca energia em etiqueta social, mas era tenaz. O que elas tinham em comum era uma devoção inabalável, quase mística, à obediência a Deus."[1]
— Steve Saint

"Quando ouvi que Betty e Rachel iriam juntas para os waorani, eu apenas gemi. Ambas eram muito assertivas, mas não pareciam ter quaisquer sentimentos."
— Olive Fleming Liefeld

Betty começou o ano de 1959 visitando o irmão de Jim, Burt, e sua esposa, Colleen, na estação missionária deles no Rio Huallaga, no Peru. Os Burt Elliots — cujo longo, silencioso e heroico ministério no Peru foi usado por Deus para evangelizar e discipular gerações de seguidores de Cristo — encorajaram Betty imensamente. Tal fato, além do grande companheirismo que ela sempre sentia quando passava um tempo com Marj Saint e Marilou McCully (em Quito), tiveram o efeito de tornar seu retorno ao território waorani, no final de fevereiro, algo sombrio, solitário e difícil. Marilou fez a árdua viagem de volta à clareira — agora chamada Tiwaeno — com Betty, que amava sua alegre compreensão e presença.

Betty descobriu, para seu horror, que seu tempo fora falando espanhol a fizera esquecer muito de sua língua waorani. Val sentia falta de brincar com seus primos no Peru e outras crianças missionárias em Quito. As condições usuais na

---
[1] https://www.itecusa.org/2015/07/16/do-the-next-thing-elisabeth-elliot-rachel-saint/.

clareira — lama, moscas, fome, chuva, espinhos, infecções, falta de privacidade — agora causavam uma sensação esmagadora. "A decepção natural de retornar a esta vida depois de estar com pessoas queridas, em ambientes limpos e sem insetos — juntamente com a partida de Marilou e as invectivas de Rachel assim que [Marilou] partiu — me fizeram pensar novamente se aquilo tudo valia a pena."

Betty também estava preocupada com Valerie, que tinha acabado de fazer quatro anos. "Gostaria de voltar para a casa da tia Marilou, mamãe." Betty assistia à mente da filha em expansão, seu novo desejo por livros e mais livros. Seria "este o melhor ambiente para ela?".

Seria este o melhor ambiente para Betty Elliot?

Aquele não era o tipo de pergunta que Betty costumava fazer. A questão para ela não era o que a fazia sentir-se realizada, ou o que lhe dava prazer, mas a obediência ao Deus que ela acreditava tê-la direcionado para os waorani. Ela certamente estava disposta a se deixar gastar em seu serviço. Mas o que corroía suas entranhas era a sensação de que ela não era útil naquele chamado.

"Não me lembro de ter me sentido tão inútil em toda a minha vida. Parece que não consigo fazer nada, nada do que precisa ser feito. Rachel ensina [Dayuma] fielmente — [Dayuma] por sua vez ensina os waorani e possivelmente é a única que será necessária para esse fim. [...] Se eu estivesse no comando da minha própria vida, eu desistiria agora mesmo. As condições de vida são difíceis. O crescimento e o aumento das capacidades de Val me causam sérias preocupações quanto à sabedoria de permanecer aqui. No entanto, nenhum outro caminho está aberto para mim. Estou tão confiante quanto sempre de que Deus me colocou aqui."

Ela era encorajada pelas histórias de fiéis missionários do século XIX que foram para a África, Nigéria e Pacífico Sul. "Fui encorajada hoje ao ler que [David] Livingstone, Mary Slessor e John G. Paton expressaram o pensamento de que, se não fosse a consciência da presença de Cristo, nada na terra os impediria de perder a razão. Eu me juntaria ao coral deles hoje, aqui em Tiwaeno. Nada além do conhecimento de que Deus está aqui comigo, e que não me abandonará, me mantém na rota."

Betty pensou no poema de T. S. Eliot sobre o personagem fictício J. Alfred Prufrock, que media sua vida diária com colheres de café. "A minha", ela pensou, "tem sido medida em um meio bem diferente — aqui são gravetos de lenha, viagens pela ribanceira lamacenta até o rio, fichas de arquivo etc. Minha mente continua pensando em maneiras de nos tirar dessa situação (embora seja aquela na qual orei tanto para entrar)".

"LOUCURA, PURA LOUCURA"

Era um alívio trabalhar em algo que realmente fizesse a diferença.

Na noite de 12 de abril, o amigo de Betty, Dabu, cambaleou de volta para o acampamento. Ele passara o dia na selva, caçando; uma víbora de árvore o atacou e o mordeu sob o lábio inferior. Não havia como aplicar um torniquete e, em uma hora, o inchaço atingiu proporções impossíveis. Delirante, Dabu chamava o nome de Betty, repetidamente, perguntando se ia morrer.

De alguma forma, ele sobreviveu à noite. Betty chorou ao ver seu rosto irreconhecível, sua boca projetando-se além do nariz, seu pescoço, bochechas e nariz inchados, escurecidos e brilhantes. Suas gengivas sangravam constantemente; ele não tinha descanso de cuspir constantemente.

Wiba, sua esposa grávida, foi a única da tribo que demonstrou compaixão. "Foi o suficiente para quebrar um coração de pedra vê-la ajudando [o marido] a sair na chuva fina da manhã para urinar — ambos nus e indefesos, parecia-me — ela, enorme e pesada da gravidez, o rosto dele enorme e pesado, pendendo para frente de dor. Porém [...] os demais comem e entalham, gritam, riem, provocam os bebês, moldam potes de barro e demonstram despreocupação generalizada."

Betty usou uma seringa para sugar constantemente a boca de Dabu. Ela não tinha soro antiofídico. Por causa da chuva constante, o avião missionário não pôde vir. Um olho estava inchado e fechado, preto e azul. Seu pulso estava em torno de 55, sua pele suada. Ainda assim, Dabu estava racional e, enquanto Betty limpava o sangue do seu rosto, ele disse: "Gikari, me deixe em paz e me deixe morrer".

"Jesus carregou todas as nossas doenças", pensava Betty. Ela sabia que Deus podia curar Dabu. Mas ela "não sabia se ele pretendia fazê-lo". Tudo o que ela sabia era que precisava "levar Dabu a Jesus", repetidamente, mesmo enquanto trabalhava desesperadamente para salvar sua vida.

A chuva parou. O avião lançou suprimentos. Betty injetou "20 ml de soro antiofídico, 1 ml de vitamina K e 1 ml de penicilina e estreptococo cada". Ela limpou o sangue de suas gengivas e gentilmente lavou seu rosto enorme e distendido. "Deus é o seu Pai", ela sussurrou. "Ele o ama. Ele o vê."

A voz de Dabu era fraca, fina, murmurando através de lábios salientes. "Gikari — eu a tenho amado muito."

Oh! Aquele rosto! "De bom grado, eu daria minha vida pela dele", Betty desejou. "[Mas] [...] tais escolhas não são dadas a nós."

No dia seguinte, o rosto de Dabu estava menos inchado, mas agora seu peito estava distendido e dolorido. "Pobre homem", orou Betty, "tão paciente, humilde e submisso em sua dor [...]. Ó Senhor — traze-o para o teu rebanho".

Em mais um ou dois dias, embora ainda fosse uma massa de carne roxa escura, olhos avermelhados e inchaços bulbosos, Dabu conseguia falar claramente, comer e até rir. "Louvado, louvado seja o Senhor cujo toque ainda tem seu antigo poder!", exultou Betty. Deus havia permitido um sofrimento horrível... mas havia curado o amigo dela.

(Muitas décadas depois, quando tinha setenta anos, Betty visitaria seus amigos waorani no assentamento Tiwaeno. Ela e o velho Dabu relembraram o terrível momento em 1959, quando ele quase morreu de picada de cobra. Agora, porém, ele era um seguidor de Jesus e lhe disse, para sua alegria, "que foi o Senhor quem o curou" — não Betty — todos aqueles anos antes.)[2]

As tensões com Rachel continuavam. Após a recuperação de Dabu, Betty se ofereceu para ensinar Rachel a aplicar injeções, para que Rachel pudesse administrar o soro antiofídico se Betty não estivesse disponível.

Não.

Qualquer porta de possível conexão parecia trancada. Rachel deixou Betty falando sozinha durante uma discussão. Não sendo de desistir, Betty a seguiu até sua própria casa. Não. Nenhuma resolução, nenhum terreno comum para sequer falar sobre diferenças. Para Betty, parecia como se qualquer pergunta gerasse contenda.

"Uma das grandes estradas que leva ao coração humano é a da necessidade", escreveu Betty. "Estou constantemente procurando caminhos para o coração de Rachel, para aprender a conhecê-la. Ainda não encontrei nenhuma necessidade que esteja em meu poder aliviar, nenhuma maneira de ajudar. Isso eu mantenho diante do Senhor — pedindo-lhe... discernimento do [amor do Calvário]. Se ela sofre, está completamente fora do meu reconhecimento. Senhor, mostra-me o caminho do teu amor."

Betty via Rachel como "alguém forte e fiel. Ela persiste no trabalho linguístico muito mais do que eu; trabalha mesmo depois de escurecer, à luz de velas ou com um gravador. Passa horas instruindo [Dayuma]". "[...] Parece não ter

---

2 Elisabeth Elliot, *The Savage My Kinsman*, publicado originalmente em 1961, Harper, edição revisada, Servant Publications, 1996, Epílogo II, p. 151, ênfase acrescida.

"LOUCURA, PURA LOUCURA"

tentações, nenhuma dificuldade em persistir na língua, nenhum desejo por qualquer companhia além dos waorani (ela jamais veio à minha casa, exceto para ler e orar todas as manhãs). Nenhum desejo por melhores condições de vida, [...] ela é muito mais adequada do que eu para este lugar. É fiel, disciplinada, inabalável, persistente, totalmente confiante e satisfeita, até onde posso julgar pela aparência. Perguntei se ela alguma vez já se cansou de ouvir a língua waorani. Resposta: Não. Ela é sobre-humana."

Rachel e Betty, 1958

Rachel dissera a Betty que ficaria com os waorani pelo resto da vida e que teria tempo de sobra para aprender a língua deles. Enquanto isso, Betty, ansiosa por fazer progresso tangível em direção a uma eventual tradução waorani do Novo Testamento, se desesperava com o tempo necessário, na tagarela comunidade waorani, obter ao menos uma única migalha de informação linguística.

A língua waorani — *wao tededo*, ou "a fala do povo", era um isolado linguístico, sem nenhuma relação com outra língua tribal latino-americana ou qualquer outra língua na terra. Betty e Rachel estavam por conta própria, e cada avanço era difícil.

Certo dia, Betty gravou quarenta minutos de Mintaka falando. Levou cinco dias para transcrever. Então, encontrou-se com Dayuma com o propósito de identificar palavras, significados e conexões linguísticas na transcrição.

Elas se sentaram juntas na rede de Betty, com M e M por perto. Betty estava particularmente curiosa sobre uma palavra que Mintaka havia dito em sua fita. *Owiyaki*. Ela tocou a palavra na fita novamente e pediu a Dayuma sua definição.

A atenção de Dayuma, no entanto, foi atraída para os peixes que estavam defumando sobre a fogueira e, em seguida, para a mosca de estábulo que estava mordendo o traseiro de Mintaka. *"Owiyaki, owiyaki"*, refletiu Dayuma. "Espere, Mintaka, tem uma mosca mordendo seu tornozelo, mate-a, não, lá está ela, sim, oh, ela escapou!"

"Ah, Gikari, o que você disse? Oh, o que significa *owiyaki*? Mmm, *Owiyaki, owiyaki*, Mangamu, o que você disse sobre *owiyaki*?"

"Não, não, foi Mintaka quem disse", resmungou Mangamu. "Mintaka", continuou Dayuma amigavelmente, "o que você disse sobre *owiyaki*?"

"Ah", disse Mintaka. "Estávamos todos no canteiro de mandioca nos escondendo de Moipa e seu bando. Estava chovendo e minha irmã estava deitada na rede com uma folha sobre o bebê; a água estava pingando ping ping ping ping ping [na] rede. Ounemi sempre disse que era melhor deitar-se na rede mesmo se você se molhasse. Cobras não podiam te morder lá à noite. Então, enquanto estávamos lá no canteiro de mandioca, Dabu mentiu; ele disse que tinha vindo pela colina e outros vieram pelo caminho do rio."

Dayuma, anuindo com a cabeça, traduziu as descrições para o quíchua para Betty. Ela também incluiu algumas interpolações próprias, também em quíchua.

"Obrigada", respondeu Betty em quíchua para Dayuma. "E o que você disse que *owiyaki* significa?"

"Owiyaki? Owiyaki?", repetiu Dayuma. Ela soltou uma rajada de *wao tededo* contra Mintaka. "Mintaka, você disse que Dabu veio pela colina, ou foi pelo rio?"

Mintaka respondeu, presumivelmente, que foram outros que foram pelo rio.

"Foi Dabu que veio pela colina", Dayuma disse a Betty. *"Owiyaki?"* pressionou Betty, arrancando as unhas. "O que significa *owiyaki*?"

"Oh", disse Dayuma. "Significa para cima e ao redor e através da floresta e sobre a colina em vez de através do rio ou pelas praias. É isso que *owiyaki* significa!"

Betty se mexeu, suspirou e diligentemente anotou esse progresso impressionante. Vamos para a próxima palavra em sua lista.[3]

---

[3] Descrição de EE para Kathryn Long, transcrição de entrevista de 2001, embora a ortografia na transcrição -- *owiyaki* -- tenha sido corrigida por Jim Yost para a forma que é usada aqui.

"LOUCURA, PURA LOUCURA"

No início de agosto, as emoções de Betty transbordaram — se não na sua vida desperta, decerto em seu subconsciente. Ela sonhou, como sonhara tantas vezes, com Jim. Ele estava quente, vivo, real. Ela estava desesperada para fazer o que pudesse para ficar com ele. Ela sabia, mesmo em seu sonho, que era a vontade de Deus que Jim estivesse de fato morto. Mas ainda assim, a sonhadora Betty clamou por Jim. "Para o inferno, eu disse, com meu papel de 'viúva', de 'missionária pioneira', de um 'testemunho para o mundo'. Devolve minha feminilidade, devolve meu marido. Eu não me importo com mais nada."

Betty se sacudiu para acordar. Palavras de um de seus escritores favoritos passaram por sua mente: "É essa terrível solidão que abre os portões da minha alma e deixa as feras selvagens fluírem uivando".[4]

"Só Deus sabe se o sonho reflete o verdadeiro estado da minha alma", ela escreveu mais tarde em seu diário. "Ele sabe que eu honestamente tento aceitar o que ele escolheu para mim — e ele conhece, também, a selvagem [...] dolorosa solidão por Jim. Bem — que essa fome prove o que está em meu coração e produza, afinal, frutos de justiça. Vejo poucas esperanças desses frutos agora. Fé, fé."

Em agosto, Betty estava planejando um período sabático nos EUA para escrever. Ela e Cornell Capa tinham sonhado com um livro sobre os waorani, um volume diferente de qualquer livro missionário já produzido. As fotos e a prosa pungentes de Betty poderiam contar a história de dentro da tribo para o mesmo público que havia consumido avidamente *Através dos portais do esplendor* e a biografia de Jim, *Shadow of the Almighty*. Ela o intitularia *The Savage My Kinsman* ["O selvagem, meu irmão"], brincando com a visão estereotipada dos povos indígenas como "selvagens", típica dos anos 1950, versus o vínculo familiar que ela sabia ser verdadeiro teologicamente e que também havia experimentado na tribo.

Como qualquer escritor, Betty duvidava se realmente podia produzir um livro que valesse a pena. Mas agora ela certamente se sentia mais apta na vida de escritora do que no ministério de tradução — não por causa de suas habilidades linguísticas, que eram bem respeitadas na comunidade missionária, mas por causa das constantes restrições criadas pela forte personalidade de Rachel Saint.

---

4 Muitos anos depois, Betty escreveria de forma mais desapaixonada sobre o processo de luto por uma perda terrível. "[Jesus] levou sobre si nossas dores. Ele sofreu... não para que não sofrêssemos, mas para que nossos sofrimentos fossem como os dele. Para o inferno, então, com autocomiseração... Cada estágio da peregrinação é uma chance de conhecê-lo, de ser conduzido a ele. A solidão é um estágio (e, graças a Deus, apenas um estágio) em que estamos terrivelmente cientes de nossa própria impotência [...] Podemos aceitá-la, agradecidas por ela nos levar ao Socorro Bem Presente".

Betty escreveu em seu diário em 15 de agosto de 1959: "Hoje foi o suficiente para me convencer — como a evidência já não tivesse sido apresentada a mim muitas vezes antes — de que não posso ser útil para Rachel linguisticamente. Cada sugestão foi rechaçada; cada pequena informação, questionada; cada termo antigo, insistido; e a evidência que produzi para apoiar minha teoria, invariavelmente questionada. Eu esperava que a experiência, o maior número de dados, o tempo juntas etc. produzissem alguma base para trabalharmos na linguagem de forma proveitosa, como um time. Isso não aconteceu".

"Estou em paz sobre minha relação pessoal com ela. Nunca estive, mas agora, diante de Deus, estou limpa."

Na época, Betty estava lendo o psiquiatra alemão e companheiro de fé Paul Tournier. Ela rabiscou um pensamento do *The Doctor's Case Book*: "Existem dois tipos de mente. A primeira é a mente superficial. Para essas pessoas, não há mistério. Elas sempre sabem o que fazer. Por outro lado, há aquelas que possuem o senso do mistério, que estão conscientes das lacunas em seu conhecimento e de seus limites".

No dia seguinte, 18 de agosto, explorando um pouco essa ideia, Betty perguntou a Rachel se ela já tivera ocasião de questionar seus próprios motivos, se ela já havia se perguntado se seu raciocínio era real. "Não", disse Rachel. "Não sou muito analítica, eu acho. Na verdade, não tenho *tempo* para sê-lo. É simples assim."

"É loucura, pura loucura", Betty escreveria mais tarde em seu diário. "Uma tem certeza de tudo, a outra não tem certeza de nada. Que comunhão, que divina alegria."

CAPÍTULO 32
EM CASA, MAS NÃO EM CASA

"Falei na reunião de mulheres [da igreja]. Pareceu inútil, embora todas tenham chorado."
— Betty Elliot

No início de setembro de 1959, Betty e Val deixaram a clareira waorani para um período sabático nos EUA. Com alguns de seus amigos quíchuas, elas pegaram a trilha na longa jornada para fora da selva; então embarcaram em canoas no Rio Añanga, sob um céu sombrio que ficava cada vez mais escuro, até que a chuva se tornou uma tempestade gelada e forte. O rio subiu. Os índios lutaram para segurar a delgada canoa. Val e Betty se abrigaram sob grandes folhas de *lisan* que Betty havia arrancado para servir de guarda-chuva. Ela fez uma tenda sobre Val, que estava sentada entre seus joelhos na canoa, e colocou outra folha sobre sua própria cabeça.

Eles chegaram à parte mais profunda do rio, que se estreitava entre penhascos salientes. A água corria furiosamente contra a canoa. Os índios deslizaram-na bem perto da margem do rio, sob os galhos das árvores, mantendo-se fora da corrente principal, que teria levado a canoa para longe como uma casca de ovo.

Betty e Val tremiam, castigadas pela chuva implacável. Os homens pulavam para dentro e para fora da canoa, puxando-a com força bruta, às vezes usando os remos, às vezes agarrando-se nos cipós que pendiam das árvores perto da margem, puxando a canoa para frente, empurrando pela popa, sempre tomando muito cuidado para que a proa não se afastasse um pouco e fosse pega pela torrente furiosa.

Finalmente, o rio, agitado e fervente, subiu até o nível dos galhos das árvores, tornando impossível passar por baixo deles. Eles não tiveram escolha a não ser amarrar a canoa e seguir a pé pela selva intocada. Um homem abriu uma trilha. Betty carregou Val nas costas. Eles cruzaram ravinas fluindo com riachos rápidos.

O homem quíchua que cortava a trilha parou abruptamente, paralisado, com o facão na mão. Uma enorme jararaca cabeça-de-lança, uma das cobras mais mortais da Amazônia, estava enrolada bem diante de seus pés descalços.

Fitando os olhos, ele recuou e lentamente, cautelosamente, extraiu da bagagem deles a longa lança waorani de Betty. Ele a içou e, em um instante, prendeu a cobra gorda no chão e a espancou até a morte. O pequeno grupo se reuniu ao redor. As presas tinham quase dois centímetros de comprimento. "O Senhor me mostrou", disse o carregador a Betty. Ela assentiu, grata pela proteção de Deus.

O grupo caminhou por mais algumas horas até que pudessem ver seu destino, um assentamento quíchua do outro lado do rio. Eles gritaram e, enfim, seu amigo Dario cruzou o rio com uma vara e os levou para sua casa.

Viagem pelo rio, 1959

"Ah!", pensou Betty. Uma fogueira! Telhados! Redes! Um banquete de peixe, javali, banana-da-terra e mandioca, depois de não ter comido nada o dia todo.

A sonora noite da selva. Sono. Amanhecer... e uma caminhada de apenas nove horas — Val, de quatro anos, andou o caminho todo — pela selva, indo com grande alegria em direção a Arajuno e à hospitalidade calorosa e amorosa de Marilou McCully.

De lá, Val e Betty viajaram para Quito e pegaram um voo para a Colômbia para uma visita ao irmão missionário de Betty, Dave. Finalmente, elas seguiram para os Estados Unidos, Nova Jersey e o incrível conforto de Moorestown e Birdsong: finalmente em casa.

Enquanto Val ficou com os avós, Betty pegou um trem para Nova York para se encontrar com Cornell Capa e o editor Mel Arnold para discutir seu novo livro sobre a vida com os waorani. A mulher que há pouco caminhava pela selva venenosa sob chuva torrencial, orando para permanecer viva, se viu em um coquetel em Manhattan cheio de funcionários da revista *Life*.

Os nova-iorquinos eram uma tribo tão exótica quanto os waorani. "Coquetéis, pálpebras pintadas de verde esfumaçado, meias sem costura sobre tornozelos grossos, barbas, cabelos tingidos, gente demais."[1]

Eles não conseguiam entender o que Betty estava <u>fazendo</u> na selva amazônica. (Às vezes Betty sentia o mesmo.) Ela sentia uma atração por essa cultura urbana, tão secular quanto fora a intocada waorani. Ela pensou nas palavras de Paulo em Romanos 1, onde o apóstolo escreveu que tinha a obrigação de "pregar o evangelho" tanto "a gregos quanto a bárbaros [os cultos e os incultos]".[2] Essa era uma das razões, ela decidiu, pela qual estava escrevendo outro livro. Era sobre "bárbaros" ou pessoas "incultas", por assim dizer... mas ela queria usar o livro para mostrar a pessoas como esses nova-iorquinos — "gregos cultos" — a realidade do amor de Jesus.

Em 11 de novembro, com Val hospedada com os avós, Betty se isolou em um apartamento em Ventnor, Nova Jersey. Ali ela poderia viver em glorioso isolamento para escrever seu livro. Foi menos do que glorioso — apenas a tortura de sempre:

"Muito pouco trabalho feito até agora".

"Eu deveria estar escrevendo um livro. Não estou escrevendo um. Sento-me e olho para a máquina de escrever, leio, folheio papéis, contemplo e quase quero desistir de tudo. Por que tem de ser tão doloroso?"

---

1 Essa descrição, típica das observações irônicas de Betty sobre os novaiorquinos, é da abertura da exposição de Cornell Capa das famosas fotografias de seu irmão Robert Capa, em 2 de fevereiro de 1960.
2 Romanos 1.14.

"Nenhuma palavra escrita no papel depois de uma tarde inteira de silêncio. Se Deus não fizer algo, não haverá livro."

Ela se perguntava quanto da Escritura deveria incluir. "Para cada linha que escrevo, quase, há um verso simplesmente clamando para ser incluído. Mas estou me controlando — não deve ser esotérico. Deve ser legível para todos. Deve fluir. Deve fazer sentido."

"Sinto-me totalmente inarticulada, incapaz de escrever ou falar uma única sílaba que transmita meu significado. Deus! Pai dos espíritos! Concede vida."

Além do fardo usual de escrever, havia o peso de reviver dias difíceis. "Não quero viver o passado novamente. Não quero experimentar aqueles dias sombrios em Shandia, no Curaray, em Arajuno, [...] relembrá-los me deixa cansada, deprimida. Então, não tenho certeza se aquilo é relevante, afinal. As pessoas precisam ou querem saber tudo o que me levou a ir para os waorani?"

Às vezes, ela se enredava em seus pensamentos. Será que algo daquilo tudo seria útil para Deus?

"Talvez eu seja uma daquelas que fica sentada, teoriza, faz perguntas, escreve livros. As almas mais simples como Rachel oram, ensinam e agradam a Deus."

"Eu me considero, como disse muitas vezes, duas pessoas — uma com os waorani, outra com os americanos. [...] Minha análise pode não estar nem um pouco correta. Sei de uma coisa: jamais encontrarei alegria na contemplação de quem eu sou. Mas a encontrarei, primeiro, na contemplação de Deus e, depois, daqueles que ele colocou ao meu redor."

Ela não podia esperar por "inspiração", seja lá o que isso fosse. Ela não conseguia ver o todo. Escrever era como cortar um caminho na selva, um passo de cada vez. Por pura disciplina, ela voltava para a máquina de escrever, dia após dia. Olhava fixamente pela janela, contemplava suas unhas, tomava outra xícara de chá... e escrevia uma frase de cada vez.

Quando a primavera chegou, grande parte do livro estava — por algum milagre — concluída.

Betty e Val foram para uma visita prolongada com os pais de Jim no Oregon. Embora estivesse livre da tortura de escrever, a introspecção e a depressão de Betty continuaram. Enquanto ela "relaxava" com a família e os amigos, sentia-se completamente sozinha.

"Eu simplesmente não consigo sintonizar, de alguma forma. Grande desejo por realidade vital, verdade, compreensão. Não quero fazer nada ultimamente, apenas me sentar e <u>observar</u>. Nenhuma vontade de participar [...] prefiro dormir! Ninguém consegue 'me decifrar'. Eu mesma não consigo."

Ela leu *O Amante de Lady Chatterley*, de D. H. Lawrence. O romance britânico de 1928 que fora proibido nos EUA, por obscenidade, até 1959. Não era a leitura típica para mulheres cristãs respeitáveis.

Betty se identificou com algumas de suas descrições do sofrimento humano.

Lawrence escreveu: "E ela percebeu então, de maneira ainda vaga, uma das grandes leis da alma humana: quando a alma emocional sofre um choque violento que não mata o corpo, dá a impressão de recuperar-se ao mesmo tempo que o corpo. Mas é simples aparência. Na verdade, trata-se apenas da mecânica do hábito retomado. Aos poucos, muito aos poucos, as marcas na alma começam a se revelar, como uma ferida que só gradualmente aprofunda sua dor terrível, até preencher enfim toda a psique. E, quando achamos que estamos recuperados, que já nos esquecemos, é então que os terríveis efeitos secundários se manifestam em seu grau mais violento".[3]

Lawrence falou ao coração de Betty de maneiras que as vagas ou desgastadas frases de alento de seus companheiros cristãos não puderam. Todas as cartas estranhas e as condolências obscuras e cheias clichês que ela recebera nos últimos cinco anos giravam em sua mente. Pessoas demais perguntavam se ela havia "alcançado vitória" e "superado" a morte de Jim, já que "todas as coisas cooperam para o bem". Ela tinha ouvido admoestações demais sobre a vontade de Deus para sua vida — proclamadas por pessoas que não conheciam Betty, nem Deus, muito bem. Ela tinha recebido conselhos demais sobre o que deveria fazer em seguida, ou o que não deveria ter feito antes.

Parecia-lhe que, embora os cristãos se sentissem bastante confortáveis falando sobre "mártires missionários", eles se sentiam desconfortáveis com o sofrimento daqueles que haviam sido deixados para trás. Então, eles compulsivamente buscavam explicações fáceis. Ela já tinha ouvido demais os amigos tagarelas de Jó, por assim dizer. As pessoas não se sentiam à vontade com o mistério, nem com o silêncio, então preenchiam os espaços esquisitos com fala. Ela não havia tido sequer um amigo que se sentasse com ela, com empatia e silêncio, com quietude diante da realidade dolorosa do luto.

---

[3] Conforme copiado no diário de Betty, 10 de maio de 1960. D. H. Lawrence, *O amante de lady Chatterley*, trad. Sergio Flaksman (São Paulo: Penguin; Companhia das Letras, 2010), p. 22.

Era como se a frágil e fina carcaça de sua canoa tivesse, de alguma forma, sobrevivido a corredeiras assassinas. Ela estava encharcada, machucada, ensanguentada por pedras pontiagudas. Das margens, as pessoas gritavam todos os tipos de conselhos que pretendiam ser encorajadores. Mas ninguém havia mergulhado na água agitada e entrado no barco com ela.

Além da solidão do luto, alguns dos sentimentos de isolamento de Betty tinham a ver com questões sobre conceitos automáticos que haviam feito parte de seu vocabulário durante toda a vida.

Agora, na familiar estrutura da casa de Jim, na familiar subcultura dos Irmãos de Plymouth, ela se irritava com respostas fáceis e frases prontas.

Por exemplo, o que era "mundanismo", afinal? Era uma frase facilmente pronunciada na casa dos Elliot. Seriam certos comportamentos que os cristãos consideravam perigosos? Atitudes do coração que ninguém além de Deus podia ver? Coisas materiais?

Após uma discussão sobre 1 João 3 com seu sogro, Betty escreveu: "Estou sintonizada em uma frequência totalmente diferente da do Papai Elliot e, aparentemente, de todos que chamamos de cristãos. Parece inequívoco, nessa passagem, que as obras de um homem são um teste suficiente de seu estado espiritual. Se ele faz o mal, é um filho de Satanás. Se faz o bem, é um filho de Deus".

Em Josué 6.18–19, Deus ordena que seu povo destrua alguns dos despojos de uma cidade pagã capturada, mas retenha seus vasos de prata, ouro, bronze e ferro como "santos ao Senhor", para serem usados em seu serviço. Betty enxergava esse detalhe como "uma lição muito significativa com relação à mundanidade. Se formos maduros, seremos capazes de discernir entre o bem e o mal. Todo o mal é dedicado à destruição. Isto é, tudo o que não é Deus".

"Porém, o simples fato de algo pertencer à cidade dos ímpios, estar associado com aqueles que não amam a Deus, ou ser possuído por eles, não tem nada a ver com aquilo ser ou não de verdadeiro valor. Obviamente, [quem é do] mundo tem muito de bom [...], [coisas] de utilidade prática para o Reino — até mesmo santas ao Senhor. Vamos crescer e reconhecer quais são quais, e aprender a escolher o que é puro e pôr de lado o que é dedicado à destruição."

Betty prosseguiu: "Numa típica Escola Dominical, há muito que é do mundo — e isso terá que ser destruído. [...] Mas nem por isso nós abandonamos a Escola Dominical — tentamos pelo menos reter o que é bom e ignorar o que está corrompido".

EM CASA, MAS NÃO EM CASA

"Eu me encontro em polos, polos, polos de distância daqueles ao meu redor. Isso me incomoda. Estou sintonizada, ao que parece, em um comprimento de onda totalmente diferente. Eu leio Terstugen e MacDonald, e alguns escritores totalmente ímpios, e meu coração diz um grande SIM a cada palavra. Eu ouço Papai [Elliot] pregar e expor, e só consigo dizer NÃO. Aquilo simplesmente não me parece VERDADE. Ele tem passado a vida inteira pregando e estudando a Palavra. Mas aparece com uma orientação totalmente diferente daquelas que falam a mim tão claramente. Meu Deus, o que é a Verdade?"

Muitos anos depois, quando Betty lia diários de sua juventude, ela às vezes fazia caretas. Talvez a "investigação honesta" de seus anos mais jovens parecesse meramente imatura ou excessivamente dramática para a Betty mais velha e experiente. Talvez ela não fizesse mais aquelas perguntas.

Mas suas perguntas juvenis não eram apenas poses filosóficas. Sendo uma pessoa eminentemente prática, ela sabia, como C. S. Lewis disse certa vez, que assim como a sede fora feita para a água, a investigação fora feita para a verdade. Ela buscaria a Deus. E por mais frustrada que estivesse com respostas automáticas e "típicas de igreja" dos outros, sua maior crítica era contra si mesma. Ela não queria ser espiritual ou intelectualmente preguiçosa. Se vozes externas a pintavam como um forte modelo de ícone missionário, sua voz interior ainda lamentava sua letargia e depressão.

Embora ela questionasse as respostas familiares dos cristãos ao seu redor — como muitos fazem hoje — ela nunca questionou o próprio Jesus. Se a cultura "cristã" havia disfarçado ou diminuído a realidade de Cristo e a verdade das Escrituras, ela queria remover aquele entulho cultural.

E ela não estava com raiva de Deus por causa da dor e do sofrimento. Ela esperava por isso nesta vida. Uma mística de coração, ela não se intimidava com nossa incapacidade humana de "explicar" os caminhos de Deus. Em vez disso, ela ficava irritada com os cristãos que suavizavam o desconforto ou o mistério de tudo aquilo em favor de alguma platitude fácil. Ela queria perceber o Verdadeiro e segui-lo onde quer que ele a levasse, independentemente da dor, mesmo que isso significasse a bagunça de abrir uma nova trilha, deixando os outros se perguntando o que havia acontecido com a pobre e querida Betty.

Ela já há muito abandonara a mentalidade de pensamento de manada de suas escolas cristãs ou das várias agências missionárias. Agora, ela podia chamar cada coisa pelo seu nome — mesmo que não soubesse bem o que fazer com cada uma.

Enquanto Betty completava seu ano na América do Norte — assim como sua luta com escritores seculares que tocavam seu coração e caros cristãos que não o faziam —, ela encontrava descanso no mais simples dos confortos e em uma frase de dois versos de uma canção simples que aprendera quando criança.

"Obviamente, Deus escolheu deixar certas perguntas sem resposta e certos problemas sem <u>nenhuma</u> solução nesta vida, para que, em nossa própria luta para achar as respostas e resolver os problemas, possamos ser empurradas de volta, e de volta, e eternamente de volta à contemplação dele mesmo, e à confiança completa em <u>quem ele é</u>. Estou feliz que ele seja meu <u>Pai</u>."

"'*Se <u>o céu</u> não é meu lar,*
então, Senhor, o que farei?'"

CAPÍTULO 33
NO POÇO

"Assim como não há nada mais fácil do que pensar,
não há nada mais difícil do que pensar bem."
— Thomas Traherne

Após seu ano nos EUA, Betty e Val navegaram de volta ao Equador a bordo de um navio de passageiros da Grace Line chamado S.S. *Santa Cecilia*. Uma noite, jantando com o capitão, Betty descobriu que ele e outros vinte e três capitães da Grace Line haviam solicitado que suas tripulações contribuíssem com quinhentos dólares para o fundo criado para as viúvas e filhos após a morte dos cinco missionários. Ela estava realmente grata, mas o capitão havia bebido além da conta e já não estava em condições de manter uma conversa.

Porém, um passageiro chamado Bill estava ouvindo e procurou Betty nos dias seguintes. O que está na Bíblia?, ele perguntou. Por que Cristo fez o que fez? Mais tarde, depois que o navio chegou a Guayaquil, ele visitou Betty, muito "atencioso e gentil, e tão cavalheiro".

Alguns dias depois, em Quito: "Encontro com Bill no sábado". Jantar e filme. "Gosto da companhia dele. Na verdade, eu gosto dos homens".

As atenções cavalheirescas de Bill foram um breve encorajamento para Betty — um gostinho, talvez, de como seria a vida se ela permanecesse na "civilização". Mas ela sabia para onde Deus queria que ela fosse. Ela fixou o semblante como uma rocha e mergulhou de volta na selva.

O retorno de Betty a Tiwaeno foi muito mais fácil do que sua viagem para fora da selva um ano antes. Os waorani haviam concluído a abertura de uma pista de pouso para que os aviões missionários pudessem pousar. A viagem de Arajuno levou dez minutos, em vez de três dias atravessando rios, fazendo trilhas pela selva e fugindo de cobras mortais.

Se a viagem em si fora mais fácil, todo o resto permanecia tão difícil quanto antes. Um macaco fez cocô na cabeça de Val enquanto ela dormia. Insetos e moscas zumbiam em nuvens. Lama por todo lugar. A fumaça do fogo se acumulava sobre a baixa "mesa de jantar" de Betty; galinhas, cães, gatos, macacos e diversos pássaros domesticados tentavam compartilhar seu prato. Ela simplesmente não estava mais nos EUA.

No entanto, o reajuste cultural foi suave e fácil comparado à dura realidade do relacionamento com Rachel — ou a inexistência dele. Quando Betty chegou, Rachel estava longe da clareira, participando por vários dias de uma conferência linguística da SIL, com o seu presidente, Ken Pike, sobre a tradução para o waorani. Betty não foi convidada, e sua exclusão não fazia sentido para ela — puramente em termos do que era melhor para o progresso linguístico.

"Mais uma vez me encontro na posição em que já estive duas vezes antes — uma missionária independente que, no entanto, recebeu treinamento no Wycliffe; e acredito que tenho algum talento para o trabalho com idiomas — mas o Wycliffe leva seu programa a cabo sem me consultar ou compartilhar dados, ao contrário do que eu esperava por sua postura nos EUA de ser um servo das missões."

"Tenho-lhes repetidamente oferecido meus materiais — a Rachel muitas vezes [...] e eles não têm sido necessários. Além dos sentimentos pessoais de ser 'ignorada' ou não apreciada — Deus me livre deles —, parece-me inexplicável por que eles, como verdadeiros cientistas, não buscariam todas as fontes de dados possíveis e consultariam qualquer um que tivesse interesse na linguagem ou que tivesse feito qualquer trabalhado nela. Mas a minha posição é difícil, pela simples razão de que outros motivos seriam inevitavelmente atribuídos a qualquer questionamento que eu pudesse fazer."

(Meditando sobre tudo isso, Betty escreveu em seu diário sobre Mateus 11.29: "'Tomai sobre vós o meu jugo e aprendei de mim, porque sou manso e humilde de coração; e achareis descanso para a vossa alma'. [...] O problema do SIL é um bom [jugo] através do qual se aprende a mansidão e a humildade de coração, colocando tudo aos pés do Senhor. Esta é a única maneira de encontrar descanso".)

Dr. Jim Yost, o antropólogo do SIL que depois viveu entre os waorani por mais de uma década, fazendo pesquisas analíticas, acredita que foi "um enorme erro humano excluir [Betty]. As habilidades linguísticas de Rachel empalideciam comparadas às de Betty. A tradução foi muito prejudicada pelo uso de Rachel e [Dayuma] apenas. Rachel uma vez me disse que Deus havia chamado apenas ela e [Dayuma] para traduzir. [...] NINGUÉM mais, nem mesmo Catherine Peeke [uma talentosa linguista do SIL], que tinha imensas habilidades de tradução e profundo entendimento da língua wao".[1]

Na primeira semana de novembro de 1960, Betty anotou dois eventos separados em seu diário. Primeiro, John F. Kennedy fora eleito presidente dos Estados Unidos. Segundo, Rachel Saint retornara a Tiwaeno após a conferência linguística. O primeiro teve menos influência na vida de Betty do que o último.

Todas as velhas tensões apareceram imediatamente. Betty não conseguia fazer nada certo; Rachel via suas escolhas como culturalmente insensíveis ou autoindulgentes. (Por exemplo, Betty queria uma casa com paredes, para que pudesse praticar educação domiciliar com Val sem outras pessoas se aglomerarem e distraírem sua filha durante as aulas. Ela pediu aos quíchuas que se davam melhor com os waorani que a construíssem para ela. Rachel estava preocupada com possíveis problemas e resmungava da moleza de Betty: "É uma situação muito triste quando você não pode viver no tipo de casa que as pessoas com quem você trabalha podem construir para você!".

Betty caiu direto em seu cíclico e familiar poço de desespero em relação a Rachel. "Tão deprimida", ela escreveu. "[T]otalmente sem desejo de fazer qualquer coisa, apenas ansiando pela morte ou qualquer tipo de fuga." Ela orou por uma palavra de encorajamento que a ajudasse ao longo do dia e abriu sua Bíblia nesta, em Ezequiel 26.20: "'[Eu] te farei descer com os que descem à cova'".

Aquilo não era exatamente o que Elisabeth Elliot tinha em mente em termos de encorajamento divino. Mas, pelo menos, a depressão não lhe havia roubado seu senso de ironia.

Certa noite, no início de janeiro de 1961, Betty acordou na escuridão. As pessoas estavam rolando para fora de suas redes, correndo e gritando. Uma onça havia entrado no acampamento e matado uma galinha. Incapaz de dormir após a agitação, Betty pegou uma cópia de seu próprio livro, *Shadow of the Almighty*. Ela o folheava, com saudades de Jim. Mais tarde, muito mais tarde, ela ligou a HCJB, a estação de rádio missionária sediada em Quito.

Um coral estava cantando "We Rest on Thee" ["Descansamos em ti"], com o seu verso sobre os "portais do esplendor" — o hino que Jim, Ed, Nate,

---

1 E-mail do Dr. Yost para a ESV, 16 de fevereiro de 2020.

Pete e Roger cantaram tão memoravelmente antes de serem mortos por lanças. De repente, Betty se deu conta: era 8 de janeiro. Cinco anos desde a morte de Jim. Cinco longos, longos e solitários anos.

Um dos homens waorani, Nimonga, entrou na cabana de Betty, como sempre fazia, para ver o que ela estava fazendo. Ele estava usando um short branco esfarrapado. Betty viu de relance uma pequena fita, com um nome em letras vermelhas, costurada no cós. Estava escrito: *James Elliot*.

Ela sabia onde Nimonga tinha conseguido aquele short. Cinco anos antes, dos despojos pós-morte de um acampamento sangrento e devastado no Rio Curaray.

Em março de 1961, Betty anotou algumas novidades em seu diário.

Marilou McCully, a viúva de Ed, estava contemplando um novo casamento, assim como Marj Saint, depois que seus filhos estivessem mais velhos.

Um ex-aluno americano de Betty estava em um hospital psiquiátrico.

As Nações Unidas pareciam estar "à beira do colapso total".

Os EUA haviam anunciado que um astronauta americano estaria no espaço sideral em dois meses.

Os tempos estavam mudando. Ela estava?

Sentindo-se sozinha, ela ouviu um dos homens da tribo orar durante um momento de silêncio no acampamento. Era apenas a segunda vez na vida dele, até onde Betty sabia, que ele proferia uma palavra pública a Deus. "Pai", ele disse, "quero muito te seguir. Ajuda-me!" A missionária Betty Elliot concordou, balançando a cabeça na escuridão. "Digo o mesmo", pensou.

No início de abril, Betty e Rachel tiveram uma longa conversa, da qual Betty concluiu que a separação parecia a única solução. Um ou dois dias depois, Rachel negou ter dito algumas das coisas que Betty entendeu que ela dissera. "Uma de nós, ou as duas, temos um ponto cego em algum lugar. Deus tenha misericórdia de nós. Ela me disse que evita discussões comigo porque eu as torno muito desagradáveis."

Com exceção de perguntas específicas, nenhuma conversa era clara o suficiente para que cada uma entendesse o que a outra estava dizendo. Betty, notando suas próprias sensibilidades em seu diário, escrevia frequentemente sobre Rachel "piscando seus olhos azuis da cor de gelo" com desdém.

Rachel disse a Betty que "uma razão pela qual ela e eu nunca conseguimos ficar juntas é que ela sempre coloca o bem do trabalho em primeiro lugar, e eu sempre coloco coisas periféricas em primeiro lugar (!)". Cerca de uma semana depois, enquanto Rachel estava fora do assentamento, Betty notou que "Duas mensagens de rádio de Rachel me machucaram profundamente, e indicam mais uma vez a atitude dela em relação a mim". Em outra discussão, Rachel repreendeu Betty por suas preocupações acerca do crescimento espiritual da tribo: "Se você não consegue ver [sinais visíveis de arrependimento], eu sinto muito. Algumas pessoas conseguem discernir resultados espirituais".

Betty ficava perplexa a cada momento. "O pai de Rachel morreu na semana passada. Nenhuma reação visível. Sugeri que ela considerasse ir ficar com sua mãe... e, inevitavelmente, sua resposta foi o velho adágio sobre amar pai ou mãe mais do que a Deus. Como isso pode se aplicar em tal caso, no qual o amor de Deus deveria [se] manifestar no desempenho do dever filial? A esterilidade de sua mente me oprime."

Enquanto isso, Dayuma e Rachel frequentemente se envolviam em discussões acaloradas, aos berros, e então seguiam a vida como se nada tivesse acontecido, o que abalava a emocionalmente contida Betty.

Uma amiga escreveu para Betty, lembrando-a de que os seres humanos geralmente não consideram uma mudança quando as coisas estão indo bem. Talvez esse conflito fosse a maneira de Deus levar Betty a tomar a decisão de deixar a selva.[2]

Um dia, quando Rachel estava fora, Betty rabiscou uma tradução[3] de todo o "culto de adoração" waorani. "Dayuma começou com uma narração dramática da história da morte e ressurreição de Jesus. Então Kimu encerrou em oração:

Deus — tu vives no Céu...

Tu fazes o bem, tu nos fazes ouvir.

Tu és o único.

O pé de Kuchi está mau. Tu podes fazê-lo ficar bom, tu fizeste o pé dele.

Este é o teu dia. Não vamos ficar aqui sentados sem fazer nada. Vamos pensar em ti. Todos ouvirão de ti. Se ouvirem apenas uma vez, não se lembrarão.

Dabu não ouve. Faze-o ouvir e crer.

Há muito tempo, nós vivíamos tão negros quanto a noite. Pai Deus, tu fizeste o bem.

---

2 Mencionado em carta a "Mãe", 8 de abril de 1961.
3 Devemos notar que a tradução de Betty reflete sua melhor compreensão da língua waorani naquela época. A Dra. Yost observa que suas anotações são interessantes "já que 'pensar', 'acreditar', 'lembrar' são todas a mesma palavra. Somente um contexto mais amplo pode dizer qual tradução usar em inglês, embora talvez a distinção/contraste que fazemos entre elas talvez nem seja apropriada. Para um falante de waorani, é tudo a mesma coisa semanticamente. Uma atividade mental. Os waorani os quais conheço e que não têm contato com crenças e práticas cristãs ficam confusos com as distinções cristãs". E-mail da Dra. Yost para ESV, 16 de fevereiro de 2020.

Tu fizeste a todos nós. Nós crescemos, mas não ouvimos falar de ti. Agora, tu nos fazes bem. Todos ouvimos bem agora. Quando Jesus voltar, iremos com ele.

Tu lavas nossos corações e limpas a escuridão.

Quem sabe quem vai morrer em seguida? De repente, qualquer um de nós pode morrer, mas se ele pensar em ti, ele irá contigo.

Tementa está com diarreia. Giii! Ele faz isso bem na nossa trilha. Ele range os dentes à noite. Ele deve estar com vermes.

Tu fizeste todas as cobras. Quando vamos para a floresta, tu as lanças fora. Então elas não nos morderão.

Jesus é nosso Governante.

É a trilha dele.

(E então, em vez de 'Amém':)

Isso é tudo."

Em 26 de junho de 1961, Betty, Valerie, Kimu, Dayuma, o amigo quíchua de Betty, Benito, e vários outros partiram. Destino: Palm Beach, para uma visita ao túmulo dos missionários. Depois de uma longa caminhada, eles se amontoaram em uma grande canoa e deslizaram rio abaixo. Kimu estava na proa, Benito na popa, puxando a canoa enquanto examinavam a floresta, a costa e a água em busca de sinais de vida. Tudo estava quieto. A água escura e turbulenta os levou em direção ao local onde Jim havia morrido.

Eles chegaram a Palm Beach por volta das 14h30 e puxaram a canoa para a costa na extremidade superior da clareira. Uma árvore enorme havia caído bem no meio da faixa de areia outrora limpa. Enquanto Betty olhava para ela, uma enorme onça saltou de seus galhos. Betty nunca tinha visto uma onça viva antes. Ela deu um pulo e não conseguiu se lembrar de nenhuma palavra em quíchua ou waorani para aquilo, a fim de alertar os demais. Finalmente Dayuma a viu, gritou e ela galopou lentamente pela praia, para longe do grupo.

Eles caminharam na areia em direção ao local onde o acampamento dos homens estivera. A casa na árvore que Jim construíra já não existia mais; Dabu havia cortado a árvore não muito tempo depois da morte dos homens, muito antes de conhecer Betty. Um dos índios encontrou uma parte do avião de Nate Saint saindo da areia. Betty quebrou um pedaço dele para levar de volta para Marj. O grupo caminhou até o túmulo dos missionários. Havia algumas tábuas podres e pedaços de alumínio por perto, e o toco da árvore onde a casa estivera.

Betty fitava o chão, a praia e as árvores. Maravilhava-se com a habilidade de

Nate em pousar o avião ali. Fitava a imensa árvore deitada de lado na areia. Ela tinha facilmente três metros de diâmetro, um gigante da floresta depositado aqui ao largo do rio agitado durante alguma enchente de primavera. Ela pensou em como Deus facilmente poderia ter colocado um obstáculo semelhante no caminho, em 1956, obstruindo qualquer possível pouso.

"Olhei para as águas do Curaray, fluindo silenciosamente como sempre, e a floresta [...] aparentemente sem vida e impenetrável, e parecia um sonho que qualquer evento de qualquer importância pudesse ter acontecido ali."[4]

Mas havia o pedaço do avião, havia o túmulo, havia o alumínio que antes cobria a casa da árvore de Jim. E havia Kimu. Kimu, que com tanta selvageria havia matado naquele dia em 1956, agora estava ao lado de Val, apoiado em sua longa lança, sorrindo calmamente. Betty tirou algumas fotos de sua filhinha e seu irmão em Cristo... e então o grupo subiu na canoa e voltou rio acima.

Enquanto Betty pensava em Jim, um poema de William Wordsworth flutuava em sua mente, com seus versos pungentes que Jim costumava citar sobre a perda de um ente querido:

"Mas [ele] está em seu túmulo, e, oh,

Que diferença para mim!"

Aquele simples acorde de lamento, contra o pano de fundo de Palm Beach, um lugar ao mesmo tempo tão comum e tão calamitoso. *Oh!*

Ao pôr do sol, o pequeno grupo chegou a um lugar chamado Andia Yaku Pungu. Eles fizeram uma fogueira. Betty armou sua rede. Os índios coletaram folhas de bananeira como esteiras de dormir. Kimu foi pescar. Betty cozinhou a pescaria dele no fogo, e eles comeram seu peixe fresco com mandioca e bananas. Val, cuja vida inteira até então tinha sido uma longa viagem de acampamento, dava risadas enquanto colocava seu pequeno saco de dormir no chão.

"Por que não podemos simplesmente viver aqui?", ela perguntou, enquanto todos se acomodavam para a noite. Eles dormiram até o amanhecer, acordando com o som de uma preguiça cantando em algum lugar próximo. Houve bananas verdes no café da manhã, horas na canoa de madeira e, então, a longa e lamacenta trilha rumo ao "lar".

---

4   EE para "Queridíssimos Pais", 28 de junho de 1961.

CAPÍTULO 34
DUAS MULHERES NO FIM DO MUNDO

"Às vezes me pergunto se ela é completamente sã. Ela se pergunta se eu o sou. Eu também me pergunto se sou, quando a ouço negar ter dito coisas que eu poderia citar letra por letra. [...] E assim prosseguimos — duas mulheres, trancadas juntas no fim do mundo, ambas convencidas de que Deus nos trouxe aqui, ambas convencidas de que não temos nada a confessar, ambas sentindo que a situação não tem esperança. Oh, miserável mulher que eu sou. [...] Será possível duas pessoas que amam a Deus estarem em desacordo e estarem certas? Essas são perguntas para as quais não espero respostas."
— Betty Elliot, carta para a mãe, 8 de abril de 1961

Betty escreveu um artigo para o *Sunday School Times* sobre sua comovente viagem a Palm Beach. Quando o famoso periódico chegou à selva junto com a correspondência, Rachel Saint ficou fora de si. Betty escreveu em seu diário: "A pergunta — e o olhar azul-gelo: 'Bem, você ficou satisfeita com sua viagem a Palm Beach?' Vindo de qualquer outra pessoa, eu não teria me ressentido. Estou bem ciente do meu bloqueio emocional agora, e tenho certeza de que é recíproco".

Betty escreveu que Rachel lhe disse: "Eu simplesmente chorei! Chorei por você, chorei por Valerie, chorei pelos waorani. Eu me perguntava seriamente se você crê na ressurreição. Tenho dúvidas. Você crê mesmo na ressurreição?"[1]

Ela parecia sentir que as reflexões de Betty às margens do rio não eram o que uma cristã genuína pensaria — muito menos escreveria em um artigo para consumo público. Talvez o fato de Betty ter citado o poema favorito de Jim de Wordsworth,

---
1 EE para "Queridíssimos Pais", 13 de novembro de 1961.

em vez de citar apenas as Escrituras, fosse suspeito. Talvez a tristeza da viúva Betty diante do túmulo de Jim não comunicasse um senso adequado de triunfo e vitória? Talvez a missionária Betty devesse ter se certificado de pregar o fato de que, embora os ossos de Jim estivessem lá no solo arenoso, sua alma estava viva com Cristo?

"Injustiça. Todos [...] enfrentam isso em algum momento de suas vidas. Rachel tem feito acusação após acusação contra mim por anos a fio, sem se dar ao trabalho de descobrir se ela me entendeu ou entendeu a questão corretamente. A acusação de hoje, de eu não acreditar na ressurreição, é provavelmente a mais séria. Eu me pergunto se ela percebe o quão sério isso é, e o que ela faz comigo. Bem, voltando à injustiça. A questão é simplesmente como lidar com isso."

Betty se perguntava se parte do bloqueio de Rachel contra ela havia crescido por um ressentimento para com as habilidades linguísticas de Betty. "Estava mais claro do que nunca que a inveja é a verdadeira raiz do problema de R[achel], e a inveja precisa matar seu objeto [...] tratando-me como uma herege e uma idiota. [...] Ela não tem ideia do que está fazendo. [...] Eu agora entendo, como jamais havia entendido, por que a expressão 'louco de inveja' é usada. Ela é uma forma de insanidade. O indivíduo invejoso é totalmente incapaz de exercer julgamento racional ou de avaliar logicamente as palavras ou ações do outro."

"Desde os primórdios do nosso relacionamento, foi minha cada iniciativa de aproximação, cada tentativa de fechar a brecha. Ah, Rachel — se você pudesse saber o que eu daria ou faria para chegar a um entendimento! Se você pudesse conhecer a dor de querer ver, de sua parte, pelo menos uma centelha de desejo por uma solução, em vez desse total desprezo e escárnio."

No entanto, desde o início da tentativa de decifrar o idioma *wao tededo*, "Saint vivera à sombra de Elliot".[2] Mesmo depois de três anos vivendo entre os waorani, Rachel Saint escreveria que "parecia haver uma impressão geral, em Quito, de que 'o trabalho linguístico waorani iria por água abaixo sem a ajuda dela [de Elliot]'".[3]

Ken Pike, chefe de Rachel, tinha isso em mente quando decidiu trabalhar com Rachel sozinho no projeto da língua waorani. "'Teria sido muito mais difícil [...] tentar ajudar Rachel se Betty estivesse à mesa ao mesmo tempo'", escreveu. "'O avanço de Rachel com esses materiais é lento — mas acredito que é sólido,

---

2 Kathryn T. Long, *God in the Rainforest* (Nova York: Oxford University Press, 2019), p. 130.
3 Rachel Saint para Cameron Townsend, 1º de janeiro de 1962, Townsend Archives #21126, citado por Long, *God in the Rainforest*, p. 130.

sob orientação."" Rachel precisaria "trilhar seu próprio caminho 'sem perigo de ser acusada de o seu trabalho ter sido feito por outra pessoa"".⁴

Como concluiu a historiadora Kathryn Long: "Apesar do apoio de Pike, no entanto, Saint tinha dificuldades com a tradução da Bíblia, e sua incapacidade de colaborar com outros teria consequências de longo prazo".⁵

A certa altura, Rachel disse a Betty que achava que Betty estava, sem dúvida, à frente dela na linguagem.

"Se for esse o caso", disse Betty, "será que eu não poderia contribuir com algo para a gramática e a tradução?"

"Tenho que responder pelo meu próprio trabalho", respondeu Rachel.

"Isso é uma questão de política da SIL?" perguntou Betty.

"Puramente pessoal", disse Rachel.

Durante essa conversa, Rachel "torcia nervosamente as mãos e os cabelos", escreveu Betty em seu diário. "Ela agia como se minha posição fosse totalmente repreensível e ela quisesse permanecer livre de contaminação."

Em seu diário em 5 de novembro de 1961, Betty encheu múltiplas páginas enquanto processava mentalmente a situação: "Para essa atitude, não vejo solução, exceto me retirar. Deus conhece minha posição de fé; ele conhece minha total disposição de trabalhar com Rachel; ele conhece também meu desejo de o conhecer, de conhecer sua Verdade e VIVÊ-LA".

"R[achel] disse que achava que eu tinha um forte desejo de fazer a vontade de Deus e que essa era sua única esperança para mim. Acho que essa é minha única esperança para qualquer um — que, pela obediência, aqueles que o conhecem sejam conduzidos a conhecê-lo melhor; que aqueles que ainda não o conhecem um dia vejam Cristo de tal forma que também possam querer obedecer."

"Claramente, não posso contribuir para o trabalho aqui, do jeito que as coisas estão. É uma gentileza para com Rachel libertá-la do que só pode ser um fardo, tendo em vista sua atitude para comigo, como se eu fosse uma herege."

"Mil pensamentos se aglomeram. O que devo dizer ao 'público'? Para onde devo ir? O que devo fazer? Como suportarei deixar os índios que amo? Tu és meu refúgio."

---

4 Kenneth Pike para Cameron Townsend, 14 de dezembro de 1961, Townsend Archives #20052, citado por Long, *God in the Rainforest*, p. 130–131.
5 Long, *God in the Rainforest*, p. 131.

As dificuldades de relacionamento com Rachel não eram exclusivas de Betty. Como o Dr. Jim Yost observou após sua década entre os waorani, "Não se trabalha com Rachel. Ou se trabalha sob Rachel ou contra Rachel, mas não existe tal coisa como trabalhar com Rachel".⁶

Essa tendência se revelaria repetidamente ao longo dos anos, para a frustração de Wycliffe e da equipe da SIL. Não havia dúvidas de que Rachel amava os waorani e buscava fazer a obra de Deus, mas seu desejo inato por controle e sua relutância em cooperar com outros tradutores e missionários criaram um ambiente que foi chamado de "estagnado", "opressivo", "devastador" e "condenador" por aqueles que tentavam trabalhar com ela.⁷

Ao longo da década de 1970, após muitas tentativas de discussão e disciplina destinadas a resolver essas questões, os líderes da SIL se angustiavam: como você se desvincula, afinal, de sua missionária mais famosa? Após várias tentativas de colocar Rachel em liberdade condicional, SIL e Rachel terminaram seu relacionamento no início da década de 1980. Rachel permaneceu no Equador como missionária aposentada. Mais ou menos na mesma época, John Lindskoog e Don Johnson, líderes da SIL, visitaram Elisabeth Elliot em sua casa nos arredores de Boston, humildemente pedindo perdão pelas maneiras como a haviam injustiçado tantos anos atrás.⁸

E Rachel Saint viveria o resto de seus dias com os waorani.⁹

Em 6 de novembro de 1961, porém, os reconhecimentos oficiais da SIL sobre as propensões de Rachel estavam muito distantes. Naquela tarde, Betty entregou a Rachel um documento de uma página, datilografado, anunciando sua partida de Tiwaeno e o fim de seu trabalho na língua waorani. Ela esboçou breves pontos, de um a quatro, citando as explicações de Rachel de que não poderia trabalhar com Betty e, portanto, "sinto que devo me retirar".¹⁰

---

6 Dr. Jim Yost, entrevista com Kathryn Long, 15 de março de 2001, Wheaton, IL, citado em *God in the Rainforest*, p. 213; confirmado pelo Dr. Yost em uma entrevista por telefone com Ellen Vaughn, 12 de fevereiro de 2020.
7 "Estagnado", Catherine Peeke para Rachel Saint, 20 de março de 1975, Long, *God in the Rainforest*, p. 208; "Opressivo", Dr. Jim Yost, notas pessoais, 22 de fevereiro de 1974, Long, *God in the Rainforest*, p. 205; "Devastador", Patricia Kelley, citando um funcionário anônimo da SIL, em Pat Kelley para Catherine Peeke, n.d. [provavelmente 1977], Peeke Papers, Long, *God in the Rainforest*, p. 392, n. 59; "Condenatório", Peeke para Saint, 20 de março de 1975, Long, *God in the Rainforest*, p. 208.
8 Entrevista de Ellen Vaughn com o Dr. Jim Yost, por telefone, 13 de fevereiro de 2020.
9 Para um relato cuidadosamente pesquisado sobre Rachel Saint e a SIL, cf. *God in the Rainforest*, de Kathryn Long. A Dra. Long meticulosamente vasculhou cartas, arquivos e os próprios escritos de Rachel, bem como conduziu muitas entrevistas para criar um relato histórico desapaixonado da relação de Rachel com os waorani e sua saída da SIL. Veja particularmente o Capítulo 12, "Breaking a Pattern of Dependence" ["Quebrando um Padrão de Dependência"].
10 Elisabeth Elliot, "Para alguns que estão intimamente preocupados", 6 de novembro de 1961, datilografado, documento de uma página anexado em Dan Derr para Grady Parrott, 16 de novembro de 1961, Pasta 69, Caixa 6, MAF Records, Billy Graham Center Archives, Wheaton College.

Ela pediu a Rachel que a informasse se a declaração era justa.

Oito dias depois, Rachel ainda não havia dito nada a Betty sobre aquele desdobramento bastante significativo. Betty sentiu que já não tinha alternativa senão enviar o documento para outras pessoas que estavam preocupadas com o assunto: a Missionary Aviation Fellowship, o Dr. Tidmarsh, Marj Saint e Marilou McCully — que tinham encorajado muito Betty —, Don Johnson, o diretor equatoriano da SIL, e seus próprios pais.

Don Johnson ligou para Betty pelo rádio para perguntar se ela estava disposta a ir a Quito para discutir o assunto com ele, assim como com John Lindskoog, da SIL, Marilou, Marj e Rachel. Betty concordou — ao que Rachel lhe disse que tinha ordens de ir a Quito também, se Betty consentisse.

"Não deu em nada", Betty escreveu em seu diário após a reunião. "Obviamente, o pessoal da SIL havia ensaiado bastante o discurso [...] antes de virem falar conosco. A principal preocupação deles, ao que parecia, era como defender a reputação da SIL. A Verdade não era o que importava. A questão era: o que devemos dizer? Que defesa devemos oferecer ao nosso público?"

Por sua vez, Rachel se recusou a falar muito na conferência, "'pois tudo o que eu disser será usado contra mim'. Como Marj lhe apontou, aquilo podia ser verdade para qualquer uma de nós! Bem, Deus sabe".[11]

Betty e Val retornaram a Tiwaeno para fazer as malas e as tristes despedidas. Antes de retornarem, Betty fizera Rachel prometer que não daria as notícias de Betty para a tribo. Assim que Betty chegou, no entanto, seus amigos índios estavam agindo de forma estranha... Ficou claro que Rachel havia quebrado sua promessa.

"O que você lhes disse?", Betty perguntou, atordoada. Rachel disse que havia dado a explicação mais simples possível: Betty estava indo embora porque estava "brava" com Rachel.

Betty não tinha palavras. "Eu me senti fraca e trêmula e clamei a Deus pela graça de perdoar e esquecer", escreveu em seu diário. "Este foi o golpe mais baixo de todos até agora, mas não sinto que posso ajudar os waorani contando-lhes a verdade, a não ser dizendo que não estou 'brava', mas que Deus me diz que eu vá embora."[12]

Como fica claro em seu lamento constante por esse fato, Betty seria a primeira a dizer que não fazia ideia dos verdadeiros pensamentos de Rachel. Até

---

11 EE para "Queridíssimos Pais", 15 de novembro de 1961.
12 EE para "Queridíssimos Pais", 29 de novembro de 1961.

mesmo seus diários — um espaço privado no qual a maioria de nós desabafa livre e apaixonadamente quando nos sentimos maltratadas — mostram uma notável e constante autoconsciência, da parte de Betty, de que ela estava cheia de suas próprias falhas. Ela reconhecia que devia parecer tão extraterrestre para Rachel quanto Rachel era aos seus olhos um ser alienígena. Ela escreveu para a sua mãe: "Perdi peso, sono e apetite, agonizando sobre se estava ou não fazendo a coisa certa, orando para que Deus me mostrasse se estava errada, se estava pecando contra Rachel e cega para minhas próprias falhas neste assunto".[13]

"Mais uma vez, tive de encarar a lição de que ele trabalha das formas mais inescrutáveis. [...] Como podemos ver a mão de Deus em algo tão terrível como a falta de unidade, compreensão e tolerância entre duas colegas missionárias?"[14]

Um grupo de amigos de Betty chegou a Tiwaeno em um avião da SIL para ajudá-la a arrumar todas as suas coisas: Marilou McCully, o pai de Ed, que estava visitando, e Barb Youderian, que, como as companheiras viúvas Marj e Marilou, havia encorajado Betty grandemente. Betty preparou um banquete: feijão, palitos de cenoura, Ki-Suco, pãezinhos de aveia quentes com manteiga, café e uma torta de creme. O piloto da SIL e Dayuma se juntaram a eles. Betty também convidou Rachel, mas ela escolheu comer sozinha em sua própria casa.

A partida de Betty do território waorani foi tão pouco auspiciosa quanto sua chegada. Poucos waorani expressaram algo sobre sua ida. Os dois homens quíchuas (Kuchi e Benito) choraram. Kuchi foi à casa de Betty e pediu que ela lhe ensinasse um pouco mais sobre a Bíblia, "para que eu possa pensar sobre isso depois que você for embora". Benito lhe trouxe um galo, um presente valioso. Aquilo a tocou profundamente. "Que Deus os guie a todos em seu caminho", ela pensou. "Essa é a única esperança para todos nós."

Ela escreveu para sua mãe: "Penso que a fé é exercida com mais vigor quando não consigo encontrar nenhuma explicação satisfatória para a maneira como Deus faz as coisas. Tenho que <u>esperar</u>, sem nenhuma evidência visível, que as coisas vão dar certo no final — não apenas que receberemos uma compensação, mas que nós e toda a criação seremos <u>redimidos</u>. Isso significa infinitamente mais do que a ideia de que as coisas boas excederão as más".[15]

---

13 EE para "Queridíssima Mãe e Pai", 13 de novembro de 1961.
14 Ibid.
15 EE para "Queridíssima Mãe", 30 de novembro de 1961.

Steve Saint, o filho mais velho de Nate, herdou como impressão genética a mesma inventividade, tenacidade e dons empreendedores que caracterizavam seu pai.[16] Ele viveu entre os waorani e os amou, relatando suas próprias experiências com eles em *The End of the Spear* ["A ponta da lança"], um reflexivo livro o qual Hollywood transformou num filme que não chegou nem perto de capturar as realidades espirituais da história que adaptou.

Steve tem sido afiado pelas terríveis realidades de sofrimento e perda de todos os tipos. Em personalidade, ele certamente se parece mais com sua forte e "direto-ao-ponto" tia Rachel do que com sua forte e reflexiva "Tia Betty", que é como ele cresceu chamando Elisabeth Elliot. Ele escreveu: "Eu poderia falar sem parar sobre os contrastes entre Betty e Rachel. Basta dizer que é espantoso não ter acontecido uma grande explosão ali na Amazônia equatoriana. Sei que ambas as mulheres foram feridas pela falta de aceitação uma da outra. Mas Deus trabalha através da ferida".[17] Steve continua dizendo que cada uma dessas mulheres continuou seu ministério fiel — em diferentes arenas — pelo resto de suas vidas.

Deus trabalha através da ferida. Deus trabalha no meio de todas as coisas. E certamente a história cristã está cheia de personagens falhos e casos tristes que poderiam ter tomado rumos diferentes se não fossem as falhas humanas.

Às vezes, podemos apontar os desfechos de tais divergências e dizer: "Ahá! Veja como Deus usou isso!". Logo no início do movimento missionário, houve entre o apóstolo Paulo e seu colega Barnabé "tal desavença, que vieram a separar-se".[18] Cada um tomou um novo parceiro, e o evangelho continuou a se espalhar.

Louvado seja Deus.

Às vezes, porém, olhamos para os desfechos nesta vida, buscando o reconforto de um final feliz, e simplesmente não está lá. E aí? Como Betty disse, os caminhos de Deus são "inescrutáveis". Então, temos que descansar, não na paz de uma história bonita, mas na realidade da fé em uma Pessoa que não podemos ver.

---

16 Steve e Ginny Saint foram maravilhosamente hospitaleiros e prestativos comigo neste projeto. Foi por meio do I-TEC — o ministério que Steve começou para ajudar povos indígenas não apenas no Equador, mas em todo o mundo — que viajei para o Equador, vivi na selva com alguns dos waorani por alguns dias e conheci Mincaye e Kimu, dois dos "assassinos de Palm Beach", meus irmãos em Cristo. (Também nesta viagem, participei de uma maravilhosa espécie de reunião familiar. Phil Saint, o filho mais novo de Nate, trouxera sua esposa, Karla, seus filhos Dan e Ben, suas esposas e seus filhos. Jaime Saint, filho de Steve, liderou a viagem. Eu amava estar na comunhão dos Saints.) De volta para casa, Steve compartilhou comigo um fino diário escrito por Rachel Saint em 1958, mas não passou adiante os diários de Rachel de seu difícil relacionamento na selva com Betty Elliot.
17 Steve Saint e Ginny Saint, *Walking His Trail* (Carol Stream, IL: Tyndale, 2007), p. 34–35.
18 Atos 15.39.

CAPÍTULO 35
PONTES EM CHAMAS

"Deve-se ter cuidado para não confundir o que chamamos de 'a vontade de Deus' com nossa própria imagem do papel que estamos desempenhando, o que é apenas uma obrigação para com a ilusão. Livra-me disto, Senhor!"
— Diário de Betty Elliot, 3 de julho de 1962

Um avião da SIL levou Betty, Val e todos os seus pertences para Shandia. Shandia — onde ela vivera com Jim, onde estava a casa para onde trouxera a bebê Val, onde se despedira de Jim naquele último e derradeiro dia de janeiro de 1956, quando ele bateu a porta em direção à pista de pouso, ansioso para chegar aos waorani.

"Ensine os crentes, querida!", ele dissera.

Agora, viúva há cinco, quase seis longos anos, Betty ainda sonhava com Jim constantemente. A maioria dos sonhos seguia o típico padrão:

"Choramos nos braços um do outro pela alegria de estarmos juntos mais uma vez, e falamos das milhares de vezes nas quais sonhamos que seria assim, e então acordamos."

"'Você também chorou ao acordar?', perguntei a ele, incrédula por ele ter sentido minha falta."

"'Inúmeras vezes, querida', disse ele. 'Mas dessa vez, ah, dessa vez, finalmente, não foi um mero sonho!'"

"E então acordei."

Contudo, depois do estresse constante na selva, Betty sentia um grande alívio por morar em Shandia. (Os outros missionários a quem ela outrora havia cedido sua casa não estavam mais lá.) Ela escreveu aos pais: "É [...] revigorante, de um modo que eu dificilmente apreciei antes, estar com aqueles com quem sei que tenho um vínculo espiritual, com quem não preciso me sentir sob a pressão constante de sofrer, se não total desprezo, pelo menos desaprovação tácita, dia após dia, a despeito do que eu fizesse. A ampla vista do grande rio desta casa iluminada e arejada; a conversa dos índios cuja língua eu entendo completamente; essa sensação de estar "em casa" mais uma vez é revigorante, e sou profundamente grata ao Senhor".[1]

Durante essa temporada, Betty continuou a educar Val em casa e a responder às suas resmas de correspondência. Havia de tudo, desde cartas de fãs, uma interação com uma de suas heroínas, a missionária Gladys Aylward, até análises difamatórias de sua depravação moral ao escrever o indecoroso *The Savage My Kinsman*, um livro com fotos reais de pessoas nuas. Havia as críticas habituais às suas escolhas de vida... alguns que a haviam condenado por levar sua filha pequena para a selva, até aos waorani, agora questionavam por que diabos ela havia saído da selva. Havia muitos que essencialmente queriam que ela fosse sua amiga por correspondência. Outros que sinceramente a parabenizavam ou a repreendiam por coisas que ela nunca havia feito. Uma querida mulher lamentou porque Betty não tinha conseguido para ela os "autógrafos" de Kimu e Gikita (que eram analfabetos).

Enquanto isso, as palavras finais de Jim sobre "ensinar os crentes" moldavam os dias de Betty. Ela dava aulas particulares de quíchua para outros obreiros americanos e continuava seus projetos de tradução para o quíchua — o livro de 1 Coríntios e um hinário — com Venâncio, o pastor que Jim havia discipulado. Ela escrevia artigos para revistas que os solicitavam. Sendo Betty, ela também lia materiais tão ecléticos quanto *A História do Declínio e Queda do Império Romano*, de Gibbon, os devocionais de Oswald Chambers e *A Peste* de Camus.

Em meio às suas reflexões filosóficas, ela ficava de sobreaviso para oferecer ajuda médica e fazer partos, e o fazia com frequência. Ela tinha a cabeça fria em emergências. Em um caso, o bebê já havia morrido no útero; a própria mãe agora estava à beira da morte. Depois de examinar e acalmar a mãe em pânico, Betty providenciou que ela fosse levada de avião para Shell para uma cesárea. Outra família a chamou até à casa deles para administrar penicilina à filha. O pai temia que a menina morresse, como sua irmãzinha morrera no dia anterior. Ele levou Betty ao local onde o cadáver da menina jazia em uma caixa de madeira rústica,

---

[1] EE para "Queridíssima Família", 3 de dezembro de 1961.

com o rosto coberto de trapos. Um índio pediu para ver o rosto. Betty observava enquanto a avó tirava os trapos. Um longo verme rosa estava se contorcendo lentamente para sair da boca da criança.

Em outra ocasião brevemente feliz, Betty entregou uma menina a uma mãe agradecida, que deu à sua pequena filha o nome de "Elisabeth".

A pequena Elisabeth morreu apenas seis dias depois, aparentemente de tétano.

Rosa, uma mulher quíchua do outro lado do rio, deu à luz um bebê saudável, mas não expeliu a placenta. Um menino foi enviado para buscar Betty Elliot. Ela chegou para encontrar uma situação horrível: "um enorme pedaço de carne vermelha", ainda preso lá dentro, saindo da pobre mulher. Betty tinha certeza de que Rosa logo morreria de hemorragia e choque.

Sabendo que havia pouca esperança, ela deu uma injeção de penicilina, algumas sulfas, esfregou as mãos o melhor que pôde e, com uma oração por sabedoria, empurrou a massa sangrenta de volta para o útero. "Ainda não sei o que era", escreveu mais tarde, "pois o útero parecia intacto e rastreável até minha mão. A mulher estava viva quando eu saí".

A família conseguiu levar Rosa a um médico, que escreveu a Betty uma semana depois, dizendo-lhe que "sem dúvida" ela havia salvado a vida da jovem mãe.

Obstetrícia amadora, no entanto, não era realmente o que Betty achava que Deus a estava chamando para fazer. Várias outras oportunidades para o futuro se apresentaram. Um homem da Sociedade Bíblica Americana conversou com ela sobre traduzir o Novo Testamento para um dialeto quíchua que seria utilizável em todas as áreas da "sierra" do Equador. Uma abastada patrona convidou Betty para dar aulas de Bíblia para quíchuas que viviam em sua fazenda e arredores.

Havia outras opções também; Betty poderia ficar no Equador por muitos anos, se quisesse. Ela poderia matricular Val em uma escola da Christian and Missionary Alliance [Aliança Cristã e Missionária] em Quito, onde ela estaria cercada por outras crianças missionárias enquanto Betty dava início a um ministério contínuo de tradução e trabalho de discipulado.

Era isso que *Deus* queria que ela fizesse?

Betty decidiu se encontrar com a Señora Ester Sevilla, que havia oferecido a oportunidade de ensinar na fazenda. A Señora se tornou uma amiga, e Valerie ficou para uma "festa do pijama" com o povo gentil da fazenda. Betty voltou para Shandia.

Na manhã seguinte, o céu desabava em chuva. Seria muito difícil para Val voltar para casa. Ela ficou mais um dia e uma noite na fazenda. A chuva continuou. O rio subiu, uma violenta torrente separando mãe e filha. Certa tarde, Val percorreu todo o caminho através da selva até à margem oposta à casa delas em Shandia. Betty, esperando ansiosamente do outro lado, não conseguia ver o rosto da filha, apenas uma garotinha em um vestido rosa, contemplando o rio que rugia. A pequena figura rosa voltou para dentro da selva para fazer a caminhada de uma hora e meia de volta à fazenda.

Val — uma criança de sete anos radiante, independente e conhecedora na selva — finalmente chegou em casa quatro dias depois.

Betty e Val, junto com os heroicos Burt e Colleen Elliot, voaram para os EUA em agosto de 1962 para uma reunião da família Elliot no Oregon. Betty e Val seguiram para a Costa Leste para o casamento do irmão mais novo de Betty, Jim, e então um grupo menor foi para Franconia, New Hampshire — um dos lugares favoritos de Betty no planeta. Elas retornaram para Shandia no final de setembro.

"Domingo à noite. A beleza desta casa e seus arredores traz uma sensação de paz a todo o meu ser e, a cada dia, uma <u>ordeira</u> quietude. Eu estava caminhando lá fora depois do jantar, inspecionando meus abacaxis, alguns recém-plantados, outros começando a amarelar. Os limões pendem pesados nos galhos das árvores, os hibiscos florescem em profusão, [...] as palmeiras chonta deixam cair suas flores com um tamborilar, como se fosse chuva, no solo abaixo. O sol já se pôs e o gramado está como a 'clareira barulhenta dos grilos.'"[2]

"Val e Antuca estão brincando de jogar cartas na sala de estar. Terminei de ler *Tess dos d'Urbervilles* esta tarde." Betty contrastava essa cena pacífica no presente com um futuro desconhecido. "Não consigo deixar de tentar imaginar a decadência e a eventual ruína desta casa. Quem viverá nela depois de nós? Por quanto tempo permanecerá de pé? O que os próximos moradores pensarão dentro destas paredes? Quão civilizada esta parte da selva se tornará?"

Essas palavras, escritas na prosa suave e energética que caracteriza os diários de Elisabeth Elliot, são amplificadas por um adendo tardio, uma nota trêmula adicionada ao topo da página em 1996, quando Elisabeth, aos setenta anos, visitou Shandia com Val e outros para ver se a casa ainda estava de pé.

A página do diário captura tanto a jovem mulher em um momento dourado e pacífico, olhando para a inevitável decadência do futuro... e então, décadas depois, a mulher mais velha — ela mesma já decaindo com os primeiros efeitos de

---

2. Betty estava fazendo referência a um poema de William Butler Yeats.

um cérebro envelhecido — laboriosamente rabiscando naquela mesma página que sim, a casa havia permanecido intacta.

Hoje, a casa que Jim construiu ainda está de pé, servindo como um museu improvisado em homenagem àqueles que um dia viveram ali e como um salão de reuniões para a comunidade quíchua ao redor.[3]

Enquanto Betty Elliot considerava diferentes opções para o futuro, não foram os eventos no Equador ou nos EUA que ajudaram a moldar seu caminho, mas caóticos desdobramentos a doze mil quilômetros de distância, na África.

Em 1956, o novo país então chamado Sudão declarara sua independência dos interesses egípcios. Em 1958, um golpe de estado perturbou aquela democracia incipiente, estabelecendo um governo militar que logo obrigou o uso do árabe e a disseminação do islamismo por todo o país. A educação, então, se afastou do currículo inglês dos muitos missionários cristãos do Sudão, que forneciam os principais meios educacionais no sul do país. O governo pagava aos moradores para servirem como polícia secreta, levou alguns cristãos à prisão e, por fim, expulsou missionários estrangeiros.[4]

Um desses missionários era uma jovem inteligente e iconoclasta chamada Eleanor Vandervort. Eleanor — Van, para os íntimos — havia sido uma amiga de Betty e Jim em Wheaton. Como Betty, ela se formou em 1949, com ênfase em grego, e ansiava por trabalhar como missionária pioneira. Aos 24 anos, ela foi para o sul do Sudão como missionária presbiteriana. Ela trabalhou entre os Nuer, um povo primitivo que vivia na terra dura e seca do Rio Sobat. Eles não tinham uma língua escrita nem qualquer conceito do evangelho — tampouco sentiam qualquer necessidade dele. Van conseguiu um informante que a ajudou a estudar meticulosamente sua língua, a qual tinha catorze vogais e três níveis de tom. Ela trabalhou por treze anos desenvolvendo uma forma escrita do idioma e, então, traduziu o Novo Testamento para a língua Nuer.

Van teve dificuldades com algumas das mesmas questões que tanto incomodavam Betty. Ela percebia que a distinção entre cultura cristã e cultura ocidental poderia ser bastante confusa no pensamento missionário de meados do século XX. Ela enxergava que alguns povos tribais queriam as "nossas coisas" mais do que o "nosso evangelho".[5]

---

3 De acordo com Gary Tennant, um missionário que vive e trabalha não muito longe da atual Shandia.
4 https://www.britannica.com/place/South-Sudan/Sudanese-independence-and-civil.
5 https://michelemorin.net/2018/06/04/the-missionary-faith-paradox/.

Em dezembro de 1962, Van recebeu um aviso severo do comandante da polícia da província do Alto Nilo. Ela foi informada que, como outros missionários, deveria deixar o Sudão dentro de seis semanas.

Ela tentou confortar a si mesma com a esperança de que "Deus certamente abençoaria o trabalho de tradução. Aquela era a sua Palavra. Ele cuidaria para que o trabalho fosse concluído com sucesso, para a sua própria glória e por causa do povo Nuer". Mas ela também sabia que o novo governo muçulmano estava mudando os sistemas escolares para o alfabeto árabe. Seu alfabeto latino logo seria indecifrável para os pretendidos leitores[6]

Van viajou de Cartum, passando pelo Cairo, Amsterdã, Londres, Nova York, Miami, e Quito, até chegar inteira a Shandia, sabe-se lá como, para visitar Betty. Faminta por alguém que a entendesse, Betty exultou em seu diário: "Esta semana foi a mais feliz que tive desde que Jim morreu. Meu Deus, que felicidade! Van chegou do Sudão. Nosso tempo juntas tem sido um oásis. Paz. Perfeito entendimento. Diálogo. Eu e Tu — o encontro de dois indivíduos que por si só produz união de espírito".[7]

Assim como Betty, Van tinha pouca vontade de retratar a evolução de sua carreira missionária no típico linguajar evangélico de triunfo. As duas mulheres falaram sobre as questões que encontraram, sobre como as Escrituras as fortaleceram, sobre as incongruências que viram. Elas riram, refletiram sobre os autores que amavam e trocaram ideias. Betty anotava as ideias de Van em seu diário, como se estivesse na escola. "Não existe uma fórmula pronta para o que significa levar o evangelho. Se houvesse uma, poderíamos julgar se a estávamos seguindo." Ela perguntou a Van: "Você já se viu incapaz de ler ou orar? [Resposta:] Sim, e aquilo não me horrorizou. Eu ainda sabia que a Rocha estava lá!".

Betty: "Qual é a diferença entre discernimento e julgamento?".

Van: "Discernimento é um ato sem emoção, julgamento é mais intensamente carregado. Portanto: não julgue". (Por sua vez, Van disse a ela: "'Eu amo você por sua honestidade — por essas perguntas afiadas que você faz!'")

Burt, o irmão de Jim, e Colleen chegaram para celebrar o oitavo aniversário de Valerie em fevereiro. "É adorável estarmos juntos. Van ainda está aqui, 'quietamente sentada' até que Deus mostre alguns novos passos. Surpreendida pela

---

6 https://hendricksonpublishers.blog/2018/02/21/a-leopard-tamed-a-book-fifty-years-too-early/.
7 Diário de EE, 14 de fevereiro de 1963. "Eu e tu" se refere ao livro do filósofo austríaco Martin Buber sobre a essência das relações humanas e a centralidade do relacionamento supremo com Deus.

alegria. A revelação de Deus [...] a amplitude de sua misericórdia, a renovada visão de seu amor e a caminhada no espírito/Espírito."

Betty se sentiu, pela primeira vez em muito tempo, profundamente compreendida. Alguém havia subido em seu barco com ela. Ela não estava mais emocionalmente sozinha.

Um dia, conversando com Van, Betty considerou sob um novo olhar a familiar história de Jesus ressuscitando o amarrado e já sepultado Lázaro dentre os mortos.

"Tirai a pedra!", Jesus havia dito. Os amigos atônitos obedeceram. O homem morto saiu.

Betty, pela primeira vez, viu a grande pedra selando o túmulo de Lázaro como "o peso frio da opinião inerte". Jesus havia dito aos amigos de Lázaro que a tirassem do caminho... e agora, no caso de Betty, na improvável provisão de Deus, através de eventos do outro lado do mundo, sua amiga Van estava sentada em sua sala de estar, rolando a pedra das opiniões frias de outras pessoas e tirando-a do caminho da emocionalmente ferida e meio morta Betty.

Poucos meses antes de Van chegar, Betty havia lido *Escape from Loneliness*, de Paul Tournier. "Ele encorajou minha fé", escreveu Betty. "Ele fala sobre 'se abrir' ou 'desabafar' com outra pessoa. Não há ninguém no Equador com quem eu possa fazer isso. Ao tentar descobrir o porquê, ocorreu-me que eu preciso de fato admirar sinceramente aquele a quem eu desabafo. Desde Jim, houve muito poucos a quem eu estimo profundamente. Talvez isso [...] seja resultado de orgulho." Agora, porém, *havia* uma pessoa no Equador a quem Betty podia desabafar. Ela admirava o discernimento e a coragem de Van de descrever os fatos como os enxergava. Ela não se sentia mais sozinha, no polo oposto daqueles ao seu redor.[8]

Na mesma época, o irmão de Betty, Tom (o de personalidade mais parecida com ela entre seus irmãos) escreveu para ela da Espanha. Ele estava lutando, como ela, com questões sobre fé e a subcultura evangélica. "Eu também tenho uma espécie de senso de esperança ou expectativa fracamente renovado", ele escreveu, com característico pessimismo.

---

8 Como C. S. Lewis escreveu em *Os quatro amores*, "Amizade brota do mero companheirismo quando dois ou mais dos companheiros descobrem ter em comum alguma perspectiva ou interesse, ou até gosto, que os outros não compartilham e que, até o momento, cada um acreditava ser seu próprio tesouro (ou fardo) singular. A expressão típica de começo de Amizade seria algo como: 'O quê? Você também? Eu pensava que era o único!'" C. S. Lewis, *Os quatro amores*, trad. Estevan Kirschner (Rio de Janeiro: Thomas Nelson Brasil, 2017), p. 70.

Betty sorriu ao ler a carta de seu irmão. Parecia, durante aqueles dias de abril, que uma primavera espiritual estava chegando. Havia um senso renovado de esperança e renúncia ao que estava morto, um rosto voltado para o céu, e calor.

Em 16 de maio de 1963, Van, Betty e Val ouviram, no rádio, o "lançamento, o voo espacial e o pouso do Faith 7, carregando o Major Gordon Cooper por vinte e duas órbitas ao redor da Terra. Um fato absolutamente impressionante — a tecnologia desafia a imaginação. No entanto, é o HOMEM que realmente importa. A maquinaria, as estatísticas de velocidade, a altitude, a comunicação de rádio etc., são todos tributos ao admirável avanço do homem na ciência. Mas o que queremos saber, mais do que qualquer outra coisa, é: como está o homem? O que ele faz? Como ele se sente? O que sua esposa está pensando? Queremos ouvir a voz dele".

"Somos seres humanos. Estamos amarrados a uma situação comum, estabelecida por um Pai-Criador. Portanto, em última análise, estamos preocupados com nossa própria espécie — e com Aquele que é o alicerce de todo o Ser."

Uma semana depois, uma imagem surgiu na mente de Betty. Franconia, New Hampshire, o local de tantos verões felizes em sua infância. Graças ao sucesso de vendas dos seus livros, ela tinha dinheiro para se sustentar. Ela poderia construir ali uma casa simples, mas bonita. Colocar Val na escola. Ter um lar de verdade. Escrever mais livros.

Era isso!

Haveria um novo começo. De certa forma, uma nova mulher. Claro que ela era a mesma Betty Howard Elliot; essa pessoa única que Deus havia criado, cultivado, conduzido, amado, podado e refinado por tudo aquilo que a havia abençoado, ferido e esmagado. Agora, porém, havia algo novo.

Em tempos mais felizes, Betty e Jim tinham escalado juntos o Monte Washington, em New Hampshire, saboreando sua beleza. Ela se lembrou de sua primeira caminhada ali. O cume pairava bem alto acima deles. Uma meta tentadora. Eles lutaram para alcançá-la, hora após hora. Quando finalmente o alcançaram, eles se parabenizaram e, então, contemplaram novamente — havia outro cume, muito acima. E outro além dele.

Desde que Betty chegara ao Equador, ela trilhou o caminho que Deus lhe estabeleceu, mantendo os olhos firmemente fixos no cume, para então descobrir que havia mais e mais picos para escalar. Estudar idiomas em Quito. Esperar por Jim. Idioma, perda e morte entre os Colorados. Aprender quíchua. Casar-se com Jim. Ministério em Puyupungu e Shandia. Dar à luz Val. Sonhar com os waorani.

A morte de Jim. Ser uma viúva com um bebê. A oportunidade de a própria Betty viver entre os waorani. Então, vieram as muitas tempestades naquele pico em particular: conflito com Rachel, exclusão, confusão e partida. De volta a Shandia.

Ela percebeu que, em um nível subconsciente, talvez ela tivesse pensado que obediência a Cristo significaria segui-lo para algum destino — como uma cabana de palha na selva — e, então, permanecer ali. Talvez tivesse presumido que obediência no ministério significava alguém seguir Jesus até um ponto final onde ficaria parado, e tudo floresceria. Agora ela percebia, mais uma vez, que uma vida de obediência nunca realmente chega a um pouso, por assim dizer. "Ele nos guia sempre adiante, sempre através, sempre para o alto, até ao limiar do céu. Ele não nos diz, nunca, 'Aqui está'. Ele apenas diz: 'Aqui *estou*. Não temas'".

Agora Betty já não pensava em sua vida como uma série de "cumes" a serem escalados rumo ao céu, uma vereda firme e "triunfal" em direção à vitória, como às vezes se falava nos círculos cristãos. Ela pensava mais em Jesus do que nos desfechos ou realizações particulares que ele poderia ter reservados para ela. Era tudo sobre caminhar com Jesus... e, de maneira mística, *ele* era tanto a jornada quanto o destino.

"As pontes estão em chamas", escreveu. Agora, ela tinha uma *paz* misteriosa. "Pela primeira vez na minha vida, não tive nenhuma dúvida, depois de tomar a decisão, de que era a decisão correta."

Ela vendeu ou doou suas panelas, frigideiras, móveis e roupas de cama. Enquanto ela e Val se preparavam para partir, a casa que Jim construíra se esvaziou e depois se encheu novamente, à medida que os índios que vinham se despedir lotavam a sala de estar. Betty se esgueirou para o seu quarto por alguns minutos. Vários de seus amigos quíchuas a seguiram. Ela sorriu, os ignorou e abriu seu diário desgastado — aquele que ela havia começado no verão de 1959 — uma última vez.

"15 de junho de 1963. De alguma forma, sempre imaginei que meu tempo no Equador poderia terminar com as páginas deste livro."

"É muito difícil compreender que estou realmente deixando esta escrivaninha, esta casa, Shandia, a selva e o Equador, para sempre.

'Eu, o Senhor, te chamei, tomar-te-ei pela mão,

e te guardarei [...]

Quando passares pelas águas,

eu serei contigo'.

<u>Senhor, tu cumpriste a tua palavra.</u>"

PARTE III

CAPACITADA POR DEUS

CAPÍTULO 36
O QUE ACONTECEU DEPOIS

"Os teus olhos me viram a substância ainda informe, e no teu livro foram escritos todos os meus dias, cada um deles escrito e determinado, quando nem um deles havia ainda."
— Salmo 139.16

"Senhor, tu cumpriste a tua Palavra." O que aconteceria com Betty Elliot depois que ela fechasse seu diário com essa oração em 15 de junho de 1963?

Primeiro, a jornada de Betty para seu novo começo nos Estados Unidos não seria a lenta, cênica e solitária passagem em um navio, como quando ela navegou para o Equador em 1952. Agora, sua embarcação era um elegante "jato moderno", o melhor que 1963 tinha a oferecer. Ela voou de Quito para os EUA com sua filha de oito anos ao seu lado. Quando saíram do avião em Miami, Val gritou para sua mãe: "Mamãe! Todo mundo está usando ROUPAS!".

Haveria choque cultural de muitos tipos. Mas Betty criaria uma nova vida para si e sua filha. Ela pegou a estrada menos movimentada e construiu uma casa arejada na floresta de New Hampshire, ao lado da propriedade do famoso poeta Robert Frost. Valerie foi para a escola. Betty falou a grupos ansiosos por ouvir sua história. Escreveu os novos livros que estavam borbulhando dentro dela na selva. Então viu as livrarias cristãs proibirem-nos, e os convites para falar se esvaíram. Em 1967, ela viajou para o Oriente Médio e escreveu, de uma forma que surpreendeu a muitos, sobre suas experiências ali. De volta aos EUA, ela deu aulas para estudantes universitários, abordou o crescente movimento de mulheres do final dos anos 1960 aos anos 1970 e debateu com Gloria Steinem, um ícone feminista, em várias universidades. Ela era uma personagem alta, esbelta, forte e independente na arena pública. Então, para sua própria surpresa, ela se apaixonou perdida e profundamente por um colega escritor, um professor de seminário muito admirado e um ex-jogador de beisebol. Ela dizia que ele era como Jim Elliot poderia ter sido se estivesse vivo: Addison Leitch, seu "melhor amigo" e alma gêmea.

Tudo ficaria bem. Por algum tempo. Então, Addison desenvolveu um tumor no lábio. Betty o importunou para que fosse ao médico. Exames. E sim, o maior medo dela se tornou realidade: câncer. Era agressivo. Betty cuidou carinhosamente do marido, limpou seu vômito e rabiscou orações angustiadas em seu diário. Addison Leitch morreu de modo tão selvagem quanto Jim Elliot morrera tantos anos antes, mas muito mais lentamente.

Assim como na morte de Jim, Betty enfrentaria essa dor sem anestesia. Ela caminhou pelo sofrimento, solidão e perda, passo a passo. Ela escreveu livros sobre tudo aquilo, livros que dariam a inúmeras leitoras fé e coragem para fazerem o mesmo, fosse qual fosse a forma que a própria dor delas assumisse. Ela acabaria se casando novamente. Ela cresceria e sofreria de novas maneiras. Em tudo isso, Deus edificou sobre o fundamento estabelecido em seus primeiros anos no Equador os anos que a fizeram se tornar a mulher que o mundo conhecia como Elisabeth Elliot.

Porém, eu contarei essas histórias poderosas em outro volume. Por enquanto, é bom considerar alguns dos temas que emergem dos primeiros anos de Betty.

CAPÍTULO 37
A QUESTÃO IRRELEVANTE

"Deus é infinito e incompreensível, e tudo o que é compreensível sobre ele é sua infinidade e incompreensibilidade."
— João de Damasco, pai da igreja do século VIII

Por que Jim, Nate, Ed, Pete e Roger morreram, de fato? Será que tal sacrifício foi feito simplesmente por causa da mentira egoísta de Nenkiwi? Por que Deus deixaria nove crianças crescerem sem seus pais? Deus planejou aquela tragédia ou apenas a permitiu? Qual foi o verdadeiro legado das mortes dos mártires, no que se refere aos waorani chegarem à fé em Jesus? Como é a comunidade cristã entre eles hoje?

Por décadas após a morte de seu marido, questionava-se constantemente a Elisabeth Elliot se a missão dos homens em Palm Beach tinha sido um "sucesso". A palavra era como uma moeda sem valor. Para ela, a única medida de qualquer ação humana se resumia a uma coisa: *obediência*. Ela olhava para o entrevistador como se a pergunta "sucesso" fosse maçante. Sim, sim, claro. Afinal, eles sabiam que Deus queria que eles fossem para a tribo, e foram obedientes à direção divina. Próxima pergunta?

Se "sucesso" não é definido pela obediência, mas por resultados mensuráveis, então temos que discutir métricas. Talvez precisemos contar quantas pessoas anteriormente perdidas foram salvas e comparar esse número com as vidas dos cinco jovens missionários, presumivelmente pesando todas as outras pessoas que eles poderiam ter alcançado se tivessem permanecido vivos para um ministério mais longo, então levar em conta todos os jovens que se inscreveram para o serviço missionário, galvanizados pelo sacrifício dos cinco, e verificar quantos *eles* alcançaram por causa do evangelho... Os cálculos nunca terminariam.

Métricas são ótimas e um meio útil de avaliar a administração de recursos, mas medir destinos eternos por fórmulas temporais é um negócio arriscado.

Nosso cérebro simplesmente não tem dimensões transcendentes o bastante para compreender as misteriosas, soberanas e quânticas obras de Deus que emanam da eternidade passada para os propósitos de sua glória até à eternidade futura. Opinar sobre o que Deus está fazendo em termos de resultados pode nos desviar para o reino da arrogância ou da falta de fé. Se precisamos *ver* que houve resultados valiosos para termos paz sobre o que Deus fez ou permitiu, então não temos fé.

Elisabeth Elliot falava com mais eloquência em sua resposta clássica àqueles que perguntavam "por quê" para darem sentido à tragédia. A citação longa vale a pena.

> "Existe sempre a tendência de simplificar, de avaliar com interpretações que não podem jamais cobrir todos os detalhes nem sobreviver a uma inspeção apurada. Sabemos, por exemplo, que muitas vezes, na história da igreja cristã, o sangue dos mártires tem sido a sua semente. Assim, somos tentados a pressupor uma equação simples aqui. Cinco homens morreram. Isso significa que um número tal de waorani se tornarão cristãos.
>
> Talvez sim. Talvez não. Causa e efeito estão nas mãos de Deus. Não faz parte da fé simplesmente deixar que eles descansem lá? Deus é Deus. Se eu exigir que ele aja de modo a satisfazer minha ideia de justiça, estarei destronando-o. [...]
>
> Para nós viúvas, a pergunta sobre o porquê de homens que confiaram em Deus como escudo e defensor terem sido mortos por lanças indígenas não seria respondida de modo fácil nem conclusivo em 1956, nem silenciada [depois]. [...] Acredito de todo o coração que a História de Deus tem um final feliz. [...] Mas não agora, não necessariamente agora. É preciso fé para se manter firme diante do grande fardo da experiência, que parece provar o contrário. O que Deus quis dizer com felicidade e bondade é muito mais elevado do que podemos imaginar. [...]
>
> O massacre foi uma realidade difícil, anunciada mundialmente na época [...]. Foi interpretado de acordo com a fé ou falta de fé da pessoa — cheio ou vazio de significado. Um triunfo ou uma tragédia. Um exemplo de obediência corajosa ou um caso de tolice incompreensível. O início de um grande trabalho, uma demonstração do poder de Deus. Um primeiro ato infeliz que poderia levar a um belo e previsível terceiro ato no qual todos

os enigmas seriam resolvidos. Deus vingaria a si mesmo, os waorani se converteriam, e todos no sentiríamos bem sobre nossa fé. [...] Mas o perigo jaz em nos agarrarmos às respostas imediatas e que tanto almejamos, como se elas comprovassem a justiça de Deus. O perigo também está em nos esquivarmos habilmente de outras consequências, algumas inevitáveis, algumas simples resultado de um trabalho malfeito. Resumindo, na história waorani, como em outras histórias, somos consolados desde que não examinemos muito de perto o acontecimento desgostoso. Com essa evasão, continuamos prontos a falar do trabalho como "nosso", a nos apropriarmos de qualquer coisa que traga sucesso e a negar todo fracasso.

A fé mais saudável busca um ponto de referência longe da experiência humana, a estrela-do-norte que marca o curso dos eventos humanos, não esquecendo aquele impenetrável mistério da interação da vontade de Deus com a do homem. [...]

Não devemos depender de nosso nível espiritual. É só em Deus e nada menos do que em Deus que nos firmamos, pois a obra é de Deus e o chamado é de Deus e tudo é realizado por ele e para seus propósitos: o cenário todo, a confusão toda, o pacote todo — nossa coragem e nossa covardia, nosso amor e nosso egoísmo, nossas forças e nossa fraqueza. O Deus que conseguiu tomar um assassino igual a Moisés e um adúltero igual a Davi e um traidor igual a Pedro e transformá-los em seus servos é um Deus que também pode salvar indígenas selvagens, usando como seus instrumentos de paz um conglomerado de pecadores que às vezes parecem heróis e às vezes vilões, pois 'temos [...] esse tesouro em vasos de barro, para que o poder extraordinário seja de Deus e não nosso' (2Co 4.7)."[1]

Após o roubo de seu trabalho linguístico com o idioma colorado, quando Betty contou sua história — "para quem você carregou a pedra?" —, ela não

---

[1] Elisabeth Elliot, *Através dos portais do esplendor: a história que chocou o mundo, mudou um povo e inspirou uma nação*, trad. Eulália Pacheco Kregness (São Paulo: Vida Nova, 2013) (p. 306-310).

estava sugerindo que Deus é um sádico à moda do Mito de Sísifo. Sempre há um significado e propósito divinos em fazer o que ele ordena. Só que, na maioria das vezes, não conseguimos *ver* esse propósito; nossa visão humana nao está equipada com dimensões transcendentes o bastante para acessar os propósitos amorosos da eternidade.

Enquanto medimos nossas vidas com colheres de café, presos no "agora", devemos escolher se confiamos em Deus ou não. Segui-lo ou não. Obedecer-lhe. Ou não. E se escolhermos confiar, seguir e obedecer, então a medida do nosso sucesso não é como as coisas se desenrolam nesta vida, nem em nossa compreensão de todas as engrenagens, rodas e maquinações do que Deus está fazendo. "Uma investigação atenta e inquieta sobre como as coisas espirituais 'funcionam' é um exercício de futilidade", disse Betty, após ter se atormentado com muitas dessas aflições.

O único problema a ser resolvido, na verdade, é o da obediência. Como Betty observou, a futilidade — aquela sensação de desespero que entorpece o espírito — não vem da coisa em si, mas da demanda por saber o "porquê". É a pergunta da criança, como os intermináveis "porquês" da pequena Valerie na selva. Para Betty, a questão adulta é "o quê?". Por exemplo: *Senhor, mostre-me o que tu queres que eu faça. E eu farei.*

E nessa aceitação — "Eu obedecerei, seja o que for" — há paz.

CAPÍTULO 38
A QUESTÃO RELEVANTE

"Deus não exige que sejamos bem-sucedidos, apenas que sejamos fiéis."
— Madre Teresa

Durante suas dificuldades mútuas com Rachel Saint, lamentando a aparente futilidade de seu trabalho entre os waorani, Betty mergulhou em um longo estudo de Êxodo. Sentada na selva, lendo à luz da lamparina, ela extraiu algumas pepitas que enriqueceram o seu pensamento sobre os estranhos caminhos de Deus.

Ela leu a familiar história de Moisés indo até Faraó, repetidamente, alertando o moreno tirano sobre as pragas que viriam se ele não deixasse os escravos hebreus saírem do Egito. Talvez você tenha visto o filme. Moisés, cada vez mais desgrenhado, entrava na sala do trono do Faraó, com seu irmão Arão ao seu lado. Moisés proclamava fielmente a mensagem do Todo-Poderoso: *Deus diz: "Deixa o meu povo ir!"*.

O rei não tinha interesse na vontade de ninguém, exceto a sua. "Quem é o Senhor para que lhe ouça eu a voz e deixe ir a Israel?", trovejou. "Não conheço o Senhor, nem tampouco deixarei ir a Israel."[1]

Deus fez com que Faraó conhecesse quem ele era. Cada vez que Faraó se recusou a libertar os escravos hebreus, Deus enviou uma praga. Depois outra. Dez vezes. Entre outras coisas, houve enxames de sapos, moscas, gafanhotos. As colheitas se frustraram, a água cheirou mal, o gado morreu. Sangue, granizo e escuridão. O Egito cambaleou sob o peso dos julgamentos de Deus e o custo do orgulho de Faraó. Morte — por toda parte.

Em vez de se distrair com imagens mentais de sapos povoando as pirâmides, Betty se concentrou no pobre Moisés. Deus continuou a mandá-lo de volta para a sala do trono de Faraó; e qual *era* a utilidade de ele falar com Faraó, vez após

---

[1] Cf. Êxodo 5.2.

vez? De qualquer ponto de vista humano, sua palavra não tinha peso. Mas Deus insistiu que Moisés seguisse suas ordens e falasse... embora a Bíblia diga que *Deus* endureceu o coração de Faraó, de modo a tornar as palavras de Moisés ineficazes.

O que há com isso?, perguntava-se Betty. Exceto pelo fato de que não era assim que Betty falava.

As tarefas aparentemente fúteis continuaram. Depois que os hebreus finalmente e milagrosamente escaparam do Egito, eles partiram para a nova terra que Deus havia prometido. Betty conhecia bem a longa e tortuosa história. A certa altura, a enorme multidão de israelitas tropeçava, sem água, por três dias no deserto. Eles chegaram a um lugar chamado Mara, mas a água ali era "amarga" — intragável. Houve um motim contra Moisés nas fileiras sufocantes, e Moisés clamou a Deus, o qual lhe mostrou uma árvore e lhe disse que a jogasse nas águas fedorentas. Aquilo purificou a água, e o povo bebeu. Então Deus conduziu o povo, por meio de Moisés, a um refúgio chamado Elim, repleto de palmeiras e fontes frescas de água corrente.[2]

"Como Jim me apontou anos atrás", Betty registrou no diário, "Deus <u>conduziu</u> Israel a Mara. Ele poderia tê-los levado diretamente a Elim, mas escolheu levar seu povo a dificuldades para que eles o conhecessem, e para que ele os conhecesse".

Além disso, ela notou na história o detalhe de que a árvore que tornou a água potável em Mara estava bem ali, mas Deus teve de *mostrá-la* a Moisés. Muitas vezes, a solução para o nosso problema está bem à mão, mas ela precisa ser mostrada a nós. E a própria causa da reclamação pode se tornar doce.

Era uma lição para os missionários, pensou Betty. "Podemos dizer: 'Bem, se Deus há de salvá-los [grupos populacionais não alcançados] de uma maneira ou de outra, e meus esforços serão inúteis, por que raios eu deveria suportar as dificuldades, frustrações e humilhações que o trabalho missionário implica?' Porque somos <u>ordenados</u> a isso. Deus não deixará de fazer a sua parte, que é, em última análise, a única parte que importa."

Elisabeth Elliot sabia que ela não era nenhum Moisés, embora estivesse cada vez mais desgrenhada. Mas estava desesperada para aprender o que Deus poderia lhe ensinar a partir da história das Escrituras.

---

2 Cf. Êxodo 15.22–27.

A QUESTÃO RELEVANTE

A questão não era "por quê?" mas "o quê?". *Deus, o que queres que eu faça?* Para Betty, quer Deus lhe dissesse para confrontar Faraó, quer para viver entre os waorani, ela estava determinada a fazê-lo, independentemente dos resultados.

O que é bom, já que a obediência de Betty em tais assuntos não levou a resultados impressionantes que ela pudesse ver.

CAPÍTULO 39
A POEIRA E AS CINZAS

"O tempo é um amigo gentil, e ele nos fará velhos."
— Sara Teasdale

Os nove meses de Betty entre os colorados no início dos anos 1950, "inúteis" devido à morte de seu informante de idioma e à perda de suas anotações do idioma, pareciam uma imensa pilha de cinzas. Então, no final de 1961, após o fracassado relacionamento de trabalho com Rachel e o aparente insucesso de sua temporada entre os waorani — assim como suas profundas preocupações sobre o futuro deles — as cinzas eram ainda mais profundas.

Mas, estranhamente, as próprias cinzas de sua experiência no Equador de alguma forma se tornaram a plataforma pela qual o resto do mundo passou a admirá-la. As coisas que Betty via como fracassos eram, na mente do público, suas credenciais. Ela era "a missionária de renome mundial que levou o evangelho a uma tribo selvagem", a "linguista talentosa", a viúva corajosa e heroica, a esposa de um mártir.

Aos olhos de Betty, essas coisas eram muito pó. No final de seu tempo no Equador, Betty estava intrigada até mesmo sobre o que a palavra *missionária* significava. Na selva, Rachel havia rejeitado suas viáveis habilidades linguísticas. A adulação acumulada sobre ela e as outras viúvas — elas eram as nobres "esposas de mártires" e "nossas bravas moças" — significava pouco. Ela preferia o fazendeiro que dera o nome dela a uma de suas vacas.

Talvez seja um padrão. Os tempos de poeira em nossas vidas, com sua cinzenta falta de propósito, podem muito bem ser os tijolos de Deus. Aquilo que parece frágil, mais leve que o ar, imaterial e fraco — quem construiria sobre um "tijolo" feito de cinzas? — mais tarde pode se tornar nossa maior força. É um desdobramento do que o apóstolo Paulo quis dizer quando escreveu que Deus lhe dissera: "A minha graça te basta, porque o poder se aperfeiçoa na fraqueza". Então, disse Paulo, eu assumirei minhas fraquezas, "para que sobre mim repouse o poder de Cristo. Pelo que sinto prazer nas fraquezas, nas injúrias, nas necessidades, nas perseguições, nas angústias, por amor de Cristo. Porque, quando sou fraco, então, é que sou forte".[1]

Betty se identificava com a perspectiva de Paulo. No exato momento em que qualquer uma de nós começa a se preocupar com nosso poder, plataforma, imagem ou identidade, então caímos em problemas.

"A busca por reconhecimento atrapalha a fé. Não podemos crer enquanto estivermos preocupadas com a 'imagem' que apresentamos aos outros. Quando pensamos em termos de 'papéis' para nós mesmas e para os outros, em vez de simplesmente fazer a tarefa que nos foi dada para fazer, estamos pensando como o mundo pensa, não como Deus pensa. O pensamento de Jesus era sempre e somente para o Pai. Ele fez o que viu o Pai fazer. Ele falou o que ouviu o Pai dizer. Sua vontade foi submetida à vontade do Pai."[2]

Então, Betty tentava não se fixar em sua própria "identidade". Mais uma vez, ela sabia que não era nenhuma das suposições rotuladas que os outros haviam colocado sobre ela. Ser uma jovem viúva, por exemplo, era muito mais complexo do que os de fora estavam dispostos a resumir. Eles a elogiavam por coisas que ela não acreditava serem verdade sobre si mesma. (Ou, inversamente, eles a difamavam por outras coisas que não eram verdade: ela era alcoólatra. Tivera um filho com um homem waorani. Tinha perdido a cabeça.)

As falsas suposições, lisonjeiras ou condenatórias, não eram culpa deles; como eles poderiam conhecê-la? Aliás, pensou Betty, *como eu mesma posso me conhecer?*

Como Betty escreveu sobre os waorani, "Muitas vezes, eu perdi as esperanças de realmente conhecê-los, os segredos de seus corações. Então, percebi que eu não conhecia meu próprio coração. Nisso éramos um".[3]

Nesta questão de identidade, ela teria concordado com o resumo do assunto feito por Dietrich Bonhoeffer. Bonhoeffer foi o célebre pastor, escritor e mártir alemão, executado por ordens de Adolf Hitler enquanto Betty estava na faculdade. Um de seus últimos poemas veio de sua prisão nazista:

> Quem sou eu? Frequentemente me dizem
> Que saio da minha cela
> Calmamente, alegremente, resolutamente,
> Como um senhor de seu palácio.

---

1 2 Coríntios 12.9–10.
2 Elisabeth Elliot, *A Lamp Unto My Feet* (Ann Arbor, MI: Servant Publications, 1985), Dia 28, Identity ["Identidade"].
3 Elisabeth Elliot, *The Savage My Kinsman*, p. 140.

[...] Quem sou eu? Também me dizem
Que suportei os dias de infortúnio
Equanimemente, sorridentemente, orgulhosamente,
Como quem está acostumado a vencer.

Sou mesmo, então, o que os outros dizem de mim?
Ou sou apenas o que sei de mim mesmo?
Inquieto, melancólico e doente, como um pássaro enjaulado,
Lutando por ar, como se mãos apertassem minha garganta,
Faminto por cores, por flores, pelos cantos de pássaros,
Sedento por palavras amigáveis e bondade humana,
Tremendo de raiva do destino e da menor doença,
Temendo por amigos a uma distância infinita,
Cansado e vazio no orar, no pensar, no fazer,
Esgotado e pronto para dizer adeus a tudo.

Quem sou eu? Este ou o outro?
Sou uma pessoa hoje e outra amanhã?
Sou ambas ao mesmo tempo? Na frente dos outros, um hipócrita,
E para mim mesmo um fracote desprezível e inquieto?

[...] Quem sou eu? Essas perguntas solitárias zombam de mim.
Quem quer que eu seja, tu me conheces, eu sou teu, ó Deus.[4]

Como Bonhoeffer, *este* era o porto seguro para onde Elisabeth Elliot sempre retornava, não importava o que acontecesse.

Eu pertenço a Deus. Ele é fiel. Suas palavras são verdadeiras.

---

4 "*Wer bin ich?*" traduzido do alemão por Thomas Albert Howard, https://www.patheos.com/blogs/anxiousbench/2014/09/bonhoeffers-who-am-i/, ênfase acrescida.

CAPÍTULO 40
A PRÓXIMA COISA

"Quanto mais você aceitar as cruzes diárias como o pão de cada dia, em paz e simplicidade, menos elas prejudicarão sua saúde frágil e delicada; mas inquietações e preocupações logo o matarão."
— François de la Mothe-Fénelon

Betty era intelectual, mística, reflexiva... mas também era uma pessoa muito prática. Depois que Jim morreu, ela não passou cada dia lamentando, filosofando ou entrando em contato com seus sentimentos, embora tudo isso fluísse livremente em seu diário. Ali estava ela, de repente mãe solteira, sozinha na estação da selva que ela e Jim haviam ocupado juntos. Eles tinham uma divisão de trabalho organizada; ela não fazia a menor ideia de como executar cada tarefa que ele realizava. A vontade dela era desabar sem forças no chão do quarto.

Mas ela sobreviveu a cada dia árduo, um de cada vez, com um simples mantra: *faça a próxima coisa*.

Ele vinha de um velho poema saxão que Betty amava, parcialmente transliterado do inglês arcaico:

> Faze-o imediatamente, faze-o com oração,
> faze-o com confiança, lançando fora a preocupação.
> Faze-o com reverência, a mão de Deus a observar
> que pôs isso à sua frente, zelosamente a ordenar.
> Seguro sob suas asas, firmado no Onipotente,
> faze a próxima coisa, sem ter resultados em mente.

Betty tentou tomar sobre si cada novo e confuso dever como a vontade de Deus para cada momento. O que ela faria com o gerador a diesel? Como manteria a pista de pouso aberta para pequenos aviões? Ela se viu como encarregada de dezenas de índios, gerenciando-os, pagando-lhes enquanto eles sacudiam seus facões na pista de pouso, limpavam o canteiro de abacaxis e as trilhas da selva e faziam a manutenção das construções. Aquele não era um papel familiar ou confortável.

Ainda havia o sistema hidrelétrico que Jim tinha acabado de começar a instalar antes de morrer. Física hidrelétrica não era o ponto forte de Betty: ela deveria contratar homens para terminá-lo, ou seria melhor abandoná-lo?

Ela também dava aulas de alfabetização para mulheres, gerenciava a professora equatoriana que dirigia a escola dos meninos, e fazia partos. Ainda, havia a tradução do Evangelho de Lucas, que ela e Jim tinham terminado apenas em rascunho antes de ele ser morto. Ela tinha que continuar com aquilo; não havia nenhuma porção das Escrituras em quíchua. Se a igreja havia de crescer, eles precisavam ter alimento espiritual.

E que raios ela *havia de fazer* com a igreja quíchua? Havia cinquenta crentes recém-batizados que não eram cristãos há mais de um ano. Jim os ensinava diariamente e aos domingos. Jim Elliot não estava mais lá. Não havia nenhum outro missionário homem.

Betty sabia que não iria governar aquela igreja. Mas ela era a única pessoa por perto que conhecia as Escrituras. E uma das últimas coisas que Jim lhe disse antes de partir para os waorani foi que ela deveria continuar a discipular os crentes.

Então, ela pegou dois dos jovens que Jim havia escolhido como líderes em potencial. Ela lhes disse que não era seu papel ser a cabeça da igreja indígena deles; era o trabalho deles assumir a responsabilidade. Mas ela estava lá para ajudá-los.

Assim, todo sábado à tarde, Betty e um desses homens se encontravam. Eles se sentavam, e ela traduzia alguns versos do espanhol, grego e inglês para o quíchua. Eles discutiam as Escrituras, esboçavam um sermão, pensavam em ilustrações da vida na selva e oravam. E, aos domingos, os homens pregavam para a congregação.

"Eu poderia ter feito um trabalho melhor", escreveu Betty sem orgulho. "Mas senti que não era meu trabalho assumir a igreja simplesmente por ser competente para fazê-lo. Era meu trabalho encorajar esses homens para que eles se tornassem competentes."[1]

---

1 Elisabeth Elliot, tal como citado em https://carolinerosekraft.com/do-the-next-thing-by-elisabeth-elliot/.

A PRÓXIMA COISA

Eles se tornaram.

Muito embora a lista de tarefas de Betty após a morte de Jim fosse assustadora, de alguma forma ela as terminava todo dia. "Você pode imaginar o quanto eu estava tentada a simplesmente jogar a toalha e dizer: 'É impossível eu fazer isso'", disse ela mais tarde. "Eu queria mergulhar no desespero e na impotência." Mas fazer a próxima coisa, não importa quão pequena, de alguma forma criou um ímpeto que a carregou através de cada longo dia, uma hora difícil de cada vez.

CAPÍTULO 41
O PROBLEMA DA DOR

Minha vida é como folha desbotada,
Minha colheita apenas palha encontrou;
Minha vida é decerto vã e abreviada,
E tediosa no estéril dia que findou.
Minha vida é como coisa congelada,
Nenhum broto ou verdura posso ver:
Contudo, há de aparecer na madrugada;
Oh, Jesus, vem em mim crescer."
— De "A Better Resurrection" ["Uma superior ressurreição"], de Christina Rossetti

Os anos de juventude de Betty Elliot não foram extremamente alegres.

Isso não quer dizer que não houve estações alegres; Betty ria até chorar com seus irmãos. Amava seus amigos. Sentia-se profundamente contente quando estava em casa, qualquer que fosse sua casa, se fosse um espaço de ordem e beleza. Uma flor em uma xícara de lata, colocada em uma "mesa" da selva, a fazia sorrir. Ela amava nadar, caminhar e fazer trilhas; ela exultava com as maravilhas da natureza. Ela conheceu uma alegria profunda e real durante os raros momentos em que esteve realmente *com* Jim Elliot antes do casamento, em vez de vivendo um amor por correspondência. Ela tinha grande alegria em Valerie, maravilhando-se com o desenvolvimento da filha, sua personalidade engraçada e seu uso criativo da linguagem. Ela amava os waorani e experimentava a alegria ao balançar-se em sua rede, ouvindo os sons noturnos do acampamento.

Ainda assim, se passássemos um contador Geiger emocional sobre seus diários, configurando-o para registrar os momentos difíceis, ele dispararia loucamente ao passar pelos seus registros que evocassem tristeza, confusão, frustração, solidão e rejeição. (Como muitas de nós, ela provavelmente escrevia mais quando estava triste e frequentemente pulava o diário nos dias cheios e felizes.)

Para Betty, os dias tristes não eram momentos a serem negados, suprimidos ou evitados. Tanto a formação médica de Betty como sua teologia não permitiam que ela negasse a existência da dor. A dor era um sintoma. Mostrava que Deus estava trabalhando. Se ela trilhasse o caminho da obediência, ele de fato usaria a própria dor dela para seus bons propósitos.

Mas o problema com a dor é que ela dói.

Muitas de nós, principalmente se vivemos na América do Norte, somos culturalmente programadas para evitar a dor a todo custo. Somos subliminarmente ensinadas a pensar que nossa vida será como uma viagem por um longo e tranquilo rio de produtividade, paz e propósito. Esperamos corredeiras ocasionais, pedras e outros perigos, mas a suposição é que, em sua maior parte, o rio será tranquilo.

Moldada por sua experiência na selva, Betty Elliot sabia que qualquer rio é cheio de corredeiras e cravejado de pedras perigosas. Tempestades violentas acontecem com mais frequência do que se imagina. Cobras venenosas espreitam às margens do rio; sucuris deslizam nas águas rasas. Betty não *esperava* temporadas de flutuação tranquila, bronzeando-se sobre sua boia aquecida pelo sol.

Ela costumava se chamar de pessimista, dizendo que era um dom que herdara de sua família. Prefiro chamá-la de realista. A vida é difícil. É uma mentira projetar que a vontade de Deus nesta terra é que estejamos seguras, prósperas e sem dor. Pergunte a qualquer cristão que atualmente esteja resistindo à perseguição sob a mão de governos hostis ou extremistas religiosos majoritários. Deus preserva nossas *almas* seguras, protegidas até à eternidade. Ele pode dar riquezas neste mundo, sim, a alguns. Mas para todos os seus filhos que permanecem nele, ele dá segurança e riquezas à alma. O sofrimento neste mundo de alguma forma refina nosso caráter e deslumbre para com o mundo por vir — aquele que dura para sempre, aquele com alegrias além da imaginação humana. E o sofrimento é uma das ferramentas santificadoras de Deus. Deus não é um encanador cósmico que aparece para fazer as coisas fluírem bem conosco. Quando ele não conserta situações quebradas em nossa vida, geralmente é porque ele está nos consertando por meio delas.

Viver com a promessa do céu torna a terra melhor. O "ainda não" nos dá uma rica liberdade: podemos segurar esta vida nas mãos sem apertá-la com muita força, exatamente como fizeram Jim Elliot e seus amigos.

O PROBLEMA DA DOR

Muitos dos livros posteriores da madura Elisabeth Elliot retornariam organicamente a esse tema. Aqueles que conhecem bem seus escritos não conseguem imaginar sua vida e o corpo de sua obra sem esta marca registrada: o tema do sofrimento. Em uma cultura norte-americana cada vez mais avessa à dor, Betty e algumas outras, como Joni Eareckson Tada, serviram como vozes de autoridade sobre o assunto na segunda metade do século XX (e além).

Embora algumas de nós possamos pensar em Elisabeth Elliot como a autoridade máxima em sofrimento, é importante lembrar que ela não nasceu de meia-idade e ficou viúva duas vezes. Em seus anos de juventude, ela não tinha ideia da direção enlutada que sua narrativa tomaria.

Durante a faculdade, o relacionamento de Betty com Jim a tirou da geladeira emocional. Mas o cortejo entre os dois a condenou a cinco anos de autocontrole exaustivo, quando ela não conseguia expressar seu amor por ele. Naturalmente introspectiva, aquilo a fez passar ainda mais tempo "ensimesmada"... e a pobre Betty Elliot não tinha a internet ou seus milhares de sites de autoajuda alegres para lhe dizer "como sair de si mesma". Tudo o que ela tinha era a Bíblia.

Ao se casar com Jim e tornar-se mãe de Val, até onde Betty sabia, ela viveria seus dias ministrando na selva com Jim. Eles ansiavam ter mais filhos — o próximo bebê, se fosse menina, se chamaria "Evangeline" —, equipar os crentes quíchuas e criar uma tribo de Elliots jovens e fortes. Planos felizes. Todos esvaídos.

Então, uma Betty machucada fez novos planos. Ela ansiou por viver com os waorani e, eventualmente, ter uma Bíblia na língua deles. Como se não bastasse a dor já sofrida, embora Deus a tenha levado aos waorani, as dificuldades espinhosas com Rachel Saint forçaram-na a sair.

Lambendo suas feridas, tudo que Betty conseguia pensar eram nos espinhos de *Jesus*. Uma coroa zombeteira perfurou sua cabeça; ele foi até à cruz. Ele havia orado fervorosamente, com lágrimas, àquele que poderia livrá-lo da morte. Deus o ouviu. E embora fosse Filho de Deus, Jesus aprendeu a obediência com o que sofreu.[1]

Sim, algumas de nós podemos dizer. Mas Jesus estava salvando o mundo. E ele é Deus.

Mas os desígnios de Deus estão entrelaçados no tecido do universo, sendo verdadeiros para o seu próprio Filho e verdadeiros para os seres humanos por quem ele morreu para salvar. Obediência.

---

1 Hebreus 5.8.

Nós "devemos olhar clara e inabalavelmente para os acontecimentos e buscar entendê-los através da revelação de Deus em Cristo", Betty escreveu. "Houve o escândalo do nascimento virginal, a humilhação do estábulo, o anúncio feito não às autoridades da cidade, mas a incultos pastores. Um bebê nasceu — um Salvador e Rei —, mas centenas de bebês foram assassinados por causa dele. Seu ministério público — certamente nenhuma turnê de triunfo, nenhuma história de sucesso estrondosa — não levou ao estrelato, mas à crucificação. Multidões o seguiram, mas a maioria queria apenas obter algo dele e, no final, todos os seus discípulos fugiram. No entanto, dessa aparente fraqueza e fracasso, de sua própria humilhação até a morte, veio o poder que transforma tudo."

Então não é nenhuma surpresa que, como Betty disse, "ser um seguidor do Crucificado significa, mais cedo ou mais tarde, um encontro pessoal com a cruz. E a cruz sempre acarreta perda. O grande símbolo do cristianismo significa sacrifício, e ninguém que se diz cristão pode fugir desse fato notório".[2]

Em seu próprio encontro com a cruz, Betty buscou com determinação o caminho da obediência, independentemente de como se sentia. Assim, em seu caos na selva com Rachel Saint, ela não agiu de acordo com suas emoções. Ela tentou — nem sempre com sucesso — confinar a maior parte de sua angústia, raiva, confusão e sentimentos feridos ao seu diário, em vez de vomitar tudo aquilo em Rachel. Ela buscou a vontade de Deus, mesmo enquanto sua biógrafa e outras talvez gritassem para ela do lado de fora do tempo: "Minha irmã, saia já daí!".

Betty sabia que era "sempre difícil olhar para as coisas espiritualmente, especialmente quando elas parecem uma bagunça". Alguém poderia facilmente cair em um de dois extremos ao analisar o trabalho entre os waorani. Um é o triunfalismo alegre, que deixa a história mais reluzente, encobre quaisquer fracassos inconvenientes, cita "resultados" surpreendentes e passa o prato. O outro é focar apenas nas falhas humanas, exagerar quaisquer fraquezas e, com amargura, desacreditar todo o trabalho como um fracasso. O caminho difícil é ver tanto o bem quanto o mal, saber que Deus trabalha de todas as maneiras por meio de todos os tipos de pessoas, e louvá-lo por ser soberano sobre tudo.

Um dos poemas favoritos de Betty sobre esse "caminho difícil" veio da iconoclasta Amy Carmichael.

---

2 Elisabeth Elliot, *These Strange Ashes: Is God Still in Charge?* (Ann Arbor, MI: Servant Publications, 1998), p. 145.

Não tens tu nenhuma cicatriz?
Nenhuma oculta no pé, no lado, na mão?
Eu te ouvi cantando como poderoso na terra,
Ouvi saudarem tua estrela radiante e ascendente,
Não tens tu nenhuma cicatriz?

Não tens tu nenhuma ferida?
Mas eu fui ferido pelos teus arqueiros, extenuado,
Apoiei-me contra uma árvore para morrer; e, lacerado,
Por bestas vorazes que me circundavam, eu desfaleci.
Não tens tu nenhuma ferida?

Nenhuma ferida, nenhuma cicatriz?
Mas, como o Senhor, será o servo.
E os pés que me seguem feridos são,
Mas os teus sadios estão. Tem-no seguido
Aquele que não tem ferida, nem cicatriz?[3]

Nossas mentes do século XXI precisam desacelerar para absorver esse duro poema. Pode parecer um pouco mórbido e gerador de culpa. E quanto àqueles que, pela graça de Deus, levaram vidas largamente sem cicatrizes? Estaria Amy Carmichael envergonhando-os para que se autoflagelassem?

Mas há uma rica doçura no poema de Carmichael. É quase uma Pedra de Roseta para entender Betty Elliot, assim como Jim, que o citavam com frequência. Ou talvez os Elliots sejam o dispositivo de tradução que decifra o poema para nós.

Quer você concorde ou discorde das escolhas deles, quer se identifique ou não com suas personalidades particulares, a lição que tiramos de suas vidas é um inconsequente abandono por Deus. Uma disposição de lançar fora quaisquer ilusões

---

[3] https://womenofchristianity.com/hast-thou-no-scar-by-amy-carmichael/. Tradução extraída de Elisabeth Eliott, *Amy Carmichael: um legado de renúncia e entrega*, trad. Francisco Wellington Ferreira (São José dos Campos: Editora Fiel, 2023), p. 316.

de autoproteção, a fim de se incendiar por Cristo. Uma liberdade absolutamente libertadora e surpreendentemente radical que vem somente quando você, de fato, morreu espiritualmente para suas próprias necessidades, ambições, vontade, desejos, reputação e tudo mais.

Quando Jim ou Elisabeth Elliot escreveram sobre "morrer para si mesmo", aquele era um jargão cristão familiar. Fácil de banalizar, fácil de cantar em um refrão empolgante e então sair para almoçar depois da igreja. Os Elliots, assim como outros missionários, falavam aquilo literalmente. Para os homens, a morte física foi a porta de entrada para a Vida no auge de sua juventude. A morte das viúvas pode ter parecido menos dramática, mas foi mais lenta e mais difícil: anos de uma obediência resoluta e determinada ao Deus perigoso e imprevisível que lhes havia arrancado seus jovens maridos.

Betty Elliot jamais teria escolhido o sofrimento que Deus tinha para ela. Mas quando ela citava Amy Carmichael, não estava apenas se entregando a um devaneio de deleite poético. Os espinhos e cicatrizes que Deus permitiu em sua própria vida — ou, para mudar a metáfora, as mortes extintoras que apagaram o fogo do seu conforto e alegria — não eram estranhos que aparecem de surpresa, mas amigos a serem bem recebidos. Quando a dor, a decepção, a falta de realização, o escárnio, o sofrimento e a morte vieram, ela não fugiu das ondas escuras, arrastada para trás pela correnteza implacável. Ela os encontrou cara a cara, mergulhando em direção à onda que se erguia, não se poupando de nada, considerando o choque revigorante e salgado das águas frias apenas parte da grande História. Nada de novo. Nada original. Apenas cristianismo básico, desde seus primórdios paradoxais.

Betty escreveu: "A vontade de Deus não é algo quantitativo, estático e mensurável. O Deus soberano se move em relação misteriosa com a liberdade da vontade do homem. Não podemos exigir nenhuma reversão instantânea. Tudo deve ser trabalhado de acordo com um projeto e cronograma divinos. Às vezes, a luz sobe terrivelmente devagar. O reino de Deus é como fermento e semente, coisas que trabalham silenciosamente, secretamente, lentamente, mas há nelas um poder transformador incalculável. Mesmo no solo plano, mesmo na massa sem brilho, reside a possibilidade de transformação".[4]

---

4 Elisabeth Elliot, *The Savage My Kinsman* (Ann Arbor, MI: Servant Publishers, 1961), p. 147.

O PROBLEMA DA DOR

Talvez o fim do tempo de Elisabeth Elliot no Equador tenha sido, como ela sentiu em Shandia em 1963, o início da primavera. Ao longo de seus anos lá, ela havia descongelado de uma rosa refrigerada para uma esposa e mãe apaixonada. Mas ainda assim, a perda de seu amante e alma gêmea e a perda de qualquer senso de realização em seu trabalho linguístico ou missionário quase mataram a esperança dela. Ela não teria se importado em morrer nas mãos dos waorani.

Houve outra morte também, o falecimento de uma religiosidade triunfal que reagia às tragédias e às questões profundas da vida com platitudes. E se Betty sentiu uma tristeza profunda pela perda de Jim, a tristeza era quase mais fácil de suportar do que a raiva que sentia para com as posturas piedosas de agências religiosas baseadas em desempenho, preocupadas mais com imagem e relações públicas do que com o estado do coração.

Muitos dos que sentem tanta raiva ou desilusão para com o cristianismo cultural de sua juventude abandonam completamente a fé, ou criam uma espiritualidade vaga que gosta de Jesus, desde que ele seja definido pelo indivíduo autônomo. Betty persistiu. Em um ponto de sua jornada literal e metafórica na selva, ela escreveu: "É perturbador [...] pensar o quanto até mesmo nossa consciência moral é condicionada pelo que é atualmente e/ou localmente aceito. [...] Adaptação cultural que inconscientemente adotamos como parte de nossa perspectiva de fé. [...] Agora mesmo, tenho certeza de poucas coisas: a inexorabilidade da ressurreição/redenção; o amor de Deus; o poder da fé (mas é um dom)".

Betty escreveu em seu diário, propondo que quando retornasse aos Estados Unidos, ela tentaria escrever livros sobre esse dom da fé. "Mas como, como, colocar isso no papel para desarmar as pessoas a contemplá-lo por uma vez, seriamente? Não tenho grande imaginação ou habilidade criativa, mas acredito que se eu trabalhasse duro, poderia produzir algo que, vez por outra, revelasse um momento de verdade. Quão bem eu conheço minhas limitações, mas que isso não seja um pretexto para jogar a toalha."

Afinal, ela agora tinha algo a dizer. Ela era cristã há muitos anos. Mas agora o foco não era o cristianismo, mas Cristo. "Suponho que a opinião geral sobre o trabalho missionário diga que ele tem a intenção de levar [as pessoas] a Cristo. Só Deus sabe se alguma coisa na minha 'carreira missionária' contribuiu de alguma forma para esse fim. Mas muito nessa 'carreira' me levou a Cristo."

EPÍLOGO
UMA NOTA DA AUTORA

Como mencionei no início deste volume, a tarefa do biógrafo sério é sem esperanças. Isso não ocorre apenas porque os leitores podem ter noções preconcebidas sobre a pessoa biografada e preferir essa imagem à que o biógrafo pode descobrir. Também ocorre porque o biógrafo pode ser tentado a pensar que seu trabalho é relatar cronologicamente uma série de eventos da vida, e a imagem do biografado será então projetada na página ordenadamente. Ou apenas reunir fatos precisos o suficiente, obter descrições suficientes, e as peças do quebra-cabeça se encaixarão. Não. Considere um vídeo que realmente registre uma pessoa dormindo, um tedioso minuto após o outro durante toda a noite. Ele pode registrar corretamente as ações do dorminhoco. Mas não pode revelar seus sonhos. (E qualquer espectador morreria de tédio.)

Michelangelo disse que cada bloco de pedra tem uma estátua dentro; a tarefa do escultor é descobri-la.

Minha pedra era o corpo dos escritos de Betty e os testemunhos daqueles que a conheceram. Um imenso monólito. Eu não estava esculpindo com um cinzel. Estava raspando milhões de palavras. (Fique feliz por eu ter descartado a maioria delas.) Enquanto eu fazia isso, a forma da mulher começou a emergir.

Para mudar a imagem, eu olhava para a letra minúscula e desbotada que preenchia as páginas finas dos antigos diários de Betty, mergulhando em seus pensamentos como se eu fosse água e ela, um saquinho de chá. À medida que eu absorvia sua essência, descobria que não estava apenas carregando minha própria vida, a qual na época já era pesada o bastante. Do modo mais estranho, eu estava carregando a vida de Elisabeth Elliot, todos os dias. Eu não era uma biógrafa, mas uma despenseira, com uma tarefa mundana, mas sagrada. *Escrever a história.*

Ao virar as páginas finas de seus diários, eu sabia o final daquela história. A jovem Elisabeth, ao escrever, não sabia. Eu queria avisá-la, gritar através das décadas para que ela se preparasse para a tempestade. *Faça as malas! O furacão está chegando!*

É uma misericórdia que nenhuma de nós saiba o que está por vir.

Essa ideia foi reforçada por minhas próprias experiências enquanto escrevia este livro. O raro câncer cerebral do meu marido estivera dormente por anos. Então, enquanto eu trabalhava, examinando os diários escritos de Betty com uma lupa, como se eu fosse uma arqueóloga, Lee desenvolveu novos tumores pequenos. Ele passou por uma cirurgia oncológica. Várias vezes. Meses depois, começou a agir estranhamente. Pressão no cérebro. Necrose, da radiação de prótons que salvara sua vida anos antes. Então, uma infecção violenta surgiu, prometendo matá-lo. Neurocirurgia emergencial de grande escala; estado de saúde crítico. Ele quase morreu três vezes. (Acho que nós "quase morremos" com frequência, mas geralmente não temos consciência disso.)

De qualquer forma, então me peguei lendo os diários de Betty Elliot e anotando sobre sua vida enquanto estava em salas de espera de salas de cirurgia, unidades de terapia intensiva, instalações de reabilitação e em vários leitos de hospital. Eu carregava o peso de Betty perdendo Jim, ao mesmo tempo que a minha própria perda de Lee não era apenas teórica, mas aparentemente iminente.

No entanto, foi bom.

Com isso, quero dizer que as verdades que carregaram Betty Elliot através de suas tempestades particulares me carregaram através das minhas. *Eu pertenço a Deus. Ele é fiel. Suas palavras são verdadeiras. E a transformação — a primavera definitiva — já plantada, está chegando.*

Então, apesar de nossas personalidades, hábitos ou preferências muito diferentes, a história dessa irmã fortaleceu a minha. E essa é minha esperança para qualquer leitora, seja qual for sua situação.

COM GRATIDÃO

Obrigada, Deus. Cada batida do coração vem pela sua graça. Ou, como EE diria, pela *tua* graça.

A Valerie Shepard, por confiar a mim a história da vida de sua mãe; sou muito grata por nossa amizade, e a você e Walt por generosamente compartilharem suas vidas e todas as coisas relativas à EE; da mesma forma, obrigada, Arlita Winston, por confiar em mim para administrar este projeto de sua amiga mais querida! Obrigada a Arlita e Joe por horas e horas de conversa, memórias, orações e belas refeições e xícaras de chá na porcelana favorita de Betty;

A Lars Gren, por me dar acesso a arquivos fechados em Wheaton, por compartilhar fotos e memórias, e por cozinhar e me alimentar com um peixe MUITO fresco em uma tarde da Nova Inglaterra;

A Dave e Janet Howard, Tom e Lovelace Howard, Jane Elliot Hawthorne, Olive Fleming Liefeld, por compartilharem seus pensamentos e memórias de seus entes queridos; e obrigada a Beverly Hancock, por me colocar em contato com sua mãe;

A Joni Eareckson Tada, por escrever o prefácio e por seu maravilhoso e inesperado apoio de oração desde o início deste projeto;

A Robert Wolgemuth e Erik Wolgemuth, como sempre, por sua longa amizade e representação duradoura, particularmente na negociação dos caminhos tortuosos deste livro em particular; e a Nancy DeMoss Wolgemuth, por seu encorajamento e apoio;

Aos incomparáveis Devin Maddox, Clarissa Dufresne, Susan Browne, Jenaye White e Mary Wiley, da editora B&H, por sua maravilhosa experiência em suas várias áreas e sua graciosa ajuda para fazer este livro sair do papel;

A Jennifer Lyell, por sua visão original para este livro e por ser uma defensora da EE;

À Dra. Kathryn Long, obrigada por ler este manuscrito tão meticulosamente, por suas percepções históricas singularmente sutis e por sua amizade; ao Dr. Jim Yost, obrigada por sua sagaz experiência em relação aos waorani e aos desafios de trabalhar com grupos indígenas, questões sobre as quais leigas como eu pouco sabemos;

A Anthony Solis, por gentilmente compartilhar toneladas de pesquisa, bem como por sua contribuição no manuscrito; Sue Moye, pela ajuda entusiasmada na pesquisa e por trazer rolos de papel higiênico e máscaras quando a COVID chegou — você é uma amiga mil e uma utilidades;

A Steve e Ginny Saint, por tantas reflexões atenciosas e por sua hospitalidade no meio de sua tribo de dezenas de netos;

A Phil Saint, por traduzir tão gentilmente minhas entrevistas no Equador e por tantas percepções perspicazes; a Jim Tingler, I-TEC USA; a Jaime Saint, Galo Ortiz e os incríveis caras da I-TEC no Equador, por me manterem viva na selva amazônica — o que me deixou bastante satisfeita;

A Miriam Gebb, que foi ao Equador para uma missão médica de curto prazo há cerca de quarenta anos, e ainda serve fielmente lá até hoje, por suas percepções e histórias; a Chet e Katie Williams, por sua hospitalidade em Shell e seu "ministério de presença" entre os waorani;

A Jon e Jeanne Lindskoog, por sua amizade na selva e memórias de eventos de longa data no Equador, e por suas cópias de fotografias da expedição de resgate de 1956;

A Gary Tennant, missionário perto de Tena, Equador, pelas informações sobre a casa de Elliot em Shandia;

A Bob Shuster e colegas do arquivo da Wheaton, pela sua experiência e ajuda graciosa;

A Kevin e Jan Engel, pela hospitalidade aconchegante em Wheaton;

A Cynthia Fantasia, Lisa Steigerwalt, Sarah Christmyer, por suas memórias de EE; a Paul e Jeannie Edwards, obrigada por me abrigarem no China Room de sua mansão no Gordon College;

A Lois Bechtel, por suas ensolaradas percepções sobre sua mãe, Katherine Morgan, e a história dela; e obrigada a Hyatt e Anne Moore, por me colocarem em contato com Lois — eu amo a tapeçaria de conexões na família de Deus;

A Margaret Ashmore, Kathy Gilbert, Cathy Sheetz, Marion Redding, Jan Wismer, Kathy Reeg, obrigada por suas percepções particulares sobre EE e por seu apoio em oração;

Aos amigos e companheiros membros do Conselho do ICM, e a Janice Allen, CEO do ICM, pelo apoio em oração e por conectar o ICM com as aventuras

COM GRATIDÃO

de Elisabeth Elliot no Equador; às Mulheres Waponi, por seu apoio em oração; a Albert Allen, do ICM, por sua criatividade e paciência em conduzir um grupo de vinte teimosas Mulheres Waponi até Shell, Equador;

A Patti Bryce, pela amizade de longa data, oração e revisão do manuscrito; a Lisa e Scott Lampman, Babs e Rob Bickhart, Mary Ann Bell, Ellen e David Leitch, pelo entusiasmo e apoio em oração;

A minhas irmãs Gloria Hawley e Gail Harwood, por suas orações; a Jamie Longo e Carey Keefe, visionárias literárias e ímãs de eventos estranhos;

A Wendy Fotopolous, Sheila McGee e o pequeno grupo de Sheila, por comentarem os primeiros rascunhos dos primeiros capítulos do livro;

Ao Supper Club, ao Medium Group, ao HMS, ao CHEEKS, ao T-Time, ao Joanne Kemp's Friday Group, por tamanha e gentil solidariedade em oração em meio a muitas águas turbulentas;

A Rachael Mitchell, por seus comentários engraçados e excelente revisão do rascunho do manuscrito;

A Jim e Andie Young, por sua hospitalidade amorosa e por me animarem em todas as coisas da EE durante a longa internação hospitalar de Lee; aos cirurgiões da UPMC, Dr. Paul Gardner, Dr. Carl Snyderman, Dr. Dade Lundsford, Dr. Mario Solari e todos em suas equipes, por sua experiência criativa em abordar os desafios médicos significativos de Lee;

A Lee, Emily, Brielle e Daniel, Haley e Walker: obrigada, como sempre, por seu apoio, curiosidade, cuidado e oração enquanto eu me arrastava por mais um livro. Amo vocês para sempre!

Ellen Vaughn
Reston, Virgínia,
11 de junho de 2020

CRÉDITOS DAS IMAGENS

As imagens utilizadas neste livro possuem permissão das seguintes instituições e indivíduos:

Capa Archives, do International Center of Photography/ Magnum Photos; Mission Aviation Fellowship e da família Saint; Valerie Shepard; Joe Summers; Jonathan Whitten; e do Departamento de Defesa dos EUA. A aparição de informações visuais do Departamento de Defesa dos EUA não implica ou constitui seu endosso.

FIEL
MINISTÉRIO

O Ministério Fiel visa apoiar a igreja de Deus, fornecendo conteúdo fiel às Escrituras através de conferências, cursos teológicos, literatura, ministério Adote um Pastor e conteúdo online gratuito.

Disponibilizamos em nosso site centenas de recursos, como vídeos de pregações e conferências, artigos, e-books, audiolivros, blog e muito mais. Lá também é possível assinar nosso informativo e se tornar parte da comunidade Fiel, recebendo acesso a esses e outros materiais, além de promoções exclusivas.

Visite nosso site

www.ministeriofiel.com.br

Esta obra foi composta em Arno Pro Regular 12, e impressa
na Promove Artes Gráficas sobre o papel Pólen Natural 70g/m²,
para Editora Fiel, em janeiro de 2025.